De ontsnapping

Heleen van Royen

De ontsnapping

HvR 2007

Eerste druk, februari 2006
Zevende druk, februari 2007

Omslagontwerp René Abbühl, Amsterdam
Foto voorzijde omslag: © Jeremy Samuelson / Getty Images
Foto achterzijde omslag: © Frans Janssen
Typografie en zetwerk: ZetProducties, Amsterdam

ISBN 978 90 499 5063 7
NUR 301

www.heleenvanroyen.nl

HvR is een imprint van Foreign Media Books BV,
onderdeel van Foreign Media Group

Voor Ton

De sterren lijken weer een huilerige ballade, en iedere avond
stemmen de honden hun gebarsten violen.
Ik geef het verdriet geen ruimte, laat het niet dichterbij komen.
Duizend meter sneeuw op mijn hart.

Sirkka Turkka – *De hond zingt in zijn slaap*

'Acting is not very hard.
The most important things
are to be able to laugh and cry.
If I have to cry, I think of my sex life.
And if I have to laugh,
well, I think of my sex life.'

Glenda Jackson, actrice

Niet dat het wat uitmaakt, maar mijn broer is dood. De aarde draait nog steeds om haar as. Mijn moeder gelooft nog steeds in God. Mijn vader weet nog van niets.

Jimmy ligt in zijn bed, met een koelinstallatie eronder. Morgen komt de kist, hij zal worden begraven. Het zal precies gaan zoals hij het wilde. Ik heb alles tot in detail genoteerd en aan de begrafenisondernemer doorgegeven. Die was verbaasd dat ik hem te woord stond; ik vertelde dat mijn ouders gescheiden waren en dat mijn moeder er niet toe in staat was. Het leek me sterk dat hij dat nooit eerder had meegemaakt.

Mijn moeder heeft God bedankt, omdat Hij Jimmy tot zich heeft genomen voordat de dokter kwam. Jimmy had tegen de dokter gezegd dat hij een spuitje wilde. Hij was negentien, volgende week zou hij twintig worden, hij was volwassen. Mijn moeder vond het verschrikkelijk. Ze zei dat God zoiets moest beslissen, niet Jimmy. Mijn broer zei tegen haar dat het God heus niets zou uitmaken als hij wat eerder kwam, Hij zou het wel begrijpen.

Mijn moeder was daar niet zo zeker van. Ze veranderde van gebed, voor de zoveelste keer. Eerst had ze steeds gebeden dat Jimmy zou genezen. Toen duidelijk werd dat dat niet zou lukken – mijn broer woog nog vijfenveertig kilo, kon nauwelijks op zijn benen staan, hij was opgegeven – vroeg ze God of Hij hem na zijn twintigste verjaardag uit zijn lijden wilde verlossen. Ik denk dat mijn moeder hoopte dat het net iets minder erg zou zijn om een zoon van twintig te verliezen dan een zoon van negentien. Misschien oefende ze al voor de spiegel.

'Hoe oud is je zoon geworden?'

'Twintig.'

Het is een korter antwoord, dat is natuurlijk prettig en het klinkt inderdaad alsof hij ouder is geworden dan in werkelijkheid.

Toen God haar gebed weer niet verhoorde en Jimmy de dokter belde, bad ze uit alle macht dat de Lieve Here God dan in godsnaam Jimmy zou komen halen voor de dokter hem zou komen brengen, zijn twintigste verjaardag mocht erbij inschieten.

Dit gebed werd verhoord. Hij is vannacht gestorven. In zijn slaap. Tenminste, dat is de officiële lezing. Dat hij vredig is heengegaan.

Het rare was dat mijn moeder er helemaal blij van werd. 'Zien jullie wel?' zei ze tegen Kaitlin en mij. 'Zien jullie het nou? Dat is de Heer. Als de nood echt aan de man is, is Hij er voor ons. Amen.'

Ik begrijp haar niet. Ik heb niet het gevoel dat Hij er is en al helemaal niet dat Hij er voor ons is. Als ik God was en ik een van de drie gebeden had kunnen verhoren, wat me op zich geen onredelijk aantal lijkt, had ik wel geweten welke ik had gekozen. Ik had het leven van Jimmy gespaard. Hij was geen kwade jongen. Hij had niets op zijn geweten waarvan je zou zeggen: die verdient de dood.

Deel een

Ik ga weg

Hoofdstuk 1

Mijn man slaapt en ik ben wakker. Klaarwakker. Mijn ogen zijn dicht, maar ik kan ze net zo goed opendoen, het maakt niet uit. Ik ga overeind zitten en kijk opzij. De mond van mijn man hangt een stukje open, op zijn voorhoofd parelen zweetdruppels. Ik bal mijn rechterhand tot een vuist, mijn nagels drukken in mijn handpalm. Hij weet van niets. Hij weet niet hoeveel nachten ik al zo naast hem lig. Hij weet niet dat ik soms rare dingen denk. Stiekem hoop ik dat hij zijn ogen opent en me teder in zijn armen neemt, dat ik hem dan alles, echt alles, durf te vertellen, dat hij me daarna sust en zegt dat hij me begrijpt. Dat het niet erg is. Dat hij zich soms ook zo voelt. Dat daarna de passie oplaait en we de liefde bedrijven alsof het de eerste keer is.

Het gebeurt niet. Paul merkt nooit wat. Paul slaapt. Paul snurkt. Hij is gelukkig, denk ik. Ik denk dat hij denkt dat ik ook gelukkig ben. Ik zou hem met één welgemikte uithaal uit zijn droom kunnen helpen. Het idee is verleidelijk.

Fluisterend zeg ik wat ik denk: 'Ik heb zin om je op je bek te slaan.'

Heel hard, knalhard. Hem uit het niets wakker schudden met een vuistslag. Hoe zou hij reageren? Zou hij overeind schieten, zou hij denken dat ik een inbreker ben? Zou hij me aanvliegen en terugslaan of zou hij me alleen verbijsterd aanstaren?

'Ja, sorry hoor. Ik had ineens zo'n zin om je een knal te verkopen. Ik vond dat ons huwelijk wel een nieuwe impuls kon gebruiken.'

Soms zeggen daden meer dan woorden.

Ik adem diep in en uit en ontspan mijn vuist. Vannacht niet. Misschien morgennacht. Ik ga weer liggen. Mijn ogen moeten dicht, ik moet slapen. Er is niets aan de hand, ik heb geen noemenswaardig probleem, ik moet me gewoon niet zo aanstellen. Morgenochtend zal alles goed zijn. Als het licht is, is alles minder erg.

Een halve minuut later zit ik alweer overeind. Ik ben toch verdomme geen mietje, ik wil een daad stellen. Altijd maar denken, altijd maar piekeren en nooit tot actie overgaan. Zo zal mijn leven verglijden, zo zal ik nooit iets bereiken, nooit iemand zijn.

Weer bal ik mijn rechtervuist. Ik knijp mijn ogen samen, trek mijn elleboog naar achteren alsof ik een pijl op een boog span, wacht twee, drie seconden en ineens, alsof iemand anders het roer overneemt, vliegt mijn vuist naar voren en wordt mijn echtgenoot op zijn slaap getroffen.

Zijn hoofd schokt, hij zuigt zijn adem naar binnen. Even denk ik dat hij overeind komt, maar het gebeurt niet, hij draait zich om, van me af, en laat zijn adem in een snurk ontsnappen. Al die tijd blijven zijn ogen gesloten, hij slaapt gewoon door. Hij wordt door zijn eigen vrouw op zijn kop getimmerd maar neemt niet eens de moeite om wakker te worden.

Wat moet ik doen? Nog een keer slaan, maar dan harder? Met een zwaar voorwerp misschien? Er staat een vaas met droogbloemen in de vensterbank.

Het kan niet. Een klap kun je per ongeluk uitdelen, er kan sprake zijn van een droom, een nachtmerrie, je kunt je tijdelijk in de schemertoestand tussen waak en slaap hebben bevonden. Maar een vaas die om kwart voor vier 's nachts aan scherven ligt in het echtelijk bed, terwijl op het voorhoofd van je man een buil opkomt: dat is minder makkelijk te verklaren. Je kunt zeggen dat de vaas je allang verveelde. De kans dat hij daarmee genoegen zal nemen is gering, al zou het geen leugen zijn. De vaas verveelt me al heel lang. De droogbloemen trouwens ook.

Mijn dochter had de complete set voor me gekocht, het was een moederdagcadeau uit de Blokker-folder. Van alle cadeaus die een vrouw in de loop van haar leven krijgt, zijn moederdagcadeaus verreweg de afzichtelijkste. Alsof de wereld je nog even wil inwrijven dat jij niets moois meer nodig hebt: je bent immers moeder. Die gepunnikte sjaal zou best nog wel eens mode kunnen worden, je weet het niet. Die ketting van ongeschilderde klei is heel geschikt voor jouw nek. Doe eens om, mam, vind je hem mooi? Ik heb er zo mijn best op gedaan, de kralen lak ik nog wel een keer, dan gaan ze glimmen.

Wie wakker ligt en de innerlijke behoefte voelt om een moederdagcadeau van aardewerk op het hoofd van haar echtgenoot kapot te slaan, heeft iets om over na te denken.

Er moet een reden zijn.

Ik ken de reden. Diep vanbinnen en al maanden, misschien wel jaren, weet ik precies wat eraan scheelt. Ik ben ongelukkig. Misschien is dat te veel gezegd. Ongeluk duidt op een grote emotie, en die ontbreekt. Je hebt grafieken met scherpe pieken, diepe dalen en daartussenin een vlakke lijn. Ik ben de vlakke lijn. Horizontaal. *Immer gerade aus. Nicht himmelhoch jauchzend, nicht zum Tode betrübt.*

Ik heb een man, twee kinderen en een koophuis, ik ben gezond, zij ook, we hebben het goed, we hebben alles. Soms kijk ik van een afstandje toe en wacht ik vergeefs op de ontroering die met het kijken naar je gezin gepaard schijnt te gaan. Waarom werkt het niet meer bij mij? Toen mijn kinderen net geboren waren, liep ik over van liefde. Ze waren zo afhankelijk, het waren kleine diertjes, ik hield zo veel van ze, tien, twintig keer per dag sprongen de tranen me in de ogen.

Mijn tranen zijn op. Ik moet van ze houden, ik moet van ze genieten, voor je het weet zijn ze groot. Beter mijn best doen, een list verzinnen, dat moet ik. Het kan niet zo doorgaan, de dagen, de nachten, ik word langzaam gek. Straks haat ik ze, zoals ik Paul soms haat. Niet voortdurend, maar toch. Als hij het wist, zou hij ervan schrikken.

Hoofdstuk 2

Ik heb net bedacht dat ik een trein ben. Zo eentje die vroeger door de etalage van de speelgoedwinkel reed. Keer op keer hetzelfde rondje, altijd stoppen bij dezelfde stations. Dat doe ik nu ook. Ik dender van huis naar school, van school naar kantoor, van kantoor naar de supermarkt, van de supermarkt als het even kan naar ma, want die zit ook maar alleen, tussendoor moeten de kinderen van en naar paardrij- of zwemles, aftuigen, afdrogen en weer naar huis, ziehier: de volle glorie van mijn leven.

En alsof dat nog niet spannend genoeg is, is er het huishouden. Een huishouden is een moeilijk te bestieren, omvangrijke toestand die ooit is begonnen, steeds groter wordt en nooit eindigt. Op een gegeven moment, als je de pech hebt dat je heel oud wordt, wordt het huishouden kleiner, maar dat loopt rechtevenredig met het verliezen van je vermogens tot het runnen ervan.

Mijn oma kon twee weken bezig zijn met het kopen van een postzegel en zich daarna drie weken afvragen of het wel de juiste was. Vroeger vond ik dat belachelijk, tegenwoordig begrijp ik haar beter dan ooit. Sinds enige tijd jaagt het huishouden me angst aan. Dat komt door mijn man.

Paul heeft zijn werk onlangs zo georganiseerd dat hij het drie dagen per week vanuit huis kan doen. Hij vindt het heerlijk, ik ben er minder blij mee. Hij houdt me als een havik in de gaten en heeft overal commentaar op. Volgens hem pak ik het helemaal verkeerd aan. Ben ik te slordig, te nonchalant, verslonst de boel. Daarom heeft hij 'Het Complete Onderhoudsplan voor het Huishouden van de Familie De Groot' gemaakt.

Hij begon bij de apparaten: het koffiezetapparaat, de stofzuiger, de wasmachine, de droger, de vaatwasser, de koelkast, de vriezer, de grasmaaier, de computer, de frituurpan, de strijkbout. Dat ik al die apparaten bedien is volgens mijn man niet genoeg, ik moet ze ook onderhouden. Paul pakte de gebruiksaanwijzingen erbij – hij had ze allemaal bewaard – en noteerde voor elk apparaat hoe ik het in perfecte staat kon houden.

Ik ben geneigd het te vergeten, maar onderhoudsbeurten zijn altijd nodig, soms dagelijks, soms wekelijks, soms maandelijks, soms jaarlijks. Het koffiezetapparaat en de strijkbout moeten worden ontkalkt, de droger en de wasmachine moeten van verzamelde pluizen worden ontdaan, daar zijn speciale afvoergaten voor, die moet je openschroeven, daarin zit de troep die je moet verwijderen, tegenwoordig heeft de wasmachine zelfs een digitaal besturingsprogramma dat je op een of andere manier schijnt te moeten bijstellen, de vriezer moet op gezette tijden worden ontdooid, de koelkast dien je wekelijks uit te soppen, de grasmaaier moet worden gesmeerd en het mes geslepen, het vet van de frituurpan mag je maximaal tien keer gebruiken, de stofzuiger heeft een filter dat je moet uitkloppen, de volle zak moet uiteraard worden vervangen, de computer moet je updaten, zowel de hardware als de software.

Computers vergen het meeste onderhoud van alle apparaten, gek word je van die dingen, het is een wonder als ze werken en als ze niet werken ben je dagen bezig om de fouten op te sporen en te herstellen. Netwerken scheiden er spontaan mee uit, internetverbindingen gaan down, firewalls doen het zo goed dat ze al het in- en uitgaande verkeer blokkeren.

Toen mijn man het onderhoudsgedeelte in kaart had gebracht, ging hij verder met het kopje 'Huishouden Algemeen'. Daaronder vallen de bedden die moeten worden verschoond, matrassen die moeten worden gekeerd, ramen die moeten worden gelapt, houten vloeren die in de was moeten worden gezet. Onder 'Administratie' vallen de rekeningen die moeten worden betaald, verzekeringen die moeten worden aangepast, ziektekostennota's die moeten worden ingediend, de belastingaangifte die moet worden gedaan en de voorlopige teruggave die moet worden geregeld. Onder het kopje 'Vervoer': de auto. Julia, schreef hij, vergeet het dit jaar voor de verandering eens níet, straks sta je weer met pech langs de weg. Je auto moet om de tienduizend kilometer naar de garage, hij moet APK worden gekeurd, controleer de bandenspanning geregeld, dat scheelt benzine. De fietsen hebben ook beurten nodig, de voor- en achterlichten van de kinderfietsen zijn vaker stuk dan heel. Dat is *levensgevaarlijk*. Hij had het laatste woord cursief gezet en onderstreept. 'Tuin': het gras moet worden gemaaid en geverticuteerd, daar hebben we een speciale verticuteerhark voor, een gazon heeft ook mest nodig, het onkruid moet worden verwijderd. PS: wanneer ruimen we de rommel van de vijver op?

We hebben ooit een vijver gehad, die heb ik laten dichtstorten. We hadden achttien goudvissen die je nooit zag, het water had een melkachtig voorkomen, probeer vijverwater maar eens helder te houden, dat is een levenstaak, daar kun je tegenwoordig op afstuderen, daardoor zijn mensen in inrichtingen beland. Als er weer eens een gevaarlijke TBS-er ontsnapt, denk ik altijd: die man had vast ook ooit een vijver die hij niet helder kon houden, vijvers kunnen een mens kapotmaken, flatbewoners hebben daar geen idee van, vijvers zouden verboden moeten worden, er draait een miljoenenverslindende pomp-, filter- en poederindustrie voor vijvers, je kunt het water van je vijver laten testen bij het tuincentrum, leg dat maar eens uit aan een uitgedroogde vluchteling in een willekeurig tentenkamp waar ook ter wereld: in ons land smeren ze je poeders aan die honderden euro's kosten, die je moet aanlengen en gelijkmatig over je vijver moet verdelen, in de zomer een ander mengsel dan in de winter, met als resultaat dat je vijver niet helder is en nooit helder wordt, ook niet als je uit pure ellende foeilelijke filters en pompen laat plaatsen. En als vervolgens je tweejarige buurjongetje in jouw troebele vijver verdrinkt en je op zijn begrafenis een lichtblauwe ballon in de vorm van een teddybeer oplaat, is de lol er helemaal vanaf, neem dat maar van mij aan.

Paul heeft alles in een schema genoteerd en ik heb overal een naam achter gezet. Het moest eerlijk worden verdeeld, de kinderen kregen ook taken. Ik legde Paul mijn verdeelsleutel voor. Hij zei dat Isabel te klein was om het frituurvet te vervangen, dat hij een fulltime baan had en echt niet meer kon doen dan de fietsbeurten en de dingen onder het kopje 'Tuin'.

'Dus de rest komt op mij neer?' vroeg ik, terwijl ik met de A4-tjes wapperde.

'Alsof jij je nu zo uitslooft,' zei hij. 'We hebben een werkster.'

Toen kregen we ruzie. We maken de laatste tijd vaak ruzie. Zelfs over geld, dat deden we vroeger nooit. Het komt door de euro. Paul was fel tegen de invoering van de euro en kan het nog steeds niet verkroppen dat hij er toch is gekomen. Hij maakt zich vreselijk druk over de prijsstijgingen en is bang dat ze ons uiteindelijk de kop zullen kosten.

Soms wil hij op zaterdag ineens de boodschappen doen. Dan gaat hij naar de Lidl of de Aldi en komt thuis met tassen vol cola, kaas, worst en chocoladepasta van rare merken die de kinderen niet lusten. Afgelopen kerst hebben we een Senseo gekocht. Paul vindt de koffiepads zo duur dat ik de Senseo maar een keer per dag mag gebruiken. De rest van de dag moet ik gewone koffie zetten. Geen Douwe Egberts, maar koffie van de Aldi. Natuurlijk drink ik stiekem toch Senseo en spoel ik de verbruikte pads door de wc.

We zitten te veel op elkaars lip, dat is het, ik ben nooit meer alleen. Voor Paul zijn werk anders inrichtte had ik het huis nog wel eens een ochtend of een middag voor mezelf. Daar genoot ik van, van die stille uren. Ik kon doen wat ik wilde. Niet dat ik zo veel bijzonders deed, ik zat in bad, ik droomde dat ik de vrouw van Tom Cruise was, ik kwam eindelijk toe aan de krant, maar het kon. Niemand lette op me, niemand vroeg dingen aan me.

Ook zoiets: ik word er hoorndol van dat iedereen altijd alles aan mij vraagt. De meeste vragen beginnen met: 'Mama, mag ik...' (op de Playstation, tv kijken, een koekje?) Daarna volgt: 'Mama, waar is mijn...' (gymtas, vulpen, borstel?) 'Wat eten we vanavond?' is dagelijkse kost en Pauls specialiteit: 'Waarom is het wc-papier op?'

Niemand die bedenkt dat ik een persoon ben, een vrouw, niet de nationale vraagbaak. Niemand die bedenkt dat ik meer kan dan zorgdragen voor de aanwezigheid van wc-papier. Als je net verliefd bent, heb je geen idee. Je wilt trouwen, je wilt een mooie jurk en een feest, je denkt dat je lang en gelukkig zult leven, je stapt er blind in. Eén ding hebben ze je niet verteld: op een huwelijk volgt doorgaans een gezin en een gezin zorgt doorgaans voor het einde van je huwelijk.

Paul vond dat ik overdreef. Zijn onderhoudsplan was duidelijk, het was gewoon een kwestie van bijhouden. Alsof dat vanzelf gaat. Niets gaat vanzelf, helemaal niets, daarom lig ik nu wakker. Ik heb te veel om aan te denken, ik heb te veel om bij te houden, de verticuteerhark is verroest, mijn moeder, mijn zus Kaitlin, mijn kinderen, ze hebben allemaal onderhoud nodig. Als je zorgvuldig wilt zijn, kom je aan het ontkalken van je huwelijk niet toe, laat staan aan je eigen verstopte goten.

Hoofdstuk 3

Donderdagochtend, tien uur. Ik zit op kantoor en heb zin om te schreeuwen. Ik werk op een makelaarskantoor. Het is een familiebedrijf. Mijn grootvader is ermee begonnen, mijn vader heeft de zaak van hem overgenomen en het was de bedoeling dat mijn broer hetzelfde zou doen. Dat is niet gebeurd. Zijn dood was een redelijk excuus, maar ook als Jimmy was blijven leven had hij voor geen goud bij pa in de zaak gewerkt. Mijn vader en hij waren water en vuur. Voor mij ligt het anders, ik kan er wel tegen en bovendien: ik weet niet beter, al sinds ik van school ben, is mijn vader mijn baas.

Het wordt zo langzamerhand tijd dat die ouwe met pensioen gaat. Hij heeft zijn gladde verkooppraatjes iets te vaak herhaald. Dat horen de klanten, dat hoor ik, de enige die er doof voor is, is pa zelf. Intussen wordt hij links en rechts ingehaald door de concurrentie. Ik kan het weten, om precies te zijn, ik kan het nakijken, want dat is mijn baan: ik houd de boeken bij. Vorig jaar verkocht hij gemiddeld twaalf huizen per maand, dit jaar zijn het er een schamele acht. In zijn hoogtijdagen, maar goed, toen was Juliana nog koningin, zette hij twintig woningen per maand weg. Die tijd komt nooit meer terug.

Wat een blaaskaak was hij toen. Hij leek precies op de snelle jongens die hem nu het gras voor de voeten wegmaaien. Ik zou mededogen met hem moeten hebben en ik probeer het, echt, ik zoek in mijn diepste diepten naar iets van warmte, maar het is er niet. Als ik pa bezig zie achter zijn bureau van plexiglas, zie ik de teloorgang die Paul en mij nog te wachten staat en het enige wat bij me opkomt, is een holle lach. Om de maatpakken waar hij bijna uitbarst. Om zijn veel te donkere kleurspoeling. In gedachten loop ik elke dag wel een keer zijn kantoor binnen om tegen hem te schreeuwen: 'Geef het toch toe, pa. Geef toe dat je de strijd verloren hebt. Gooi de handdoek in de ring. Je was ooit zakelijk geslaagd, je had succes – dat is toch heel wat? Sommige mensen mislukken op alle fronten. Sta je daar wel eens bij stil?'

Soms neem ik me voor om me uit te spreken. Om een finale kwijting te doen, zonder aanzien des persoons. Om bij iedereen langs te gaan en precies te zeggen wat ik denk. Zoiets kan louterend zijn, maar ik ben bang dat als ik er eenmaal aan begin, ik niet meer kan ophouden en ik schor en eenzaam eindig, mogelijk in een kale cel met piepschuim tegen de wanden.

'Pa?'

Hij verschuift een stapeltje papier en kijkt op.

'Heb jij Jimmy's auto nog?'

'Hoezo?'

'Gewoon, ik wil hem een keer lenen. Heb je hem nog?'

'Hij staat thuis, in mijn garage. Start nog steeds, ongelooflijk eigenlijk. Toyota hè, niet kapot te krijgen. Mijn werkster heeft hem wel eens gebruikt, toen ze zelf nog geen auto had. Waar heb je hem voor nodig?'

'Nergens voor. Ik wil er een dagje in rijden, dat kan toch wel?'

'Van mij mag je,' zegt hij schouderophalend. 'Ik zou me er alleen niet mee in de buurt van je moeder vertonen.'

Hoofdstuk 4

'Ik ga weg,' zeg ik tegen mijn man. Het is donderdagavond, half zeven, we hebben net gegeten. De kinderen zijn al naar boven. Jim zit achter zijn Playstation, Isabel werkt aan haar spreekbeurt. De tafel is nog niet afgeruimd.

'Ga je sporten?' vraagt Paul. Hij verzamelt de vuile borden en zet ze op het aanrecht.

'Nee, ik ga weg, echt weg, voor een tijdje.'

'Hoe bedoel je?' Paul gaat weer zitten. Hij laat de deur van de vaatwasser openstaan. Pauls idee van afruimen is de afwasmachine openzetten en de vuile vaat op het aanrecht stapelen. Als alles op het aanrecht staat, verdwijnt hij, in de veronderstelling dat de borden zelf wel naar de afwasmachine zullen wandelen.

'Wat bedoel je met weggaan?' vraagt Paul.

'Binnenkort vertrek ik naar het buitenland.'

Nauwlettend bestudeer ik zijn gezicht. Het slaat nergens op, ik verzin het ter plekke, maar ik vind het leuk om te zien hoe hij reageert. Als ik 's nachts wakker lig, is dat de troost waarmee ik uiteindelijk in slaap val. Dat ik altijd nog weg kan gaan. Dat ik geld genoeg heb, dat ik Jimmy's auto kan pakken en kan verdwijnen als ik zou willen.

Hij trekt zijn hoofd naar achteren, zodat hij een onderkin krijgt. 'Naar het buitenland, waarom heb je me dat niet eerder verteld? Heeft je vader eindelijk iets op het oog, moet je met hem mee?'

'Het heeft niets met de zaak te maken.'

Paul fronst.

Ik besluit het spel uit te spelen. 'Jij hebt echt helemaal niets door, hè?' Ik sta op en sla de vaatwasser met een klap dicht. 'Dat je vrouw, je echtgenote, jouw Julia er geen fuck meer aan vindt.'

'Kun je even normaal doen?' vraagt Paul.

Ik breng mijn gezicht vlak bij het zijne. 'Nee, dat kan ik niet. Dat is mijn probleem. Ik kan het niet meer en ik wil het niet meer. Ik ben het zat, ik heb er geen zin meer in. Snap je?'

Mijn stem klinkt schril. Ik kan beter acteren dan ik dacht. Het is eng.

'Ga nou even rustig zitten,' zegt hij. 'En vertel me eens precies waar jij geen "fuck" meer aan vindt.'

'Ik wil niet zitten.' Ik ijsbeer door de kamer met mijn handen in mijn zij. Ik moet de draad weer oppakken, dit is een goed experiment. Ik ben benieuwd hoe het eindigt.

Paul zucht. 'Dan ga je niet zitten. Ik wil alleen met je praten. Je overvalt me hiermee.'

'Dat is nou net de bedoeling, schat. Jij denkt misschien dat dit een of andere hormonale opwelling is, maar laat me je één ding vertellen: dat is het niet. Ik ga weg.' Hoppa, dat rolde er in een keer uit. Goeie tekst.

'Naar het buitenland,' herhaalt Paul.

'Precies.' Als je weggaat, ga je naar het buitenland. Al is het Duitsland of voor mijn part België, je moet een grens over, anders slaat het nergens op.

'Mag ik ook vragen waarom?'

'Dat mag je vragen.' Ik ga tegenover hem zitten.

Hij zwijgt, ik ook. Hij heeft niets in de gaten, hij heeft niet eens door dat hij in de maling wordt genomen. Eens kijken wie dit het langst volhoudt.

'Waarom?' vraagt Paul tenslotte. 'Is er een ander?'

Meteen vlieg ik uit mijn stoel, die tegen de keukenvloer klettert. 'God, wat zijn we weer simpel. Is er een ander? Nee Paul, ik neuk niet met een ander. Als ik dat deed, had je het misschien wel gemerkt, hoewel ik me dat ernstig afvraag.'

De deur van de huiskamer gaat open. Daar staat Isabel, op haar konijnensloffen. Onze oudste dochter. Goed moment, goed gecast, past perfect in het plaatje.

Ze kijkt naar de stoel, naar mij en naar haar vader. 'Wat is er? Waarom maken jullie zo'n herrie?'

'Mama en ik zijn een beetje druk aan het praten. Mama heeft een probleem op haar werk,' antwoordt Paul snel.

Ik raak ontnuchterd. 'Dat kind is elf, doe niet zo achterlijk, denk je dat ze niets doorheeft?' Ik zet de stoel overeind. 'Papa en mama hebben ruzie, Isabel. Kan gebeuren.'

Paul werpt me een giftige blik toe. 'Zullen we de kinderen hierbuiten laten? Ga maar weer naar boven, lieverd, kleed je vast uit, dan kun je zo naar bed.'

Isabel kijkt op haar horloge. 'Het is kwart over zeven, pap, ik ga nog lang niet naar bed.'

'Je hebt helemaal gelijk,' val ik haar bij. 'Jij gaat nog even verder met je werkstuk, papa en mama gaan verder met ruzie maken en als je last hebt van het lawaai, zet je maar een muziekje op.'

Isabel haalt haar schouders op en vertrekt.

'Deur dicht!' schreeuw ik haar na. Ze komt terug en doet het. Pauls mond zakt open.

'Zie je hoe simpel dat was? Communiceren. Gewoon eerlijk communiceren. Het is allemaal zo eenvoudig. Mensen zouden het vaker moeten doen.'

Eindelijk staat hij op, getergd. 'Wat is er godverdomme met je aan de hand? Als jij...' Hij wil zijn stem verheffen, maar vermant zich. 'Als jij als een idioot tekeer wilt gaan, dan doe je dat maar op een ander moment. Niet waar mijn kinderen bij zijn.'

Mijn kinderen, zei hij. Biologisch gezien heb ik mijn eicellen aan de juiste man toevertrouwd. Paul is de perfecte vader. Hij zal zijn nageslacht nooit in de steek laten, hij doet alles om ze te beschermen. Dat hij daarin af en toe doorslaat, ach.

'Zal ik je eens wat vertellen over jouw kinderen, Paul de Groot? Ik heb medelijden met ze. Ik vind je een hysterische vader. Je bent overbezorgd, je hebt elk gevoel voor realiteit uit het oog verloren. Die idiote Smart-lampjes die Jim op zijn jas moet doen wanneer hij buiten wil spelen, dat joch loopt voor gek. Met al die knipperlichten op zijn mouwen is hij net een wandelende kerstboom. En dan dat fluorescerende straatwerkershemd van hem. Het enige wat eraan ontbreekt, is een helm. Ach nee, die heeft hij ook al. Als hij gaat fietsen, moet hij een helm op, het arme kind. Weet je wat het leuke van fietsen is? Dat je de wind in je haren voelt.'

'Volgens mij hebben we het hier al eens over gehad.'

'Ja, ja, ik weet het. Ik ben een onverantwoorde, ontaarde moeder. Als jij er niet was, waren ze al dertig keer verongelukt, maar hadden ze wel wat meer lol gehad in hun korte levens.'

Pauls stem daalt een octaaf. 'Ik zou het mezelf nooit vergeven als er iets met Isabel of Jim zou gebeuren. Dat is alles. Dat weet je en ik vind het flauw dat je daar nu over begint.'

'Ze moeten leven, Paul. Als jij er bent, laat je ze geen seconde met rust. Je veegt de billen van Jim nog af, je strikt zijn veters, je fietst elke dag met ze naar school, in het weekeinde breng je ze naar al hun clubjes en blijft dan kijken. Ze zijn elf en zes. Jim is bijna zeven, je moet ze loslaten, je kunt ze niet eeuwig beschermen.' Ik sta op. 'Wil je koffie?' Paul knikt afwezig.

Als we weer tegenover elkaar zitten, wrijft hij in zijn ogen. Dat is mooi. Hij raakt vermoeid, hij is in verwarring. Ik kan doorgaan met mijn experiment. Ik verander van toon.

'Paul,' zeg ik zacht. Ik strek mijn arm uit en streel zijn hand. 'Ik wil geen ruzie met je maken. Het is alleen zo dat ik weg moet. Ik houd van jou, van de kinderen, dat weet je. Maar soms, ook op mijn werk, benauwt alles me. Dan wil ik weg.'

Zijn blik verzacht. 'Heeft het misschien iets te maken met... je weet wel? Je bent van de week naar zijn graf geweest.'

Jimmy. Altijd Jimmy, elke dag, elke week, elke maand, elk jaar. Hij is nooit weg. Elk jaar sterft Jimmy op 13 juli. Elke zomer wordt hij weer geen jaar ouder op 21 juli. Natuurlijk is het door mijn hoofd geschoten, ik wil het alleen niet misbruiken, iedereen heeft wel iets in zijn jeugd meegemaakt dat zijn problemen kan verklaren. Het deugt niet, het is te goedkoop, te gemakkelijk.

Paul zegt dat mijn leven een rouwrand heeft, ook al praat ik er zelden over en kent hij het verhaal slechts in grote lijnen. In het begin van ons huwelijk dacht hij dat hij met zijn grote liefde voor mij de pijn zou kunnen verzachten. Daarna hoopte hij dat de komst van de kinderen me uit de schaduw zou trekken. Hij heeft het nooit met zoveel woorden gezegd, maar het moet hem zijn opgevallen dat dat niet is gebeurd.

'Het zou kunnen,' zeg ik. 'Alles kan. Maar wat maakt het uit? Het gaat niet om het verleden, het gaat om het nu.'

'Waar wil je heen?' vraagt Paul. 'Misschien kun je een week een huisje huren op Kreta. Waar we twee jaar geleden waren, weet je nog, met dat mooie strandje?' Hij glimlacht. 'Ik zou het wel weten als ik jou was. Ben je er even helemaal uit.'

Paul heeft genoten van Kreta. Kon ik dat maar zeggen. Ik kan me alleen nog het gezeul met twee jengelende kinderen in de bloedhitte herinneren. De muggen. Het gebedel om ijsjes. Pauls voortdurende inspecties. 'Hebben de kinderen hun zwemvest om? Heb je ze goed ingesmeerd? Heb je het koffiezetapparaat uitgezet? Zitten de paspoorten in de kluis?'

Paul is bereid me te laten gaan. Eens kijken hoever ik kan komen. In theorie, nog altijd in theorie.

'Je begrijpt me nog steeds niet helemaal. Het gaat niet om een week. Ik wil weg. Ik ga weg. Hoelang weet ik nog niet, waarheen weet ik ook niet, ik weet alleen dat ik een lange reis ga maken.'

Zo gaat het in mijn dromen. Ik pak een koffer en vertrek. Met de noorderzon. Een pakje sigaretten halen. *Mama was a rolling stone.*

'Waarom?' Hij klinkt enigszins verbijsterd. 'Er moet toch een reden voor zijn? Je kunt dit niet menen. Je kunt niet zomaar weggaan, de kinderen en mij in de steek laten. Daar komt het op neer, waar of niet?'

Langzaam knik ik. Nu hij het zo zegt, als ik het echt voor me zie, voel ik iets. Een glimp, in de verte. Een vleugje pijn, weemoed, heimwee misschien, ik kan het niet plaatsen, ik weet niet eens of het goed of slecht is.

Paul blijft beheerst. Het is een aspect van zijn karakter dat ik zowel bewonder als haat. 'Wanneer vertrek je?' vraagt hij kortaf.

Zo makkelijk gaat het dus. Je doet een explosieve mededeling en er volgt een onderkoelde vraag: wanneer vertrek je?

Ik zou nu moeten opbiechten dat het maar een spelletje is. Dat ik het idee alleen maar even wil uittesten. Dat ik het natuurlijk niet meen, dat ik heus niet wegga. 'Zo snel mogelijk,' hoor ik mezelf zeggen.

'Heb je al gepakt?'

'Nee.'

'Heb je al bedacht hoe je het de kinderen gaat vertellen?'

Dat gedeelte sla ik altijd over in mijn fantasie. Ik leg een briefje op de keukentafel en sluip 's nachts het huis uit, zonder dat iemand het merkt. Als ze wakker worden, ben ik al lang en breed vertrokken. 'Kunnen we dat niet samen doen? Misschien kunnen we een reden verzinnen waarom ik vertrek.'

'Je wilt onze kinderen voorliegen en je verwacht dat ik daaraan meedoe?' vraagt Paul.

'Dat lijkt me het beste,' zeg ik zwakjes.

Hij grijpt zijn kans. 'En jij vindt mij te beschermend, jij hebt het over eerlijke communicatie? Nee. Als we het doen, dan doen we het op jouw manier. We vertellen ze de waarheid. Dat je ervantussen gaat zonder enige reden. Uit puur egoïsme.'

'Als jij ze liever de waarheid vertelt, vind ik het best,' zeg ik. Ik durf hem niet aan te kijken.

Paul haalt uit. Met woorden, hij is geen man van fysiek geweld. 'Wat heb ik me in jou vergist, zeg! Ik heb het altijd al geweten. Je hebt iets harteloos over je, iets kouds, net als je moeder. Waarom ben je eigenlijk ooit aan kinderen begonnen?'

Dit gebeurt dus als je experimenteert. Je krijgt de ongezouten waarheid om je oren.

'Ik ben harteloos en koud en jij bent warm en goed, is dat het?'

'Ik ben een normale man, ja. En een goede vader. Jij mag me overdreven en belachelijk vinden, dat interesseert me niet.'

Hij is zo overtuigd van zichzelf. Hij weet het allemaal zo goed.

'O Paul, je bent een geweldige vader, ik waardeer je enorm. Als echtgenoot vind ik je minder geslaagd. Kun jij je nog herinneren wanneer we voor het laatst seks hebben gehad? Volgens mij was het vorig jaar. Weet je waarom ik er geen zin in heb? Door jouw fysieke handicap waarover je nooit wilt praten. Ik kan er maar niet aan wennen, Paul, aan die vier centi-

meter. Het wordt nergens door gecompenseerd.'
'Kutwijf!' In twee stappen is hij bij me. Hij pakt me bij mijn schouders en schudt me ruw door elkaar.
'Jíj hebt een stoornis, Paul, heb je daar wel eens bij stilgestaan? Je hebt een micropenis. Ja, zo heet dat. Het is een afwijking. Je mag je in je handen knijpen dat je een echtgenote hebt, een trouwe echtgenote. Ze zullen het je nooit verteld hebben, al die ex-vriendinnetjes over wie je altijd zo opschept, maar dat is ongetwijfeld de reden waarom ze zijn afgehaakt—'
Zijn vlakke hand raakt me op mijn wang. Vol en hard.
Ik schreeuw, in een reflex kruis ik mijn armen over mijn hoofd. Moet ik vluchten of vechten? Ik heb me altijd voorgenomen dat als een man me ooit fysiek geweld aan zou doen, ik meteen en met gelijke munt terug zou betalen. Ik kom overeind en bal mijn vuisten. Hij kan het krijgen.
De kamerdeur gaat open. Isabel rent naar ons toe, Jim blijft in de deuropening staan. Ik beuk in op de borst van Paul, Isabel wringt zich tussen ons in en probeert ons uit elkaar te duwen. 'Nee, niet doen, hou op.'
Paul draait zich om en loopt weg zonder nog iets te zeggen.
'Lafbek!' roep ik hem na.
Jim rent ook naar me toe en slaat zijn armpjes om mijn benen. Onwillekeurig wrijf ik over mijn gloeiende rechterwang.
'Heeft papa je geslagen?' vraagt Isabel.
'Hij deed het niet expres. Het was... het kwam door de ruzie.'
Ik til Jim op.
'Doet het pijn?' vraagt hij.
'Een beetje.'
Hij drukt een kusje op mijn zere wang.
'Ik ga de politie bellen,' zegt Isabel. Ze loopt al naar de telefoon.
'Dat hoeft niet, Isabel.'
Ze blijft staan en kijkt me vorsend aan.
'Jij hebt zo vaak ruzie met je broertje. Dan mep je hem ook.'
'Dat is anders,' vindt ze. 'Mannen mogen hun vrouw niet slaan.

Dat heb ik laatst op het *Jeugdjournaal* gezien. Er zijn speciale huizen als je wordt geslagen, verstop-huizen. Misschien moet je daarnaartoe.' Ze denkt even na. 'Heeft-ie het al vaker gedaan?' informeert ze half zakelijk, half nieuwsgierig.

'Nee, dat heeft hij niet. En dat zal hij ook niet snel meer doen. Het was net zo goed mijn schuld. Ik daagde hem uit.'

Isabel zucht een dan-moet-je-het-zelf-maar-weten-zucht.

Ik aai Jim over zijn haar. Het is plakkerig van de gel. 'Kom schat, jij gaat lekker douchen en naar bed. En jij ook jongedame, het is mooi geweest voor vandaag. We zijn allemaal moe. Mama ook.'

Hoofdstuk 5

Voordat Paul in mijn leven kwam, heb ik drie serieuze relaties gehad. Mijn vriendjes waren totaal verschillende types, die in één opzicht een opvallende gelijkenis vertoonden: ze hadden allemaal een kleine penis. En als ik zeg klein, dan bedoel ik *petit*.

Jack, mijn eerste verkering, mat in erectie acht centimeter. Ik weet dat niet honderd procent zeker, het is een schatting die ik achteraf heb gemaakt en ik heb het ruim genomen. Herbert kwam niet verder dan een zesenhalf, dat klopt tot op de millimeter, ik heb een rolmaat naast zijn ochtenderectie gehouden terwijl hij sliep. Chris scoorde een zeven. En dan was er Clark, een one-night stand, mijn enige neger, van wie ik hoopte dat hij me zou verrassen met een liaan, een slinger, een onderarm van tientallen centimeters.

Ik ontmoette hem op de kermis in Amsterdam, het was hoogzomer. Clark was alleen, ik was met Patrick, de beste vriend van mijn broer. Ik heb nooit wat met hem gehad. Hij had een leuke kop en een oké lijf, maar ik viel niet op hem. Hoewel hij dat wist, bleef hij op me wachten. Hij was ervan overtuigd dat ik ooit tot inkeer zou komen. Op zich was dat handig. Wanneer ik ook belde, hij stond altijd voor me klaar. Ik denk nog wel eens aan Patrick en dan heb ik spijt dat ik het toch niet een keertje met hem heb gedaan. Waarschijnlijk was hij wel normaal geschapen. Ik heb ooit op het punt gestaan om hem te bellen en het te vragen. Omdat hij dan waarschijnlijk over mijn broer zou beginnen, heb ik het niet gedaan.

Clark en ik knalden op elkaar bij de botswagens. We wisselden een paar blikken, de zaak was snel beklonken, ik moest alleen Patrick nog even dumpen. Gelukkig was hij eraan gewend door mij te worden gedumpt. Hij wenste me veel plezier en maakte zich uit de voeten. Even later slenterden Clark en ik over het kermisterrein. Ik kon mijn blik amper van zijn kruis afhouden. Het liefst had ik ter plekke zijn broek opengeritst.

'Zullen we touwtje trekken?' vroeg Clark.

We liepen naar de kraam. Een rossige vrouw duwde een bos met zeker dertig touwtjes in mijn handen. Ik koos er eentje uit en gaf er een ruk aan. Een grote roze fopspeen schoot achter het houten schot vandaan. Op dat moment had ik moeten weten dat ik op het verkeerde paard had gewed. Mijn intuïtie liet me in de steek. Met een domme, onwetende grijns nam ik de speen in ontvangst.

'Zuigen, kreng,' fluisterde Clark in mijn oor.

Een uurtje, vijf bier en een gedeeld plakje hasjcake later, op het toilet van een café, ging ik op mijn hurken. Ongeduldig gespte ik zijn riem los. Clark liet zijn hand op mijn hoofd rusten en zei dat ik een ontzettend lekker wijf was. Ik was niet geïnteresseerd in complimentjes, ik dacht maar aan een ding. Uitpakken die handel. Zou het eindelijk zover zijn? Riem open, knoop los, rits naar beneden.

Achter de donkerblauwe onderbroek zag ik een knobbel ter grootte van een champagnekurk. Ik fronste. Bepaald niet het Hiroshima-effect dat ik in gedachten had. Misschien was hij nog niet maximaal stijf. Ik trok Clarks knobbel uit zijn onderbroek. Hij voelde hard aan, maar het kon harder. Even een handje helpen. Clark kreunde. Na tien seconden was hij als een plank, maar nog steeds weinig indrukwekkend. Bruin en ondermaats. Ik hield zijn geslacht tussen duim en wijsvinger, mijn timmermansoog gaf hem niet meer dan vijf centimeter. Ik stopte hem terug in zijn onderbroek.

'Wat is er?' vroeg Clark.

Ik kwam overeind. 'Sorry, ik ben misselijk.' Het was niet eens gelogen. De combinatie van hasjcake en bier was slecht gevallen. 'Ik geloof dat ik moet overgeven.' Ik maakte de wc-deur open, duwde Clark naar buiten, deed de deur weer dicht en draaide hem snel op slot. 'Ga maar weg. Het komt niet meer goed,' riep ik door de dichte deur.

'Weet je het zeker?'

'Ja.'

'Mag ik je nummer?'

'Nee!' Wat moest een neger met een kleine pik met mijn nummer?

'Heb ik iets verkeerds gedaan?'

'Nee, hoor.' Ik bleef beleefd. Waarom blijf ik altijd beleefd? Waarom kon ik nou niet een keer gewoon zeggen hoe het zat? Beste Clark, ik hoopte dat je een enorme snikkel zou hebben, maar dat is niet het geval. Het is een rottig, klein ding wat je daar hebt hangen. Dat tref ik dus altijd, alsof de duvel ermee speelt. Snap je mijn frustratie?

Na Clark kwam een hele tijd niemand, en toen kwam Paul. Het rare was dat het me bij Paul niets uitmaakte. Ik was niet bijzonder nieuwsgierig, ik had geen verwachtingen, ik geloof dat ik er amper over nadacht. De eerste keer dat ik zijn mannelijkheid onder ogen kreeg, schoot het wel even door me heen: o, weer eentje. Het was een terloopse vaststelling, meer niet.

Paul boeide me. Hij was vanaf dag één serieuzer dan mijn vorige vriendjes en – heel belangrijk – hij was het tegenovergestelde van mijn vader. Ik kon op hem bouwen. Paul was de eerste man in mijn leven die altijd deed wat hij beloofde. Dat gaf me rust, ik voelde me veilig bij hem. Smoorverliefd was ik niet, ik raakte van lieverlee aan hem gehecht, zoals je gehecht raakt aan een oude Chesterfield, zo'n oerdegelijke, klassieke, gecapitonneerde bank. Hip is anders, maar hij zit zo lekker dat je hem nooit meer weg doet. De Chesterfield werd mijn echtgenoot. Het hechten werd vanzelf houden van.

Later, veel later, ging het knagen. Niet dat ik Paul wilde inruilen – kon hij er wat aan doen dat de teller bij vierenhalve centimeter (in slappe toestand) was blijven steken? – maar omdat ik nooit het genoegen van een echt grote zou mogen smaken.

Volgens mij was het trouwens eerder vier centimeter dan vierenhalf. Dat is van belang, want penissen kleiner dan vier centimeter heten micropenissen. Als je dat hebt, is er sprake van een aandoening, een stoornis. Mijn man wist tot voor kort niet dat hij een stoornis had. Hij leefde in de veronderstelling dat hij wat kleiner dan gemiddeld geschapen is. In erectie komen er bij Paul twee centimeters bij. Een zes centimeter lange, niet al te dikke penis, dat is zijn gereedschap.

Na de geboorte van Isabel begon de ellende pas goed. Hoe je het ook wendt of keert, het uitwerpen van een baby werkt niet bepaald vernauwend op de ruimte die is bedoeld om in beslag te worden genomen door het met volgelopen bloedvaten gevulde geslacht van de andere sekse.

Isabel was een week of zes toen we het weer gingen doen. 'Zit-ie er nou al in of niet?' vroeg ik na een paar minuten aan Paul. Hij zei van wel.

Natuurlijk heb ik het aangekaart, niet meteen, jaren later pas, ik had gehoopt dat de seks beter zou worden, maar dat gebeurde niet. Het was een lastig gesprek. Misschien had ik het moment niet goed gekozen. Aan de andere kant, een goed moment voor zoiets is er eigenlijk niet.

Enfin, mijn moeder was net weg en Paul wilde naar bed. Hij wordt altijd erg somber als mijn moeder op bezoek is geweest. Hij noemt haar 'het zwarte gat'.

'Ik wil iets met je bespreken,' zei ik.

'Kan het morgen?'

Ik had net moed verzameld. Nee, het kon niet morgen.

'Waar gaat het over?'

'Seks.'

Hij trok zijn neus op. Paul houdt best van vrijen, maar erover praten vindt hij onsmakelijk.

'Doe niet zo flauw,' zei ik. 'Het is belangrijk. Sinds de kinderen geboren zijn, voel ik bijna niets meer als we het doen. Dat komt... nou ja, je weet wel waardoor dat komt. Door onze afmetingen.'

'Julia, alsjeblieft.'

'Hoe moet ik het anders zeggen? Jij bent al niet zo groot geschapen, ik ben ruimer geworden en dat heeft gevolgen voor ons seksleven. Daar moeten we iets aan doen.'

‘Waarom?’

‘Omdat ik eronder lijd.’

‘Je ziet er niet uit als iemand die lijdt, Julia.’

‘Waarom weiger je me serieus te nemen?’

‘Ik neem je serieus, maar dit vind ik onzin. Het gaat toch prima? Ik hoor je nooit klagen. Goed, dan voel je misschien iets minder dan vroeger. Is dat nou zo’n ramp?’

‘Ik vind het vervelend, ja.’

‘Wat wil je dat ik eraan doe?’ Hij streek met zijn hand door zijn haar. Ik zag een opening.

‘Weet ik veel. Er is heus wel een oplossing voor, overal zijn oplossingen voor. Er was gisteravond iets op televisie... maar goed, daar zal jij wel geen zin in hebben.’

‘Laat me dat zelf uitmaken, ja?’ zei hij geïrriteerd. ‘Hoe vaak moet ik dat nog zeggen? Vul niet alles voor me in.’

Ik hield mijn adem in en telde tot vijf. ‘Nou goed, er zijn verschillende mogelijkheden. Ten eerste heb je natuurlijk zoiets als penisverlening, maar dat is een operatie...’

‘Vergeet het maar.’

Het voorstel had de tafel nauwelijks geraakt of hij veegde het er al af. Protesteren had geen zin.

‘...en ten tweede heb je natuurlijk allerhande hulpmiddelen.’

‘Als je die wilt, schaf ze vooral aan. Daar heb je mij niet voor nodig.’

‘Help je me dan wel met de bediening?’

‘Moet ik dat nu beloven?’

‘Jezus Paul, het is toch iets van ons samen? Gisteravond zag ik een vrouw op televisie. Om haar man beter te kunnen voelen, had ze een aubergine gekocht, uitgehold en eroverheen geschoven. Dat scheelde enorm.’

‘Was het in dat programma van Menno Büch?’ vroeg Paul.

‘Ja,’ zei ik verrast. Hij had niet gekeken, hij was al naar bed.

‘Iedereen op kantoor had het erover, hoe ziek dat stel was. Die spoorden niet, die hadden ze tegen zichzelf in bescherming moeten nemen. Moet ik me net als die vent als een indiaan verkleden en rondjes rennen om een wigwam? Wil je ons seksleven zo nieuw leven inblazen?'

'Dat zeg ik toch niet? Het bracht me alleen op een idee. Ik probeer creatief om te gaan met ons probleem.'

'Jouw probleem, Julia, ik ga naar bed. Ga jij vannacht maar lekker seksprogramma's kijken en ideeën opdoen. De groeten.' Hij stond op en liep weg.

'Paul! Wacht nou even...'

Hij ging naar boven, ik kreeg niet eens een kus. Voor straf sprak ik een paar dagen niet tegen hem en sliep ik in de logeerkamer. Op een gegeven moment had ik daar ook weer genoeg van. We gingen over tot de orde van de dag en zetten de afmetingskwestie in de ijskast. Dat is hoe menig huwelijk op de rails blijft, denk ik. De kwesties waar je niet uitkomt, stop je achter in de groentela. Totdat het er te veel zijn. Totdat ze zo gaan rotten dat de koelkast bol komt te staan. Totdat je elke nacht wakker ligt vanwege de stank.

Hoofdstuk 6

Toen de vrouw van Paul McCartney overleed aan kanker stond hun bedgedrag als een postume onthulling in het persbericht dat de onheilstijding begeleidde. Paul en Linda hadden sinds ze een relatie hadden geen enkele nacht zonder elkaar doorgebracht. Het werd gepresenteerd als een romantisch feit, het ultieme bewijs van hun liefde, die dieper ging dan menig mens zich voor kon stellen.

Paul deed tussen neus en lippen door het sterfbed van zijn vrouw uit de doeken. Zulks is voor artiesten heel gewoon, die maken iets mee en hopla: ze zetten het om in een lied, een gedicht, een persbericht of een combinatie van die drie. Soms weet je bij die gasten niet wat waar is en wat verzonnen.

Hoe dan ook, Paul had een brief aan haar geschreven of een gedicht, daar wil ik vanaf zijn. Linda had in de week voor haar heengaan nog een laatste ritje te paard gemaakt. Haar lange, blonde haren wapperden net niet in de wind, want die had ze verloren door de chemo, en toen ze uiteindelijk op het punt stond haar laatste adem uit te blazen, had Paul haar hand vastgehouden en haar toegefluisterd dat ze zich moest voorstellen dat het lente was en dat ze zich in een mooi weiland met bloemen bevond. Linda McCartney, de grootste liefde uit zijn leven, was vredig ingeslapen, aldus de ex-Beatle. We zullen hem op zijn woord moeten geloven.

De grootste liefde van zijn leven was koud gecremeerd of de weduwnaar werd verliefd en trouwde met Heather, een zesentwintig jaar jonger, anderhalfbenig ex-fotomodel. Het echtpaar heeft inmiddels een dochter en is in de zevende hemel, aldus het persbericht dat deze gelukkige tijding begeleidde. Paul McCartney is zo'n man bij wie je je afvraagt hoeveel hemels er voor hem bestaan.

Als ik vannacht sterf, verstuurt niemand een persbericht. Als ik morgen een echtscheiding aanvraag, is dat geen wereldnieuws. Ik laat geen cultureel erfgoed na, ik laat niets na, behalve mijn geld en mijn genen. Als mijn kinderen zich niet voortplanten en mijn centen opmaken, ben ik volledig van de aardbodem verdwenen.

Ik ben bijna zevenendertig en ik heb veel gemist. Mijn jeugd, zo voelt het, een zekere onbezorgdheid, een groot aantal volstrekt onverantwoordelijke daden, een penis van formaat. En als ik zo doorga, zal het er allemaal nooit van komen. Mijn jeugd is voorbij. Mijn leven bestaat uit verantwoordelijkheden die met de dag zwaarder wegen: een goede vrouw zijn voor Paul, een goede moeder voor Isabel en Jim, een goede zus voor Kaitlin, een goede boekhouder voor pa en bovenal een goede dochter voor ma. Mama heeft al zo veel pech gehad: Jimmy dood, Kaitlin die zich nooit laat zien. Ik ben de enige die ze nog heeft.

Ik krijg het benauwd, ik hyperventileer, ik moet een plastic zakje hebben. Ik ben bang dat ik zal stikken. Misschien moet ik alles aan Paul uitleggen, misschien begrijpt hij me dan, maar het gaat niet, ik begrijp mezelf amper en bovendien: dat ene, het ergste, mag niemand weten.

Ik heb me aan mijn woord gehouden, Jimmy, ik heb ons geheim bewaard, het staat zelfs niet in mijn dagboek. Je hebt me laten zweren het mee te nemen in mijn graf en dat zal ik doen, al maakt het soms dat ik verlang naar mijn eigen graf, naar rust, eeuwige rust, jij zou het waarschijnlijk grappig vinden, je laatste *sick joke*. Ook jij bent een last, Jimmy, ik zeg het je eerlijk, een dode last, een loden last.

Ik heb net een valiumpje genomen, slaappillen heb ik helaas niet in huis. Ik zou ze wel willen maar ik ben bang dat als ik eraan begin, ik niet meer zonder kan. Ik ben vrij verslavingsgevoelig. Dat heb ik niet van een vreemde. Pa en ik drinken nooit een glaasje, wij drinken een fles. Of twee. Of drie.

Valium heb ik altijd binnen handbereik, dat komt door Jim. Isabel was een makkelijk, rustig meisje. Vroeg zelfstandig, gehoorzaam. Ze was mijn eerste kind, mijn ijkpunt en een meisje, net als ik. Toen werd Jim geboren. Een wervelstorm, een driftig kereltje, een volstrekt onberekenbare gek, oftewel: een jongetje.

Uit Jim kwam altijd geluid en nog steeds. Al vanaf zijn babytijd brengt hij klanken voort die niemand kan thuisbrengen. Hij loeit, hij schreeuwt, hij zingt en hij zit nooit stil. Paul was bang dat hij ADHD had, maar na een paar kinderpartijtjes met jongetjes van zijn leeftijd concludeerde ik dat Jim doodnormaal was. Wij moesten ermee leren leven en we moesten hem opvoeden, dat was het enige wat we konden doen.

Jim luisterde beter naar Paul dan naar mij. Misschien heeft het met natuurlijk overwicht, autoriteit en een zware stem te maken, ik weet het niet. Feit is dat Paul destijds fulltime buitenshuis werkte en ik parttime, waardoor Jim zich, voordat hij naar school ging, doorgaans binnen een straal van maximaal enkele meters van mij ophield. Hij werkte op zenuwen waarvan ik niet wist dat ik ze bezat. Er zijn momenten geweest dat ik me niet heb kunnen beheersen. Die momenten staan in mijn geheugen gegrift, Jim is ze allang vergeten. Hij was toen twee, drie jaar, ik had er na afloop meer last van dan hij, ik bood hem mijn excuses aan, al wist ik niet of hij dat begreep. De dagen na zo'n uitval deed hij superlief tegen me, dat wel. Hij bleef me kusjes brengen, als een puppy die je hand komt likken.

Het ergste incident vond twee dagen voor zijn vierde verjaardag plaats. Waarom ik mijn geduld verloor, doet er niet toe, het had zich de hele ochtend opgebouwd en uiteindelijk werd ik zo kwaad dat ik op het punt stond Jims hoofd tegen de dichtstbijzijnde muur kapot te slaan. Nog net op tijd bedacht ik me. Het was beter om hem geen lichamelijk letsel toe te brengen. Ik sleurde hem de woonkamer uit, de gang door, duwde hem in een kast en deed de deur op slot, daarmee kwam hij er genadig vanaf. Ik ging terug naar de huiskamer, zette een koptelefoon met het *Requiem* van Mozart op en draaide de volumeknop wijd open.

Jim is bang in het donker. Isabel was naar school, Paul was naar zijn werk. Minutenlang krijste hij, in doodsnood, in de kast onder de trap. Af en toe zette ik het geluid zachter om te horen of hij nog steeds bezig was. Op een gegeven moment was het stil. Weldadig, maar beangstigend stil. Ik deed de deur open. Daar lag mijn zoon, in foetushouding, in slaap gevallen op de kale grond, snot onder zijn neus, sporen van half opgedroogde tranen over zijn wangen. Dezelfde middag zat ik bij de huisarts voor valium, *mother's little helper*. Het is mijn vaste herhaalrecept. Ik heb Jim nooit meer mishandeld, fysiek niet althans, en ik geloof dat het op het geestelijke vlak wel losloopt. Nog wel.

Paul denkt nog steeds dat ik echt wegga. Sinds onze ruzie zeggen we alleen het hoogstnoodzakelijke tegen elkaar. Jim heeft niks in de gaten, die dartelt vrolijk rond in zijn eigen wereldje, geregeerd door de schepper van Gameboy; Isabel observeert ons, maar stelt geen vragen. Wachtend op de werking van het pilletje, oké, de pilletjes, besef ik dat ik van mijn fantasie werkelijkheid zou kunnen maken. Ik heb een aankondiging gedaan, ik kan doorzetten.

Niemand weet het, maar financieel kan ik me het een en ander permitteren. Mijn vader heeft de boekhouding altijd aan mij overgelaten, ik was goedkoper dan een accountant. Wanneer ik de dagelijkse administratie af had, boog ik me over de reserves van het bedrijf. Dat werd in de loop der jaren een aardig kapitaal, hoewel mijn vader altijd meer uitgaf dan ik verantwoord achtte. Dan moest hij weer een nieuwe auto, dan moest zijn kantoor weer worden verbouwd, de man heeft ik weet niet hoeveel bureaus aangeschaft, het ene nog duurder dan het andere. Hij zat er zelden aan.

Hij heeft ook een kunstbevlieging gehad. Had hij van Ramses, een collega/concurrent die alleen maar Echte Kunst aan zijn muren wilde hebben, dat stond zo chic voor de klanten. Mijn vader wilde eroverheen, dus die ging in de schilderijen én in de beelden. Vooral sculpturen kocht hij groot in. De tuin rondom het kantoor is een kleine tweehonderd vierkante meter groot, hij stouwde de hele boel vol, je zag het grind amper meer.

'Je klanten komen voor een huis, pa,' zei ik. 'Als ze beelden willen zien, gaan ze wel naar het Kröller-Müller.' Ik heb de collectie stukje bij beetje verpatst en nog een aardige winst gemaakt ook.

De reserves waren bedoeld als het pensioen van mijn vader. Een aantal jaren geleden begon ik ermee te beleggen. Aanvankelijk deed ik het voor de lol. Of misschien was het streberigheid. Dat ik hem op zijn vijfenzestigste kon voorrekenen: kijk pa, dit zou officieel je pensioen zijn, maar dankzij mijn interventie is je kapitaal verdriedubbeld. Kun je eindelijk je werkster fatsoenlijk betalen. Kun je toch die wereldreis maken.

Ik wist dat het mis kon gaan, dat heb je met beleggen, maar daarover maakte ik me geen zorgen. Het was niet mijn geld en bovendien: mijn vader verwachtte weinig van mij. Als zou blijken dat zijn pensioen minimaal was, zou dat voor hem alleen maar bevestigen wat hij altijd al had gedacht. Vrouwen en geld, vrouwen en auto's, vrouwen en zaken, vrouwen en macht: uiteindelijk gingen die dingen niet samen. Dat hij me een baantje op zijn kantoor toestond, moet naast zijn krenterigheid wellicht iets met vaderliefde van doen hebben gehad. Of misschien vertrouwde hij verder niemand, dat is ook mogelijk. De boekhouding leek hem in elk geval zo simpel dat zelfs ik die niet zou kunnen verknallen.

Het beleggen ging me beter af dan ik had verwacht. Ik stopte mijn vaders geld vooral in internetfondsen en het liep lekker. Op een gegeven moment bezat ik een miljoen gulden, op papier. Pa zelf was ongetwijfeld hebberig geworden en doorgegaan, maar ik vond het welletjes en verkocht de handel precies op tijd. Ik had geen week langer moeten wachten, de beurs klapte in elkaar. Sneu voor de andere kleine beleggers, maar mijn schaapjes stonden veilig op het droge. Ik was miljonair, nou ja, formeel was pa miljonair – dankzij mij. Een commissie van vijftig procent leek me niet onredelijk. Wat zouden Paul en de kinderen verrast zijn. Isabel en Jim zouden kunnen studeren, we zouden een tweede huis kunnen kopen, het was fantastisch, ik had de staatsloterij gewonnen.

Na enig nadenken paste ik de verdeelsleutel aan. Dertig procent was meer dan genoeg voor die ouwe, de rest zou ik in mijn zak steken. De enige vraag was hoe ik het geld op mijn rekening kreeg zonder er belasting over te hoeven betalen. Het antwoord was simpel. Ik richtte een stichting op. Dat moest natuurlijk een belangeloze toestand zijn met een of ander rooskleurig einddoel dat nooit zou worden bereikt.

Toen ik op kantoor over een mogelijk doel voor mijn stichting zat te prakkiseren, las ik in de krant zo'n opwekkend bericht over een echtpaar dat een mislukte poging tot gezinsuitroeiing had ondernomen. Ze hadden eerst hun twee honden en vervolgens hun drie kinderen afgeslacht, daarna hadden ze gepoogd de hand aan elkaar te slaan, maar dat was mislukt. Ik geloof dat ze uiteindelijk op een spoorlijn zijn gaan liggen, maar de trein kwam maar niet, het was herfst, bladeren op de rails, dat zul je net zien, ze kregen het koud, stonden weer op, gingen met messen in hun wederzijdse polsen in de weer, dat wilde ook niet vlotten, enfin, een hoop gedoe met een bloederig, maar onbevredigend resultaat.

Het bericht zorgde voor een kleine rage, want in de weken erna volgde een aantal vaders en moeders hun voorbeeld. Sommigen lukte het wel om hun hele gezin inclusief henzelf van de kaart te vegen, dat sierde ze. Aan halfslachtig gemodder heeft tenslotte niemand wat.

Geïnspireerd door de actualiteit richtte ik de Stichting voor het Behoud en de Redding van het Gezin op. Ik werd voorzitter, schreef de statuten en benoemde mijn moeder tot penningmeester, zonder haar daarover in te lichten. Haar handtekening kan ik dromen. Het makelaarskantoor van mijn vader deed op gezette tijden een donatie, die de stichting dankbaar in ontvangst nam. De doelstelling was duidelijk: het behoud en de redding van het gezin als hoeksteen van de samenleving. Dat het alleen mijn gezin zou betreffen, maakte niet zo veel uit. Elk gered gezin is er weer eentje, nietwaar?

Mijn stichting leidt een onopvallend bestaan. De financiën staan er rooskleurig bij, ik heb intussen een aardig bedrag doorgesluisd. Er zit vijfenzeventigduizend euro in kas. De voorzitster zou met gemak naar het buitenland kunnen om te kijken of daar nog gezinnen te behouden en/of te redden zijn. Ze kan veldwerk verrichten. Ze kan het er een paar maanden uitzingen, ze hoeft niet op een houtje te bijten.

Ik zie wuivende palmbomen, ik zie witte stranden en voel dat de valium begint te werken. Straks slaap ik. Ik heb geen zorgen, ik heb een uitweg. Dat is mooi, heel mooi. Blijven over: Isabel en Jim.

Hoofdstuk 7

Op zondagochtend ontbijten we altijd uitgebreid met z'n vieren. Zaterdag is de dag van de sportclubjes, dan moet Jim naar voetbal, Isabel naar paardrijden, ik doe boodschappen en 's avonds hangen we voor de tv. Isabel kookt op zondag vier eieren en zet koffie, Jim dekt de tafel, Paul leest de krant en ik probeer uit te slapen, wat meestal niet lukt. Soms bak ik brood met de broodbakmachine, die je 's avonds al kunt programmeren, zodat het hele gezin 's ochtends wordt gewekt met de geur van vers boerenbruin. Ik oogst daarmee altijd veel lof, daarom doe ik het niet te vaak. Wie complimenten wil, moet spaarzaam zijn met uitdelen.

'Komen jullie ontbijten?' roept Isabel.

Er is geen vers brood deze zondag.

Paul komt uit de badkamer, ik uit de logeerkamer. We geven elkaar een knikje en gaan naar beneden.

We eten zwijgend. Normaal tetteren de kinderen aan een stuk door. Isabel kauwt traag op haar brood. Jim knoeit met de hazelnootpasta. Hij wordt niet gecorrigeerd.

Paul doorbreekt de stilte. 'Mama moet jullie iets vertellen,' zegt hij. 'Toch?'

We hebben het er niet meer over gehad. Hij gooit de knuppel in het hoenderhok. Ik kan nog terug. Ik kan nog altijd terug. Het is pas waar als ik het doe, niet als ik het zeg. Ik leg mijn mes neer.

'Papa en ik hadden van de week ruzie. Dat hebben jullie gehoord. Dat kwam niet door papa, dat kwam door mij.'

Isabel wil iets zeggen, maar bedenkt zich.

'Ik weet niet zo goed hoe ik het moet zeggen, dus ik zeg het maar gewoon zoals het is. Ik ga een tijdje weg.'

'Gaan jullie scheiden?' De stem van Isabel klinkt schril.

'Nee,' zeg ik snel. 'Dat hoop ik niet, tenminste.' Ik kijk naar Paul. Hij neemt een slok sinaasappelsap.

'Ik zal het proberen uit te leggen. Ik voel me niet zo goed.'

'Ben je ziek?' vraagt Jim.

Ik schud mijn hoofd. De kinderen kijken me afwachtend aan.

'Het is al een tijdje zo. Ik voel niks meer. Terwijl ik vroeger wel dingen voelde.'

Het is niet helemaal waar. Ik voel wel dingen. Alleen geen leuke dingen. Grote handen die mijn keel dichtknijpen. Muren en plafonds die op me afkomen, steeds dichterbij, ze sluiten me in, tot ik niet meer kan bewegen. Er eigenlijk niet meer willen zijn, fantaseren dat je een heel-slecht-nieuwsbericht krijgt van de dokter en dat je dan stiekem blij bent, opgetild willen worden door de Grote Grijper, zodat het gezeur ophoudt, zodat niemand meer iets van je kan vragen, zodat je je niet meer verantwoordelijk hoeft te voelen voor alles en iedereen.

Waarschijnlijk is dit geen geschikte kost voor kinderen. Laat ik het over een andere boeg gooien. 'Jullie houden van ijsjes, toch?'

'Ja!' roept Jim enthousiast. Briljant, straks verwacht hij dat ik er eentje tevoorschijn tover.

'Stel je nou voor...' zeg ik langzaam, '...stel je voor dat je een ijsje eet en je proeft niks. Je proeft niet hoe lekker het is, het smaakt helemaal nergens naar. Of je speelt met je vriendjes, maar je vindt het helemaal niet leuk. Het is heel saai, het is net alsof je slaapt terwijl je wakker bent.'

Jims blik glijdt naar de boterham op zijn bord. Hij pakt zijn mes weer op en steekt het in de pot Nutella.

'Ik proef mijn leven niet. Ik heb geen plezier meer. Ik weet niet hoe ik het anders moet zeggen. Het klinkt vast heel raar, maar ik hoop dat jullie het een beetje begrijpen. Ik weet bijvoorbeeld dat ik veel van jullie houd en dat ik van papa houd, maar het is net alsof iemand een muur om mijn hart heeft gebouwd, een hele dikke muur, waar niets doorheen komt.'

Isabel fronst.

'Het enige wat ik kan bedenken, is weggaan. Als ik wegga, ben ik helemaal alleen. Dat ben ik nooit. Het lijkt me prettig. Een soort lange vakantie. En weet je wat ik denk dat er gebeurt als ik wegga?'

'Niet doen!' zegt Paul waarschuwend tegen Jim, die zijn mes wil aflikken.

'Vertel, mam,' zegt Isabel verstoord. 'Wat gebeurt er als je weggaat?'

'Dan ga ik jullie missen. Dat weet ik zeker. Het kan na een week zijn, of na een maandje, maar ik ga jullie vast heel erg missen, jullie alle drie. Als de muur om mijn hart is verdwenen, kom ik terug. Als jullie dat goed vinden.'

'Natuurlijk vinden wij dat goed. Ja toch, pap?' Isabel zet Paul meteen voor het blok.

Hij gaat er niet op in. 'Mama heeft een grote beslissing genomen, jongens. Dat hebben jullie net gehoord. Ik zal voor jullie zorgen, Monique zal vaker moeten oppassen, misschien komt er een nieuwe oppas bij. Alles zal anders worden.'

Paul heeft al nagedacht over de nieuwe situatie, hij is met de planning bezig.

'Moet je niet naar de dokter met je hart?' vraagt Jim.

'Ze heeft niet echt een muur om haar hart, sukkel,' zegt Isabel. 'Zo voelt ze het alleen maar. En daarom gaat ze weg. Toch, mam?'

'Ik wil niet dat je weggaat.' Jims ogen vullen zich met tranen, het begint tot hem door te dringen. Hier was ik bang voor, hier was ik al die tijd bang voor. Ik had niet naar Paul moeten luisteren, ik had als een dief in de nacht moeten vertrekken. Dan maar een lafaard. Alles beter dan een groepssessie aan de keukentafel.

Jim kruipt bij me op schoot. Ik maak mijn vinger nat met spuug en haal wat hazelnootpasta weg bij zijn oor.

'Waar ga je eigenlijk heen?' vraagt Isabel.

Mijn dochter houdt het droog. Ze is zo lief, zo nuchter, zo wijs, ze is alles wat ik niet ben. Niet meer ben. 'Naar het buitenland.'

'Welk land?'

'Weet ik nog niet.'

'Zal ik de atlas pakken?' Isabel is altijd praktisch.

'Hoeft niet, schat, dat komt wel.'

Ongelooflijk, wat neemt ze het goed op. Misschien is het

schijn, misschien vindt ze het beter dan dat we gaan scheiden, misschien ligt ze vannacht in bed, huilt ze haar beer nat en Jim— Nee, niet aan denken, ze zijn nu hier, laat ze voelen dat je van ze houdt, laat ze vol vertrouwen achter.

Jim kruipt dicht tegen me aan.

'Het komt allemaal goed, mannetje,' zeg ik schor. 'Denk maar aan die jongen bij jou in de klas, hoe heet hij ook alweer, zijn vader werkt op een booreiland...'

'Denzel.'

'Die bedoel ik. Zijn vader is toch vaak lang weg?'

Hij knikt heftig. 'Heel lang. Als hij terugkomt, gaat hij Denzel altijd eerst opmeten om te kijken hoeveel-ie gegroeid is en daarna krijgt hij cadeautjes. Meestal nieuwe K'NEX.'

'Hij boft maar, die Denzel. Ik denk dat er voor jullie ook wel een cadeautje in zit als ik terugkom,' zeg ik met een glimlach.

Het gezicht van Jim klaart op.

'De vader van Angela zit in de gevangenis,' zegt Isabel. 'In België. Hij is al een half jaar weg. Om de twee weken gaan ze hem opzoeken. Soms mag hij met verlof. Hij zit onschuldig vast, zegt Angela.'

Paul en ik knikken. We kennen het verhaal over de vader van Angela.

'Je ziet, lang niet alle ouders zijn altijd thuis,' zeg ik luchtig. 'Maar ik ga niet naar een gevangenis en ook niet naar een booreiland. Ik ga niks gevaarlijks doen.'

'Hoe denk je dit eigenlijk allemaal te bekostigen?' vraagt mijn man. 'Je vader betaalt je echt niet door als jij ervantussen gaat.'

'Ik heb wat spaargeld. En als het moet, kom ik heus wel ergens aan de slag.'

'O vast,' beaamt hij. 'Maar niet bij een makelaarskantoor. Dat wordt bardiensten draaien in een of ander café. Heb je daar zin in? Denk je dat je weer wat "voelt", als je om vier uur 's nachts vuile bierglazen om staat te spoelen?'

'Wil je dit per se bespreken waar de kinderen bij zijn?'

'Jij bent toch zo'n voorstander van open communicatie?'

'Je zou je ook iets minder vijandig kunnen opstellen,' sis ik. 'Je zou het misschien zelfs kunnen waarderen dat ik iets onderneem. Alsof het voor mij zo makkelijk is. Het is een avontuur.'

Hij lacht smalend. 'Zie jij het zo, als een avontuur? Julia op *Expeditie Robinson*, welja, waarom ook niet? Neem een camera mee, houd een videodagboek bij, verkoop het aan een tv-zender, straks word je beroemd, dat wil je toch zo graag?'

Hij zegt het alsof het iets slechts is. Alsof niet iedereen daar wel eens stiekem van droomt. Volgens mij is het leven een stuk makkelijker als je Oprah Winfrey heet. Beroemde mensen lijken altijd mooi, zelfs al zijn ze het niet. Ze hebben geld, ze hebben personeel, ze hebben fans. Ze hoeven zich maar te vertonen of er gaat een zucht van opwinding door de menigte. Dat zal mij nooit overkomen. Ik kan niet eens aan *Idols* meedoen, daarvoor ben ik al te oud.

Paul staat op en gooit zijn servet op tafel. 'Heel ontroerend, dat verhaal over die muur rondom je hart, maar ik trap er niet in. Ik weet wat er aan de hand is. Je zit in een vroegtijdige midlife crisis, je wilt bewijzen dat je nog meetelt. Je hebt blijkbaar iets in te halen...' Hij tilt Jim van mijn schoot en kijkt me nadrukkelijk aan. 'Er is niks aan de hand, jongens. Mama gaat vakantie vieren in het buitenland. Zij gaat pret maken, wij redden ons wel zonder haar.'

Hoofdstuk 8

Maandagavond. De kinderen zijn naar bed. Ik ben net boven geweest om ze nog een kus te geven. Paul zit aan de keukentafel. Hij heeft niet afgeruimd, de vaatwasser staat open. Ik heb een valiumpje genomen. Dit gesprek mag niet uit de hand lopen. Ik doe de vaatwasser dicht.

'Morgen ga ik.'

'Fijn dat je het weer zo tijdig laat weten.'

'Paul. Alsjeblieft.'

Hij doet zijn mond open, maar sluit hem weer. Ik pak de wijn van het aanrecht en schenk de fles leeg in Pauls glas. Het is rode wijn. Hij heeft veel op voor zijn doen. Ik maak een nieuwe fles open en neem ook een glas.

'Gezellig,' zegt Paul. Ik negeer zijn cynisme. 'Wie heb je allemaal al ingelicht?' vraagt hij.

'Niemand.'

Hij valt stil. Ik pak mijn glas en kom aan tafel zitten. 'Niemand,' herhaal ik. 'Pa niet, mijn moeder niet.'

'Weet Kaitlin het al?'

'Ze zit in het buitenland. Ik laat het haar nog wel weten.'

Ik heb geen contact opgenomen met mijn zus, omdat ik het rustig uit wil leggen. Kaitlin reist veel, ik ben haar vaste contactpunt, haar houvast.

'Krijg ik nog te horen waar je heen gaat?'

'Ik heb geen idee, ik pak een *last minute* vlucht. Jij werkt morgen toch thuis?'

Hij knikt verstrooid.

'Ik had bedacht dat je de kinderen misschien wat later naar school zou kunnen brengen, zodat ze me rustig gedag kunnen zeggen. Of dat ze een dagje thuis mogen blijven, bij jou. Komt dat uit?'

Paul wrijft over zijn slapen. Als hij zijn ellebogen op tafel wil zetten, gooit hij mijn wijn om. Ik loop naar het aanrecht en pak een doekje. Het glas is nog heel, de wijn druppelt van het tafelblad op de tegelvloer. Ik zak door mijn knieën en veeg het op. Daarna neem ik de tafel af. De afstand tussen onze lichamen is nog geen tien centimeter. Sinds mijn mededeling hebben we elkaar niet meer aangeraakt.

'Gooi dat doekje gelijk weg,' zegt mijn man.

Mijn nekharen gaan rechtovereind staan. Paul heeft iets met hygiëne. Als ik het aandeel Sorbo zie stijgen, weet ik dat Paul boodschappen heeft gedaan. Hij neemt steevast pakken vol schuursponzen en vaatdoeken mee. En dweilen aan een stok. We hebben een kast vol gele doekjes, schuursponzen en zeker acht dweilen aan een stok. Hij zegt dat ik ze vaker moet vervangen.

Ik schenk een nieuw glas wijn in.

Hij pakt het zijne op en neemt een slok. Zijn hand trilt. 'Ik heb nagedacht,' zegt hij. 'Je kunt eerlijk tegen me zijn... is er iets wat ik moet weten, is er een speciale reden voor je vertrek, iets wat je me niet durft te vertellen? Is er iemand die je onder druk zet, heb je iets strafbaars op je geweten?'

Paul biedt me een kans om te biechten. Dat is lief. Helemaal loepzuiver zou ik mijn geweten niet willen noemen, maar dat is een lang verhaal. Buiten dat, het is een verhaal dat nooit verteld mag worden. Over sommige dingen moet je zwijgen, zelfs tegen je echtgenoot. Ik leg mijn hand geruststellend op de zijne.

'Als het zoiets was, zou ik het je heus wel vertellen.'

'Waarom wil je weg? Is het mijn schuld? Ik weet dat ik je seksueel niet meer bevredig. Als het daarom gaat, laten we dan een oplossing zoeken.'

Nu kan het ineens wel.

'Het is meer dan dat. En het is waar wat ik tegen de kinderen zei. Ik heb geen plezier meer in mijn leven. En dat wil ik wel. Ik wil weer lol hebben.'

'Geniet je dan helemaal niet van ons, van je gezin?'

Paul kan amper zonder Isabel en Jim. Als hij op zakenreis moet, vertrekt hij met pijn in zijn hart en belt hij praktisch elk uur. Hij is een familieman.

'Misschien ben ik overbelast,' antwoord ik. 'Ik moet te veel. Ook van jou. Je zit me zo op mijn huid.'

Hij trekt zijn hand met een ruk terug. 'Ik wíst het. Ik wist dat ik uiteindelijk de schuld zou krijgen. Jij vertrekt, maar ik heb het gedaan.'

'Dat zeg ik niet.'

'Dat zeg je wel.'

Het gaat mis. 'Ik wil geen ruzie op onze laatste avond, Paul.'

'Jíj wilt geen ruzie, jíj wilt weg, jíj voelt niks meer. Alles draait altijd om jou.'

Ik had de laatste nacht in ons echtelijke bed willen doorbrengen. Dat plan laat ik varen. 'Het spijt me,' zeg ik mat.

'Ik hoop dat je beseft wat je je kinderen aandoet.' Paul vuurt zijn laatste kogel af.

'Jezus christus, Paul, ik ga weg. Misschien ben ik over drie weken terug. Is dat nou zo vreselijk, maakt dat me een misdadiger?' Ik sta op. 'Ik ga naar bed.'

'Ja, loop maar weer weg,' schreeuwt Paul. 'Arrogant kutwijf!'

Hij pakt zijn halfvolle wijnglas en smijt het kapot tegen de muur, de scherven springen alle kanten op, de rode vloeistof druipt omlaag. Ik heb hem nog nooit zo kwaad gezien.

'Hou op! Straks worden de kinderen wakker.'

'Alsof jou dat wat kan schelen. Jij gaat toch weg? Ga dan! Pak je koffer en verdwijn.'

Ik ren naar boven, de logeerkamer in en draai de deur achter me op slot. Mijn hart bonkt in mijn keel. Ik hoor hem schelden, hoor het gerinkel van glas en het geschuif van stoelen. Zware voetstappen op de trap. Paul bonkt op de deur.

'Doe open!'

Ik kruip met kleren en al in bed.

'Julia, doe open!'

'Ga weg.'

'Ik ga niet weg, ik moet je spreken.'

Ik geef geen antwoord meer. Ik pak het dekbed en trek het over mijn hoofd. Hij beukt weer op de deur, rammelt aan de klink.

Het is een wonder dat de kinderen hierdoorheen slapen. Als ze al slapen…

'Wil je dat ik hem intrap?'

'Ga naar bed, Paul.'

'Ga naar bed, Paul,' bauwt hij me na. 'Hoor dat arrogante kutstemmetje van d'r.'

Hij blijft op de deur rammen. Ik stop mijn vingers in mijn oren.

'Heb je je valium genomen, Julia, heb je jezelf weer verdoofd? Denk maar niet dat ik je niet doorheb. Ik zie heus wel hoe vaak je ernaar grijpt. Je bent gestoord. Eigenlijk ben ik blij dat je oprot.'

Deze avond zal niet de geschiedenis ingaan als het *finest hour* van ons huwelijk.

'Geef godverdomme antwoord!' Hij rammelt weer aan de deur. 'Hoeveel valium heb je genomen?' Hij lijkt wel bang.

Ik haal mijn vingers uit mijn oren. 'Niet genoeg!' schreeuw ik terug. 'Ik ben klaarwakker. Ga jij je rotzooi opruimen. Straks heb je vlekken op de muur, stel je voor! En vergeet het doekje niet weg te gooien.'

Even is het stil.

'Ik kan wel janken, weet je dat?' Hij klinkt gesmoord. 'Je maakt me kapot. Je maakt me helemaal kapot.' Hij loopt weg, de trap af.

Ik snak naar valium. Het zit in mijn tas, beneden in de hal. Ik durf hem niet te pakken. Ik sluit mijn ogen en trek het dekbed weer over mijn hoofd. Even later hoor ik de stofzuiger aangaan.

Hoofdstuk 9

Mijn weekendtas ligt wijdopen op bed. Paul is beneden. De kinderen drentelen om me heen. Ze zijn nog in pyjama. Jim doet alsof hij een *human beatbox* is, zijn nieuwste bevlieging. Hij maakt rare geluiden, trommelt op zijn borstkas en slaat met zijn vlakke hand op zijn holle wangen.

Normaal zou ik hem wegsturen. Kinderen zijn de grootste verstoorders van je privacy die je ooit zult ontmoeten. Mensen maken zich druk om camera's op straat, om het koppelen van overheidsbestanden, om hun baas die hun mailbox kan inzien, allemaal lachertjes vergeleken bij je eigen kinderen. Ze schenden je privacy voortdurend, ze denderen dwars door je leefruimte heen. Niets kun je voor ze verborgen houden: ze zien, ruiken en horen alles. *Little brothers are watching you.*

Stel, het is half vijf, je hebt een wegtrekker en wilt even op bed liggen met een roddelblad en een zak chips. Wijs geworden pak je de zak zo zacht mogelijk uit de kast, je verstopt hem onder je trui (pas op het voor het kraken!) en sluipt naar boven. Je hebt je amper geïnstalleerd of ze komen van alle kanten tevoorschijn, als ratten uit hun holen, in de veronderstelling dat zij nu ook recht hebben op een bakje chips en een glaasje cola. Op heterdaad betrapt. Al je eventuele argumenten heb je al uit handen laten kletteren. Chips eten vlak voor de avondmaaltijd: een doodzonde. Je kunt ze alleen medeplichtig maken, dus daar zitten ze, bij jou op bed, ieder met een bakje, ieder met hun eigen speeltje, dat van Jim piept en geeft lichtsignalen, Isabel heeft een kaartspel en wil een potje pesten. Het moment voor jezelf is in rook opgegaan.

Deze ochtend ben ik blij dat ze er zijn. Ze leiden me af. Ze doen alsof ik gewoon even wegga en dat is prettig.

'Hoeven we echt niet naar school?' vraagt Isabel bezorgd.

'Ik heb gebeld dat jullie wat later komen.'

'Mag ik naar Nickelodeon kijken?' Jim heeft de afstandsbediening al in zijn hand. Ik knik. Hij zet de tv in onze slaapkamer aan en gaat op zijn buik bij mijn tas liggen. Isabel schuift ernaast.

Ik neem weinig mee. Waar ik ook terechtkom, ik wil zo min mogelijk op mezelf lijken. Niet op de moeder van Isabel en Jim, niet op de vrouw van Paul, niet op de administratief medewerkster van een makelaarskantoor. Ik wil weten wie Julia is als je alle aangekoekte ego's losweekt. Ik ben benieuwd naar haar. Op wie lijkt ze het meest? Op Kaitlin? Op Jimmy? Hopelijk niet op mijn vader of moeder. Is ze uniek? Zo voelt ze zich niet. Verre van dat. Ze voelt zich momenteel volstrekt inwisselbaar.

'O, zijn jullie hier.' Paul steekt zijn hoofd om de deur en wil meteen weggaan.

'Kan ik je even spreken?' vraag ik. Ik neem Paul mee naar onze gezamenlijke werkkamer, waar ik de diepste la van het bureau opentrek. Achterin ligt een dikke envelop. Paul fronst.

Ik maak de envelop open en laat de inhoud zien. 'Dit is tienduizend euro voor jou en de kinderen. Ik weet dat je je altijd zorgen maakt over geld, dat is nu even niet nodig. Je kunt extra oppas inschakelen, jullie kunnen vaker uit eten, je kunt wat ruimer leven.'

Paul is zo verbijsterd dat hij even vergeet dat hij niet meer met me praat. 'Waar komt dat geld vandaan?'

'Wat doet dat er nou toe? Het is van jou, van ons. Je mag het hebben. Als je meer nodig hebt, kan ik daarvoor zorgen.'

'Ben jij niet goed bij je hoofd? Wat moet ik met tienduizend euro? Is het zwart geld?'

'Formeel niet. Denk ik.'

'Je stelt me helemaal gerust. Is het gestolen?'

'Eigenlijk niet. Of misschien wel. Ik kan er niet al te veel over zeggen, behalve dit: niemand weet dat dit geld er is, alleen jij en ik. Niemand zal achter jou of mij aankomen om het te claimen. Je kunt het met een gerust hart uitgeven.'

Er begint Paul iets te dagen. 'Heb je de rekening van je vader geplunderd, is het zijn geld?'

'Als er iemand de rekening van mijn vader plundert, dan is hij dat nog altijd zelf, zoals je weet. Denk je nou werkelijk dat ik in staat ben om de centen van mijn eigen vader te verduisteren?' Ik leg de envelop terug in de la en duw hem dicht. 'Misschien moet je vandaag even langs het postkantoor om het op onze rekening te storten, het is niet goed om zo veel cash in huis te hebben.'

'Hoe lang ben jij dit eigenlijk al aan het plannen?'

Ik geef geen antwoord. Het is wel een goede vraag. Misschien langer dan ik zelf denk.

'Ben ik zó'n vreselijke man, heb je het hier nou werkelijk zó slecht?'

'Laten we niet opnieuw beginnen...'

Hij verheft zijn stem. 'Laten we dat godverdomme wel doen. Voor jou is het blijkbaar allemaal glashelder. Voor mij niet. Begrijp je dat? Interesseert je dat?'

Straks volgt er weer zo'n uitbarsting als gisteravond. Dat kan niet nu. De kinderen zijn vlakbij, ze horen alles.

'Paul,' zeg ik zacht. 'Als ik blijf, gaat het mis. Dan eindigt dit in een echtscheiding. Ik heb tijd nodig. Tijd en ruimte voor mezelf. Ik moet nadenken. Los van iedereen. Niet alleen van jou en de kinderen. Ook van mijn moeder, van mijn vader. Gun me dat. Alsjeblieft.'

Aarzelend sla ik mijn armen om zijn middel. Het voelt onwennig. Hij beantwoordt mijn omhelzing niet en staart naar de dichte la. Omdat hij niks zegt, praat ik door. 'Wat er ook gebeurt, jij en de kinderen zullen niet in financiële moeilijkheden komen. Daarover hoef je je geen zorgen te maken. Dat garandeer ik.'

'Denk je dat ik daarmee bezig ben? Je mag je geld houden. De kinderen hebben je nodig, ik heb je nodig. Wij willen dat je hier blijft, we houden van je. Jij hoort bij ons, al voel je dat nu misschien niet. Ik ken je beter dan wie dan ook, Julia.'

Het is een inkopper.

'Vertrouw me dan. Laat me gaan.'

Mijn reistas is gepakt en staat in de hal, de taxi is onderweg. Ik check mijn handtas voor de laatste keer. Paspoort, portemonnee, zonnebril, valium, papieren zakdoeken.

De kinderen hebben zich aangekleed. Isabel is helemaal in het roze. Ze heeft lipgloss op. Jim draagt zijn shirt van Real Madrid en een spijkerbroek. Als de bel gaat, stormen ze allebei naar de voordeur.

'Het is de taxi!' roept Isabel. Ze doet open. 'Mijn moeder komt eraan, mijnheer.'

Ik loop naar de deur, probeer te glimlachen en wijs de chauffeur mijn tas. 'Kunt u die alvast meenemen?'

Hij pakt hem op en loopt weg zonder iets te zeggen.

Ik knuffel mijn kinderen. 'Zullen jullie lief zijn voor elkaar? En voor papa?'

Isabel schrikt. 'Waar is pap?'

'In de werkkamer. We hebben elkaar net gedag gezegd,' lieg ik. Ik weet niet meer hoe ik me moet gedragen. In een paar dagen tijd is alles veranderd, we kunnen geen normaal gesprek meer voeren. Misschien is dit hoe het werkelijk is, was al het andere toneelspel. Een poging tot een huwelijk.

Ze maakt zich los. 'Papa, kom je? Mama gaat weg!' roept ze naar boven.

Mijn kleine regelaar. Ze lijkt op me. Ze hoort bij me. Ik ben gek, stapelgek, ik moet dit niet doen. Jim heeft zijn armen stijf om mij heen geslagen. Ik til hem op, zoen hem waar ik kan, knijp hem in zijn dunne, harde nekkie. 'Dag, grote jongen van me, ga maar vast bedenken wat voor cadeau je wilt. Mama is gauw weer thuis.' Zo zal het gaan. Hooguit twee, drie weken, langer zal ik het vast niet uithouden.

'Papa! Kom nou!'

Het wordt voor Paul onmogelijk Isabel langer te negeren. Hij verschijnt boven aan de trap.

'Ik heb gezegd dat we al afscheid hadden genomen,' zeg ik verontschuldigend.

Langzaam loopt hij naar beneden.

Ik zet Jim op de grond. Isabel is aan de beurt. Ze is te groot om op te tillen. Ik omhels haar zoals ik haar in geen tijden heb omhelsd. 'Pas goed op Jim en op papa, beloof je dat?'

Ze wendt haar blik af, ze wil niet dat ik zie hoe moeilijk ze het heeft. Ik pak haar onder haar kin. Haar gezichtje is vertrokken van pijn, haar ogen glanzen van de opkomende tranen. Ik haat mezelf. 'Alles komt goed, Isabel. Ik houd van je. Zul je dat nooit vergeten?'

De taxichauffeur verschijnt in de deuropening.

Paul roept de kinderen bij zich. Over hun hoofden kijken we elkaar aan. Hij komt niet naar me toe, ik ga niet naar hem toe, honderdduizend woorden schieten door mijn hoofd, maar ze hebben geen klank, ik vertrek, dat is het enige van betekenis. Ik steek mijn hand op.

'Zwaai maar naar mama, jongens,' zegt Paul.

'Dag, mama!' roepen ze in koor. Ik maak mijn tas open, haal mijn zonnebril eruit en zet hem op. Dan loop ik de deur door, achter de taxichauffeur aan, het tuinpad af.

Jim holt me achterna. 'Nog één kusje, mam.'

Ik draai me om. In zijn haast struikelt hij, hij valt, eindigt languit op het pad. Ik snel naar hem toe, til hem overeind en klop het vuil van zijn broek.

'Ik wil niet dat je weggaat,' zegt hij snikkend. 'Als jij weggaat, heb ik geen moeder meer.'

Ik neem zijn gezicht tussen mijn handen. 'Je hebt wel een moeder, Jim. Dat ben ik. Jouw moeder gaat op reis. Sommige mama's doen dat. Maar waar jij ook bent of waar ik ook ben: je zult altijd een mama hebben en ik heb altijd een zoon. Dat ben jij.'

Voorzichtig druk ik mijn lippen op de zijne, dan laat ik zijn gezicht los, draai hem om en geef hem een zetje in zijn rug. Hij wankelt naar de voordeur. Paul vangt hem op. Isabel laat haar tranen de vrije loop, maar blijft intussen dapper naar me zwaaien. Het beeld brandt zich op mijn netvlies. Laat dit het waard zijn, bid ik, laat dit ergens goed voor zijn.

Nog een paar stappen naar de taxi. Ik red het net. 'Achterin graag.'

Het portier gaat voor me open. Ik stap in. De chauffeur loopt om de taxi heen en wringt zich in zijn wagen. Hij rijdt weg.

'Naar Schiphol?' vraagt hij. Isabel was in de buurt toen ik de taxi belde, ik kon niets anders zeggen. Ik maak mijn handtas open voor een valiumpje. Snel slik ik de pil door. Het interesseert me niet of de chauffeur het ziet.

'Ik moet eerst even langs mijn werk.' Ik geef het adres van mijn vaders kantoor.

De chauffeur toetst het in zijn navigatiesysteem. 'Dat is een korte rit.'

'Meestal ga ik op de fiets.'

Na drie minuten arriveren we bij het kantoor.

'Wat krijgt u van me?' vraag ik.

'U moet toch nog naar Schiphol?'

'Ja, maar ik realiseer me net dat ik—' Ik wil een omslachtig verhaal ophangen, maar bedenk me bijtijds. Vandaag begint een nieuw tijdperk. Dit is de nieuwe Julia. Ik hoef aan niemand verantwoording af te leggen.

De chauffeur staart me aan.

'Het doet er niet toe,' zeg ik kortaf. 'Hoeveel krijgt u van me?'

'Acht euro.'

Ik geef hem er tien en stap uit. 'Mag ik mijn tas?'

'Gestoord wijf,' mompelt de chauffeur.

Dat had hij niet moeten zeggen. 'Ik krijg nog twee euro van je,' zeg ik. 'En een bon graag.'

Hij geeft me het wisselgeld, schrijft zuchtend een bon uit en laat me de tas zelf uit de kofferbak pakken.

Hoofdstuk 10

Het is stil op kantoor. Mijn vader zit op zijn stoel, met zijn benen op het bureau. Hij kijkt chagrijnig. 'Wat ben je laat. Ik wilde je net bellen.'

'Ik dacht dat jij een bezichtiging had.'

'Ging niet door.'

Aha. Vandaar zijn slechte humeur. 'Is er koffie?' vraag ik.

'Als jij zet, wel.'

Het is zijn vaste grap. Ik kan er allang niet meer om lachen. Vandaag helemaal niet. Ik heb net mijn gezin verlaten, ik ben door een hel gegaan, je zou denken dat mijn vader misschien iets aan me zou zien, maar nee hoor, hij heeft niks in de gaten. Ik had het kunnen weten. Empathie is nooit zijn sterkste kant geweest. Het is een van de vele redenen waarom Jimmy een hekel aan hem had.

Pa haalt zijn benen van zijn bureau en bladert afwezig door een stapeltje papieren.

'Ik kwam eigenlijk alleen langs om te zeggen dat ik op vakantie ga.'

Verbaasd kijkt hij op.

'En ik wil graag de auto van Jimmy lenen.'

'De Toyota? Waarom?'

'Dat zei ik. Ik wil even weg. Uitwaaien.' Eigenlijk weet ik niet goed waarom ik in Jimmy's auto wil rijden. Het is iets wat ik me al heel lang heb voorgenomen.

'Alleen?'

Ik knik.

'Hoe moet het dan op kantoor?'

Ongelooflijk, hij denkt alleen aan zichzelf. Ik wilde iets anders horen. Wat scheelt eraan, lieve dochter? Waarom wil je weg? Zit je iets dwars, kan ik je helpen? Ik ben mijn hele leven te aardig geweest, dat is het. Dienstbaarheid is geen deugd, het is de vrouwenvloek.

'De administratie is helemaal bij, de meeste betalingen gaan automatisch. Je hoeft niets te doen, alleen de telefoon aannemen.'

Hij staart uit het raam. We weten allebei dat de telefoon niet vaak gaat. Ik krijg zowaar medelijden met hem.

'Waarom neem jij ook niet een weekje vrij, pa? Sluit de tent. Dat heb je al in geen eeuwen gedaan.'

'Denk je dat dat kan?' vraagt hij, voor zijn doen onzeker. Hij begint te beseffen dat de zaken er niet rooskleurig voor staan, hij heeft geen weet van de financiële buffer die ik heb opgebouwd.

'Met gemak. Ik zal wat extra vakantiegeld naar je privé-rekening overmaken. Waar wil je heen?'

'Ramses heeft het vaak over Thailand. Schijnt nog steeds een geweldige bestemming te zijn,' zegt hij dromerig.

Ramses is een kwal. Hij lag als eerste op het strand na de tsunami en haalde daarmee het journaal. Was hij reuze trots op. Een ding moet ik de kwal nageven: hij kan mijn vader opnaaien als geen ander.

'Thailand is inderdaad prachtig. Kaitlin is er wel eens geweest, die was er helemaal weg van. Weet je nog?'

'Ach ja, natuurlijk,' zegt pa vaag.

Hij stond op haar mailinglist, hij kreeg reisverslagen en foto's, hij is het alweer vergeten.

'Zal ik gelijk een reis voor je boeken? Dan handel ik hier de laatste zaken af, we gooien het kantoor dicht, jij gaat je koffer pakken en daarna kijken we of de Toyota nog start.'

Pa is zo overdonderd dat hij zich gewonnen geeft.

'Wanneer wil je weg?' vraag ik. 'Morgen, overmorgen?'

'Niet zo snel,' zegt hij geschrokken. 'Misschien moet ik nog inentingen halen. Doe maar volgende week. Ik heb een paar bezichtigingen staan, die handel ik netjes af. En ik ga even langs Ramses. Hij had laatst hartritmestoornissen door de stress, zijn vrouw dreigde met een echtscheiding, als hij hoort dat ik naar Thailand vertrek, wordt hij helemaal gek.'

'Zeg maar dat de zaken zo goed gaan dat je er makkelijk even tussenuit kunt.'

'Da's een goeie, Julia, dat doe ik.' Pa kijkt me bewonderend aan. Een unicum. 'Weet je zeker dat het kan? Financieel, bedoel ik?' vraagt hij nogmaals.

'Absoluut.'

'Zullen we een wijntje opentrekken?' stelt hij voor. 'Om het te vieren?'

Mijn vader trekt de roldeur open. Zo te ruiken is de garage al een tijdje niet gelucht. De auto staat pontificaal in het midden, onder een crèmekleurige hoes, omringd door dozen vol gereedschap en andere zooi. We zeggen niets, we staan daar alleen maar tot pa weer in beweging komt. Hij loopt met stramme benen naar de auto, duwt een paar dozen opzij en rolt de hoes zorgvuldig op. De Toyota verschijnt. Hij is feller rood dan in mijn herinnering.

'De eerste jaren heb ik hem piekfijn onderhouden, Julia. Maar op een gegeven moment kon ik het niet meer opbrengen.'

'Ik begrijp het.'

'Ik kon hem ook niet verkopen. Het was zíjn auto.'

Jimmy's Toyota. Iedere zoon zou blij zijn als zijn vader hem zo'n auto gaf, behalve Jimmy. Mijn broer deed alsof het hem niets kon schelen. Hij was boos. Jimmy was altijd boos op pa. Ik zat ertussenin en probeerde te bemiddelen.

'Hij heeft er drie keer in gereden. Hij vond de auto geweldig, dat heb je me toch verteld?'

Ik knik. Dat heb ik hem inderdaad verteld.

'Ik ben blij dat ik dat voor hem heb kunnen doen,' zegt mijn vader. 'Ook al was ik er zelf niet bij. Het maakte niet uit. Hij heeft gekregen wat hij wilde.'

Weer een moment waarop ik tegen hem zou willen schreeuwen. Je had er wel bij kunnen zijn, pa. Maar je was bang, je was laf. Je liet je wegsturen. Je liet je wegsturen door je eigen zoon die op sterven lag. Je had meer kunnen doen, veel meer, maar je ondernam nauwelijks een poging. Je gaf hem een auto, je stuurde een briefje dat ik je eerst moest dicteren. Ik zal je nooit begrijpen en zelfs al zou ik je begrijpen, dan nog zal ik je blijven minachten om wat je hebt nagelaten. Dat moet ik wel. Jimmy zou niet anders van me verwachten.

Gij zult niet oordelen, zou mama zeggen, maar we oordelen wel. Ik ook. Voortdurend. We zijn geprogrammeerd om te oordelen. Over onszelf, maar ook over anderen. Het is ons enige kompas.

Ik laat de kans voorbijgaan. Vandaag is niet de dag des oordeels voor mijn vader. Hij gaat op vakantie naar Thailand en ik ga weg.

'Waar zijn de sleutels?'

Pa rommelt in een laatje. Hij overhandigt me een bosje sleutels. De wegenbelasting is betaald, dat weet ik, de auto staat op naam van de zaak, ik heb het kentekenbewijs van kantoor meegenomen.

Ik pak mijn tas en leg hem in de kofferbak. Ik ga achter het stuur zitten, gooi mijn handtas op de grond bij de passagiersstoel en draai het raampje open. De sleutel steek ik in het contact, de motor komt tot leven.

Pa geeft met zijn vlakke hand een klap op het dak. 'Wat zei ik je? Toyota. Niet kapot te krijgen. Start altijd.'

'Ik ga ervandoor. Je hebt een *e-ticket*, dus je kunt volgende week met je paspoort inchecken. De voucher van het hotel krijg je per fax.'

Hij knikt. Ik vind het prettig dat hij ook op reis gaat. Voorlopig zal hij zich niet afvragen waar ik blijf.

Ik rijd de garage uit. Pa zwaait me uit. Op naar mama. Als ik vertrek zonder haar gedag te zeggen, vermoordt ze me.

Het is een rit van een klein half uur. Pa, ma, Kaitlin en ik wonen allemaal in Amsterdam. Ooit waren we een gezin, hoorden we bij elkaar, met Jimmy erbij. Pa en ma gingen scheiden, Jimmy werd ziek, de laatste keer dat we bijeen waren, was op Jimmy's begrafenis. Formeel zijn we nog steeds familie, maar ons gezin is kapot. Ik ben de enige die nog met iedereen contact heeft. Ma zie ik bij haar thuis, pa op kantoor en Kaitlin op haar etage, als ze in het land is. Pa en ma spreken elkaar niet, Kaitlin is altijd druk of onderweg. Ze informeert bij mij hoe het met onze ouders gaat. Mama heeft ze in geen jaren gezien, ze zegt dat ze dat niet aankan. Pa bezoekt ze alleen als ze iets van hem nodig heeft, zoals laatst, toen een vriendin van haar een huis zocht.

De Toyota trekt bekijks. De laatste keer dat ik erin zat, was met Jimmy, toen was ik zeventien. Patrick zat achter het stuur, hij is mijn broer tot het laatst blijven bezoeken. Patrick was een leuke jongen, ik zou hem best weer eens willen spreken, maar ik durf het niet. Hij is getrouwd, hij heeft kinderen, hij ziet me aankomen.

Ik bel mijn moeder om te zeggen dat ik onderweg ben. Ze zal vast thee zetten, zegt ze. Ik drink liever koffie, maar dat haalt ze niet in huis, ook niet voor haar dochter. Ze woont in ons ouderlijk huis, in het landelijke gedeelte van Amsterdam Noord. Pa is na de scheiding in de grote opslagruimte boven de zaak gaan wonen. Hij heeft het aardig opgeknapt, het was een treurig hol. Ik parkeer de auto half op de stoep bij onze voortuin. De gordijnen zijn dicht. Dat zijn ze altijd. Mijn moeder verschijnt in de deuropening. Zodra ze de Toyota ziet, slaat ze een kruis.

Ik loop over de betontegels naar de voordeur.

'Had je me niet even kunnen waarschuwen?' Haar gezicht is asgrauw. Haar haren zijn kort en grijs. Ze draagt een witte blouse, tot op het laatste knoopje dicht, een donkerblauwe rok en ze heeft een rozenkrans in haar hand. Als iemand ooit het roer drastisch heeft omgegooid, is het mijn moeder wel. Misschien heb ik het van haar. Misschien eindig ik dit avontuur in een perzikkleurig gewaad, met tingeltangeltjes in mijn hand.

Toen Jimmy ziek werd, trok mijn moeder haar geloof uit de kast, stofte het af en dook volop in de Heer. Als de Heer Jimmy gered had, had ik het kunnen begrijpen, *what the hell*, misschien had ik ook wel een bijbel gekocht, maar Hij liet Jimmy barsten en toch bleef mijn moeder volharden. Het werd zelfs erger. Dat schijnt er allemaal bij te horen.

Als een astroloog voorspelt dat overmorgen een meteoriet inslaat in Europa, je krijgt bewijs na bewijs dat je voor Piet Snot naar Australië bent gevlucht – we zijn inmiddels een week verder en op de planeet is niets noemenswaardigs voorgevallen – dan werkt dat voor veel mensen, laten we ze de diehards noemen, eerder bevorderend dan ontmoedigend op hun vertrouwen in de kwakzalver. Wonderlijk niet?

Mijn moeder is een typische diehard. Na de dood van mijn broer huurde ze een aannemer in om een altaar in de woonkamer te bouwen, ze ging elke dag naar de kerk, ze verzonk vaker in gebed dan de gemiddelde moslim en probeerde ons er vergeefs van te overtuigen dat dit de juiste en enige manier was om de herinnering aan Jimmy levend te houden.

'Hallo mam.' Ik kus haar op haar wang.

We gaan naar binnen.

'Schoenen uit, Julia.'

De thee staat klaar in de huiskamer. We gaan zitten.

'Hoe gaat het met je?' vraag ik.

'Zullen we eerst een kaars aansteken?'

'Er brandt er al een.'

Ze negeert mijn opmerking en staat op. Ik loop met haar mee. Jimmy lacht zijn tanden bloot vanaf het altaar. Ik kan de foto uittekenen, maar telkens als ik hem zie, gaat er een schok door me heen. Hij was zo vol leven. Of is dat een misleidende gedachte? Ieder mens is vol leven. Hij lijkt extra levend, omdat ik weet dat hij dood is. Omdat ik hem in zijn meest uitgemergelde staat heb gezien. Ik bijt op mijn lip. Het liefst trap ik dat hele altaar in elkaar. De nepperij, de poppenkast, de onzin. Jimmy bestaat niet meer. Mijn moeder klampt zich vast aan een fantoom. Het is haar fantoom, het is haar troost, hij is en was haar zoon, ik mag hem haar niet afnemen, dat mag niet, dat hoort een dochter niet te doen.

Ga eens naar buiten, mama. Er zijn bloemen, mama. Er is zonlicht, mama. Er zijn mooie landen, warme plekken, er zijn sappige grasvelden, nee, Jimmy zul je er niet vinden, maar hier in deze bedompte kamer en in die kille kerk met de harde bankjes vind je hem ook niet, al beweer je nog zo hard van wel. Je bent hem kwijt. En je bent niet de enige. Je denkt van wel, maar hij wordt door meer mensen gemist. We zijn hem allemaal kwijt. Pa, Kaitlin en ik. Patrick.

We leven door, we lachen, we huilen, we planten ons voort, maar we hebben allemaal een litteken, groot of klein. Kon iemand dat maar tot je laten doordringen, mama. Dat zou een schone taak zijn voor die Heer van jou. We hebben pijn. We willen troost. Je troost ons niet. Je zoekt je eigen troost, elke dag die Hij je geeft. Je laat ons barsten. Je hebt ons als een baksteen laten vallen, vanaf het moment dat het deksel op zijn kist dichtklapte.

Om mijn moeder een plezier te doen, steek ik een kaars aan voor Jimmy.

Ze slaat maar weer eens een kruis en dan gaan we zitten. 'Wat kom je hier doen in de auto van mijn zoon?'

'Ik had een sentimentele bui,' zeg ik luchtig. 'Het leek me leuk om er nog eens in te rijden. Heeft iemand er tenminste nog plezier van.'

'Het valt me mee dat je vader hem nog niet heeft verkocht.'

Daarover zijn we het eens.

'Heb je iets lekkers in huis?' Ik heb trek in zoetigheid.

'Kom je hier voor mij of om te eten?' Ze haalt een koekblik uit de keuken. Er zit welgeteld één biscuitje in. Ze pakt het koekje en breekt het in tweeën.

Ik sop de helft in mijn thee en laat het in mijn mond uiteenvallen. Het doet me denken aan vroeger. 'Ik ga een tijdje weg, mam.'

Mijn moeder neemt een slok thee.

Zal ik zeggen dat ik een hersentumor heb? Dat er niets meer aan te doen is? Dat ik de zon wil zien ondergaan op de Tafelberg boven Kaapstad en dan sterven? Ik vraag me af wat ze zou doen:

a) een ruk aan haar rozenkrans geven

b) in huilen uitbarsten

c) een combinatie van die twee of

d) zeggen dat mijn thee koud wordt?

'Op de zaak is het niet zo druk en Paul redt het wel met de kinderen.'

'Ga je met zijn auto?'

Eventjes denk ik dat ze de auto van Paul bedoelt, dan pas begrijp ik het. 'Nee, ik pak het vliegtuig.'

'Dat hoefde ik vroeger niet te proberen bij je vader, er zomaar vandoor gaan.'

Ongetwijfeld waar.

'Niet dat ik er behoefte aan had. De tijd dat jullie klein waren, waren de mooiste jaren van mijn leven.'

En die zijn al heel lang vervlogen, ik weet het, mam. Je hebt de P van Plezier, de L van Lust en de G van Genot uit je woordenboek geschrapt en pepert me dat bij elk bezoek in, vandaar dat ik zo graag langskom.

Ik sta op.

'Ga je nu al? Je thee is nog niet op.'

In een grote slok drink ik het kopje leeg, ik brand mijn tong. Op de bodem liggen nog wat koekkruimels.

'Wanneer ben je weer terug?'

'Weet ik niet precies, ik stuur wel een kaartje.'

'Je begint op je zus te lijken. Die zie ik ook nooit meer.'

Ik wil protesteren, mezelf verdedigen, Kaitlin verdedigen, maar ik weet niet hoe.

'Maak je geen zorgen over mij, Julia. Ik maak me nergens meer druk om, dat heb ik losgelaten. Je zult het wel merken als je zelf oud wordt. Leven is loslaten. Alles loslaten, uiteindelijk ben je toch alleen.'

Ze loopt met me mee en doet de deur voor me open. De Toyota staat uitdagend met twee wielen op de stoep op me te wachten.

'Wil je dat niet meer doen? Jij hoort daar niet in te rijden, Julia. Het is de auto van Jimmy.'

Voor het eerst noemt ze hem bij zijn naam. Pa doet dat nooit, mijn moeder doet het zelden. Als ze zijn naam uitspreekt, is het alsof hij er nog is. Alsof hij elk moment binnen kan wandelen.

Ik knipper een paar keer met mijn ogen. 'Sorry, mam,' zeg ik met een schorre stem.

Gefascineerd kijkt ze naar mijn reactie. Ze heeft hem bij me opgewekt, de emotie die ze zelf niet meer opgediept krijgt, ondanks al haar pogingen, ondanks het altaar, ondanks de kerk. Ze is tevreden. Haar vermogen om te voelen is verdwenen, in tegenstelling tot haar talent om anderen te raken. Dat wapen is nog volledig intact, ze koestert het, ze poetst het dagelijks op tot het blinkt, ze benut het ten volle. Ze reserveert het voor haar eigen broedsel of wat daarvan over is. Het broedsel blijft langskomen om de dolksteken met open armen in ontvangst te nemen. Kom mam, toe maar, steek hem er nog een keer in en draai hem om, alsjeblieft.

'Het gaat goed met je broer,' zegt ze ineens. 'Ik heb hem pas nog gezien.'

Ze is haar verstand aan het verliezen, ze is te veel alleen, het is mijn schuld, ik moet haar vaker bezoeken. Vaker en langer.

'Ik ben naar een medium gegaan. Zij heeft contact met hem gelegd. Het duurde even, want hij heeft het heel druk.'

Natuurlijk. Jimmy was altijd al een ondernemend type.

'Waarmee is hij druk?' vraag ik voorzichtig.

'Met de doden. Hij ontvangt alle jonggestorvenen die binnenkomen en geeft ze een wassing, een rituele wassing.'

Jimmy aan de hemelpoort met een emmertje sop en een spons. Ik probeer het me voor te stellen.

'Je kunt wel een keer meegaan, dan kun je ook met hem praten.'

'Ik weet het niet, mam.'

'Je broer is nog altijd onder ons. Als je je ervoor zou openstellen, zou je dat merken. Je kreeg trouwens de groeten van hem.'

Er kruipt kippenvel over mijn armen. De groeten van Jimmy.

'Nou, als je hem weer spreekt, zeg dan maar hallo van me. Ik moet nu echt weg.' Ik kus haar.

'Goede reis,' zegt ze.

Nadat ze de deur achter me heeft dichtgedaan, realiseer ik me dat ze niet eens heeft gevraagd waar ik heen ga.

Als ik in de auto stap, denk ik aan Jimmy. Het zal wel door het verhaal van mama komen, maar het is net of hij achter in de auto zit. Alsof hij al die tijd op de achterbank op me heeft zitten wachten.

– Hé Jules, ben je eindelijk uit je coma ontwaakt? Gefeliciteerd, ik had er niet meer op gerekend.

Ik glimlach inwendig. Zoiets zou hij kunnen zeggen. Het is onzin, maar ik geef toch antwoord.

– Hallo Jimmy. Hoe is het met je?

– Het kon niet beter, dank je.

– Wat doe je hier?

– Ik kom je helpen. Het is nogal wat, wat je van plan bent.

– Hoe weet jij wat ik van plan ben?

– Dat is nou het grote voordeel van dood zijn. Je bent alwetend.

– Toen je nog leefde, gedroeg je je ook al tamelijk alwetend, plaag ik hem. Het is leuk om weer met hem te praten.

– Weet je zeker dat je dit wilt, zusje van me? Je haalt nogal wat overhoop.

– Vind je dat ik het moet afblazen?

– Dat hoor je mij niet zeggen! Ik vind het een sublieme actie. Je houdt je eindelijk weer eens aan je belofte. Of ben je die vergeten?

Ik sluit mijn ogen. Ik ben niets vergeten, ik weet alles nog. Elke dag, elk uur, elke minuut, elke seconde. De weken voor zijn dood waren de meest intense uit mijn leven.

– Jij lag op sterven en ik was nog jong, Jimmy. Ik had je alles beloofd. Ik ben nu zesendertig en moeder van twee kinderen. Een beetje potsierlijk om nu te doen alsof ik zeventien ben, vind je niet?

Hij is gelijk stil.

– Sorry, ik bedoelde het niet lullig. Jij had dolgraag zesendertig willen worden en misschien ook vader…

Hij grinnikt.

– Nog altijd even ernstig, onze Jules. Je ziet er geweldig uit, geloof me. Start die auto nou maar en wegwezen.

Ik doe wat hij zegt en rijd de straat uit, richting snelweg. Op zich is het best gezellig dat hij meegaat.
– Is het waar wat mama zei, heb je met haar gepraat? vraag ik nieuwsgierig.
– Voor haar is het waar, Jules, daar gaat het om. Wil je me een plezier doen?
Ik zucht. Daar gaan we weer.
– Rijd even vol gas langs alle flitspalen die je kunt ontdekken. Ik wil pa's gezicht zien als de bonnen op de mat vallen.
Zijn jaren in de hemel hebben hem niet vergevingsgezinder gemaakt. Het idee staat me aan, dat moet ik toegeven. Ik ben inmiddels op de ringweg en druk het gaspedaal diep in. De Toyota klimt moeiteloos naar honderddertig, honderdveertig kilometer per uur, om me heen zie ik medeweggebruikers hun hoofd schudden, sommigen wijzen naar de zijkant van de weg, waar de palen staan.
Ik zet de radio keihard aan en geef nog meer gas. Normaal let ik meer op mijn kilometerteller dan op de weg, maar nu kan ik scheuren, geconcentreerd scheuren. Er barst iets open vanbinnen, iets warms en opwindends stroomt door me heen, ik voel me springlevend en klaar voor actie, het is lang geleden, te lang. Onze afspraak over het Grote Geluk kan ik me nog goed herinneren, Jimmy, ik heb mijn best gedaan, maar het is niet helemaal gelopen zoals ik had gedacht. Ik ga het proberen goed te maken. Je hebt gelijk, het wordt tijd om mijn belofte na te komen. Jij bent waarschijnlijk de enige die de oude Julia nog kent, ik bedoel, de jonge Julia. Ik ben haar onderweg een beetje kwijtgeraakt. Soms kijk ik in de spiegel en zie ik een verbeten trek rond mijn mond, net als bij mama. Bij haar is dat de standaardstand geworden, haar mond heeft geen andere opties meer. Ik wil niet zuur eindigen, Jimmy, voor geen goud. Begrijp je dat ik soms schrik van mezelf?
Ik rijd nu richting de A9, daar weet ik nog een paar palen, en boven de A1 hangen camera's. Vandaag ben ik een wegpiraat. Als de rolletjes worden ontwikkeld, moet het iemand opvallen dat er

op deze dag een vrouw in een rode Toyota consequent te hard kriskras door Nederland is gereden. Het ene moment ben ik hier, het volgende moment daar, mijn rijgedrag zal onnavolgbaar zijn.

En ik lach. Dat is op de foto's niet goed te zien, maar ik lach. Elke keer dat ik word geflitst, bal ik mijn vuisten in de lucht en slaak een kreet. Ik zing mee met de radio en lach, net zolang tot ik kramp in mijn kaken krijg, dan begin ik hardop in mezelf te praten, het praten wordt schreeuwen, steeds harder, al rijdend graai ik mijn handtas van de vloer, ik maak de tas open, zoek een potje, vind het, ik schroef het open, graai er twee tabletten uit en gooi ze in mijn keel terwijl mijn auto zigzagt over de weg.

Voor de avondspits koers ik richting Schiphol. Hoe dichter ik bij het vliegveld kom, des te langzamer ik rijd. Ik zet de Toyota bij 'kort parkeren', aai over de lederen bekleding en zeg de auto gedag. Ik neem afscheid van Jimmy, het is niet de eerste keer en het zal nooit de laatste keer zijn. Mijn hoofd is leeg, mijn handen zijn koud. Ik neem mijn handtas mee, pak mijn tas uit de kofferbak, gooi de kofferbak dicht en loop naar de luchthaven.

Papa is gisteren langs geweest. Mama ging weg voordat hij kwam, ik heb hem binnengelaten. Hij heeft tien minuten bij Jimmy's lichaam gezeten. Ik had nog tegen mama gezegd dat Jimmy het vast niet goed zou vinden, maar zij vond dat mijn vader het recht had om zijn zoon nog één keer te zien.

De afgelopen weken heb ik veel met Jimmy gepraat. Alle serieuze zaken besprak hij met mij. Niet met mijn moeder en niet met Kaitlin. Hij benoemde mij tot zijn postume woordvoerder. Postuum vond hij een geweldig woord, hij gebruikte het zoveel mogelijk. Mensen schrokken er wel eens van.

Het grootste deel van mijn leven is postuum, was zijn favoriete grap. Zijn sick joke. Dat het een sick joke was, vond hij natuurlijk ook weer erg grappig. Hij vroeg zich hikkend af wie er sicker was, hij of de joke. Ik heb veel gelachen met Jimmy in die laatste weken, dat is moeilijk uit te leggen.

Hij had ook een nieuw woord bedacht: protuum. Dat was de tijd vóór het postume, oftewel: het nu. 'Dit zijn mijn gouden momenten, Jules,' zei hij, 'meer heb ik niet, in het protume moet het allemaal gebeuren.' Alles wat hij zei, was belangrijk. Dat zei hij steeds, dat ik alles goed moest onthouden. Hij vond dat ik zijn wijsheid moest gebruiken, omdat ik nog een heel leven voor me had.

Jimmy praatte ook met Kaitlin, maar die gesprekken waren nooit zo serieus. Het ging over haar verkering, die weer eens uit was. Over kleding. Kaitlin kocht elke week voor een vermogen aan kleren en hield vervolgens een modeshow voor Jimmy. Hij mocht dingen afkeuren, die bracht ze dan terug naar de winkel. Jimmy had plezier in de modeshows. Ook al was ze zijn zus, Kaitlin is een knap meisje en Jimmy keek altijd graag naar meisjes, zeker naar knappe meisjes.

Mijn moeder liet hij vooral praktische dingen doen. Hij vroeg of ze nog een keer raapsteeltjes wilde maken, dat soort dingen. Een paar dagen geleden had hij trek in kersentaart, met kersen uit onze eigen boom. Mijn moeder bakte de lekkerste kersentaart die ze ooit had gemaakt.

'Wat ben ik toch een bofkont dat de kersen net in mijn protume tijd rijp zijn,' zei Jimmy.

Mijn moeder zag er de hand van God in.

Hij kon niet meer dan een paar hapjes weg krijgen, Kaitlin en ik aten de rest op.

Soms riep Jimmy mijn moeder bij zijn bed om te vragen naar verhalen uit zijn jeugd, die hij nog eens wilde horen. Zij vertelde ze opnieuw.

Bepaalde mensen wilde hij zien en spreken, anderen absoluut niet. Hij wilde zijn elpee van U2 terug die hij ooit aan een neef had uitgeleend. Ik moest die neef bellen en zeggen dat er haast bij was, omdat Jimmy elk moment dood kon gaan.

'Die elpee moet binnen twaalf uur hier zijn, dat is je deadline.' Jimmy had die zin bedacht. Bij het woord deadline hadden we allebei dubbel gelegen.

Zoals ik al zei, we hebben samen veel gelachen de laatste weken.

Dat doen we nu niet meer. Nooit meer. Vandaar dat het zo belangrijk was om te lachen. En om het op te schrijven. Ik ben bang dat ik dingen vergeet.

Deel twee

Casa da Criança

Hoofdstuk 11

Ik bevind me hoog in de lucht en vlieg richting het zuiden. De dame die me het ticket heeft verkocht was heel lief en behulpzaam. Ik heb mezelf eerst wat moed ingedronken in de cocktailbar op Schiphol Plaza. Daarna heb ik een valiumpje genomen en ben ik op zoek gegaan naar een balie. Ik geloof dat ik de baliemedewerkster heb verteld dat ik de voorzitster was van de Stichting voor het Behoud en de Redding van het Gezin, dat Jimmy dood was, dat ik weg moest, dat ik een man heb en twee kinderen, ik heb mijn portemonnee gepakt en hun pasfoto's laten zien, ik heb gezegd dat ze op me zullen wachten en dat de meeste mensen altijd in hetzelfde schuitje blijven zitten, maar dat je er soms even uit moet, omdat je hersens anders uit hun pan barsten. Volgens mij snapte ze dat wel, want ze lachte vriendelijk. Ze wenkte een mannelijke collega, die erbij kwam staan om te helpen. Dat vond ik aardig, dat ze zich met zijn tweeën voor me gingen inzetten. Aan de andere kant: het kon makkelijk, want het was niet erg druk.

De man vroeg waar ik heen wilde. Ik moest lachen, want daar had ik nog steeds niet over nagedacht. Dat is een beetje raar als je op Schiphol staat, dat begrijp ik wel. Er zijn weinig reizigers die twijfelen: zal ik naar Dubai gaan of naar New York? Kom ik net uit Zürich of uit Sidney? Iedereen kent zijn bestemming. Dat is waarom ik zo gelukkig word van vliegvelden. Nergens heerst zo veel duidelijkheid.

Ik geloof dat ik geen antwoord gaf, want ze vroegen opnieuw of ik al wist waar ik heen wilde.

'Waar is het mooi weer?'

Het was op veel plekken mooi weer, zei de mevrouw.

'Het mag niet zo ver zijn,' zei ik. Als er wat met de kinderen was, moest ik snel thuis kunnen zijn.

'Spanje, Italië, Griekenland...' somde ze op.

Ik keek bedenkelijk. Daar was ik allemaal al eens geweest.

'Portugal?' De man deed ook een duit in het zakje.

Portugal. Ik proefde het land op mijn tong. Ik kende het niet. Het begon met een p. De p van penis, dat kon een gunstig voorteken zijn. Ook de p van Paul, dat was wat minder.

'Welke plaats in Portugal hebt u in gedachten?' vroeg ik de vrouw.

Bij de p van plaats moest ik even lachen. De man en vrouw wisselden een blik.

'Faro is populair.'

Nu wist ik waarom ik deze vrouw zo lief vond. Ze hielp me. Ze ging helemaal mee in mijn *p-sequence* en liet het niet allemaal aan mij over.

'Faro. Er was iets met Faro. Een ramp, een vliegtuigwrak, een Nederlandse maatschappij en veel doden, toch?'

De man en de vrouw knikten ernstig.

'Mooi,' zei ik. 'Des te kleiner is de kans dat het weer misgaat. Waar of niet?'

Dat konden ze bevestigen noch ontkennen.

Ja, ja, ik snap het best. Officieel is het mondje dicht, maar we weten donders goed dat ze na dat soort akkefietjes de veiligheidsmaatregelen altijd een tandje hoger zetten. Als binnen afzienbare tijd weer een Boeing verticaal in plaats van horizontaal op de landingsbaan aankoerst kunnen ze de Algarve sluiten, geen kip die zich daar dan nog vertoont. We hoeven er niet langer over te kissebissen, jullie hebben me overtuigd, knap werk, complimenten.

'Wilt u een enkeltje of een retour?'

Het vliegtuig zet de daling in.

Eenmaal voorbij de douane heb ik nog naar huis gebeld. Ze waren er niet. Ik belde Pauls mobiel. Hij stond in een lawaaiige ruimte.

'Waar ben jij?' vroeg hij kortaf.

'Op Schiphol.' Ik sprak een beetje moeilijk door de valium en de drank, hopelijk viel het niet al te veel op.

'Nog steeds?'

Ik hoorde Isabel vragen of ik het was.

'Waar zijn jullie?' vroeg ik.

'Bij de McDonalds.'

'Mag ik mama spreken?' hoorde ik Isabel bedelen.

'Doe maar niet, Paul,' zei ik snel. Als ik haar stem zou horen, zou ik waarschijnlijk meteen rechtsomkeert willen maken.

'Het is mama niet, het is iemand anders,' zei Paul tegen Isabel. 'Haal Jim even, wil je? Zijn eten wordt koud.'

'Hoe gaat het met ze?' vroeg ik.

'Wat wil je horen? Jim heeft een Happy Meal, Isabel patat en een milkshake. Ze proberen zich groot te houden, maar ze zijn in de war.'

'En met jou?'

'Ik heb een topdag. Mijn vrouw is weg, ik heb geen idee waar ze naartoe gaat, ik weet niet wanneer ze weer terugkomt en ik sta er alleen voor.'

'Weet je, ik had nog bedacht dat de moeder van Angela misschien wel extra wil oppassen, die kan het geld goed gebruiken, haar man zit in de gevangenis...'

'Bel je daarover? Over extra oppas?'

'Ik mis jullie.' Het klonk zeurderig, niet zuiver, maar toch was het waar. Ik miste ze. Ik had het niet verwacht. Niet nu al.

'Sodemieter op. Als je ons zo zou missen, was je nu thuis. Wat heb je in godsnaam de hele dag gedaan, heb je ergens zitten zuipen of zo?'

'Paul, alsjeblieft...'

'Je belt de verkeerde, Julia. Zoek iemand die je wél begrijpt, hoewel ik niet weet wie dat zou moeten zijn.'

De verbinding werd verbroken. Minutenlang staarde ik naar mijn mobiel. Hij belde niet terug, ik had ook geen gemiste oproepen, geen sms'jes, niets. Dit was wat ik wilde. Rust, absolute rust, geen gezeur aan mijn hoofd. Het was wel even wennen.

Eerlijk gezegd: ik had er meer van verwacht.

Als we landen, is het donker op Faro. Ik zet mijn mobiel aan, de klok moet een uur terug. Een piepje, een sms van Paul? Misschien heeft hij spijt van onze ruzie, misschien begrijpt hij dat ik echt niet anders kon, wil hij me toch een goede reis wensen. Ik klik het bericht open.

Waar ligt de *vacu vin?*

Ladekastje keuken, tweede la van boven, sms ik terug. Hoe gaat het met de kinderen?

Er komt geen antwoord. Paul was zo boos, ik hoop wel dat hij lief voor ze is. Zij kunnen het niet helpen.

In het vliegtuig heb ik met niemand gesproken, behalve met het personeel. Ik ben twee keer naar de wc geweest. De tweede keer heb ik mijn trouwring afgedaan, het ging makkelijk met die vloeibare zeep. Terug op mijn stoel heb ik hem in een vakje van mijn handtas gestopt, ik moet niet vergeten hem straks in een kluisje op te bergen. Ik haal mijn tas gedachteloos van de bagageband, loop naar buiten en zoek een taxi. De chauffeur spreekt redelijk Engels. Ik vertel dat ik zo snel mogelijk naar een hotel wil, minstens drie sterren, meer mag ook.

'Hotel Eva?' suggereert hij.

De naam klinkt leuk.

'Bij de haven, heel mooi, vier sterren, goede kwaliteit.'

'Doe maar.'

Hij brengt me erheen. Ik geef hem een fooi. Hij draagt mijn tas de lobby in en praat in rap Portugees met de man achter de balie. Ik kijk om me heen. Aan de muur hangt een voorstelling van twee zeilschepen en een zon van geverfd gietijzer, zoals je die in Nederland in een parochiegebouw uit de jaren zeventig zou aantreffen. De bar is verlicht met spotjes, er staan perzikkleurige fauteuils en perzikkleurige banken, en er hangen perzikkleurige gordijnen. Een pianist speelt voor anderhalve man en een paardenkop.

Er zijn nog kamers vrij. De taxichauffeur vertrekt. Ik laat mijn paspoort zien, boek een tweepersoonskamer voor een nacht en zeg dat het er mogelijk meer worden. Ze hoeven me niet te helpen met mijn tas, ik ga naar boven, mijn kamer ligt op de vierde verdieping. Ik maak de deur open. Oké, ruim, schoon. Ik gooi mijn tas in een hoek, schop mijn schoenen uit en ga op mijn rug op bed liggen. Ik staar naar het plafond. Het is muisstil. Zal ik de televisie aanzetten? Nee, ik moet genieten, ik moet van dit moment genieten. Voor het eerst sinds tijden ben ik alleen, echt alleen. Paul, Isabel, Jim, mijn ouders, Kaitlin: geen van allen weten dat ik in Hotel Eva zit. Ze weten niet eens dat ik in Portugal ben. Ik pak mijn mobiel en zet hem demonstratief uit. Nu ben ik echt onbereikbaar. Ik mag best een flesje uit de minibar opentrekken. Ik heb doorgezet. Het is gelukt. Ik ben ontsnapt.

Hoofdstuk 12

De volgende ochtend word ik wakker met mijn kleren aan en een droge mond. Automatisch graai ik naar mijn telefoon en zet hem aan. Half acht. Een tekstbericht van Paul: de kinderen hebben je geprobeerd te bellen. Je was onbereikbaar. Jim moest huilen.

Ik bel gelijk naar huis. Niemand neemt op, natuurlijk niet, het is daar half negen, ze zijn al naar school. Ze hebben hun fietsen gepakt, Isabel heeft waarschijnlijk de boterhammen voor tussen de middag gesmeerd.

Ik wil Paul op zijn mobiel bellen om te vragen of het goed gekomen is met Jim, maar iets weerhoudt me ervan. Hij gaat vast onaardig doen, hij gaat het me inpeperen, dat kan ik nu niet aan.

Normaal zwaai ik ze uit. Als ik ze vrolijk kwetterend, frisgewassen en met hun rugzakjes om zie vertrekken, voel ik me een normale, goede moeder. Ik sta in de deuropening, zonder make-up op, meestal nog in mijn badjas. Stiekem hoop ik dan dat ik een beetje op Marilyn Monroe lijk, op die bekende foto van haar, waarop ze uit een raam leunt. Ze heeft een roomkleurige badjas aan, het decolleté is keurig gesloten, ze houdt haar linkerhand tegen haar wang. Haar haren zijn vrij kort en licht gekruld, haar glimlach is lief en enigszins melancholiek, haar gelaatsuitdrukking sereen. Ze heeft ooit gezegd dat het een van haar favoriete foto's is, omdat het lijkt alsof ze net haar kinderen heeft uitgezwaaid. Ik probeerde ook zo te kijken, sereen en lief, maar als de kinderen de straat uit waren, viel mijn decolleté nog wel eens open, ik weet eigenlijk niet waarom.

Jim moest huilen.

Marilyn heeft nooit kinderen mogen uitzwaaien. Ik zou het wel kunnen, maar ik doe het niet. Ik ben in Hotel Eva, in Faro. Alleen.

Ik merk dat ik niet te veel aan Isabel en Jim moet denken. Het is beter om iets anders te doen. Ik sta op, ga naar de badkamer en doe een plas. Als ik mijn kleren uittrek en op de grond laat glijden, besef ik dat ik nog geen woord heb gesproken. Ik kijk in de spiegel en richt het woord tot mijzelf: 'Goedemorgen Julia, je grote avontuur is begonnen. Je ziet er niet erg stralend uit vandaag, daar gaan we wat aan doen. Je gaat nu onder de douche, je trekt schone kleren aan en dan ga je ontbijten. Is dat wat?'

Ik knik mezelf toe.

Was Kaitlin maar hier. Dat zou leuk zijn. Ze zou me kunnen opvrolijken. Kaitlin en ik zijn ooit samen op vakantie geweest naar Corsica. Twee wulpse, Amsterdamse tienermeiden op een eiland vol hitsige mannen, het is een wonder dat we er zonder kleerscheuren vanaf zijn gekomen. Toen we weer thuis waren, heb ik onze avonturen opgeschreven. Het leek me een goede oefening, ik wilde schrijfster worden. Schrijfster of een beroemde actrice, een van de twee. Ik liet de verhalen aan Jimmy lezen. Hij genoot er erg van. Een paar maanden later werd hij ziek.

Jimmy's favoriete verhaal heette *De Sleutelbos*. Vlak voor zijn dood wilde hij het nog een keer horen. De Sleutelbos was een griezelig Fransmannetje van achter in de veertig, die Kaitlin en mij bespiedde als we op het strand lagen. Hij sprong van achter de rotsen tevoorschijn in een piepkleine, rode zwembroek. Aan dat broekje zat een wit touwtje en daaraan hing een bos sleutels. Dankzij het rinkelen hoorden we hem altijd aankomen. Zodra hij ons zag en zag dat wij hem zagen, deed hij zijn zwembroek uit zonder dat hij zijn handdoek ervoor hield. Dat deed hij niet een keer, maar verschillende keren. Hij vond het blijkbaar erg spannend.

'Ogen dicht!' riep Kaitlin tegen mij. 'Zijn broek is uit.' En na een paar minuten: 'Oké, je kunt weer kijken.'

Elke dag vond hetzelfde ritueel plaats en elke dag waagde het scharminkel zich dichter in onze buurt om zijn peepshow op te voeren. Na een paar dagen waren we het zat. De Sleutelbos had zich geposteerd op anderhalve meter van onze plek. Het rode gevalletje was al drie keer gehesen en gestreken. Hij loerde voortdurend naar ons. Ja, we waren topless, maar dat gaf hem nog geen excuus om te loeren.

'Let op,' zei Kaitlin. Het strand van Corsica bestaat uit fijne steentjes, geen zandkorrels zoals op Zandvoort. Zodra De Sleutelbos zijn ogen gesloten had, stond ze op en nam haar halfnatte handdoek mee. Ze sloop naar hem toe en sloeg de handdoek in een felle beweging uit, een goedgemikt *shot* van Corsicaanse kiezeltjes vloog recht in zijn gezicht.

De Sleutelbos schoot met een kreet overeind, Kaitlin lachte uitdagend, keerde zich om, legde haar handdoek netjes terug en ging op haar rug liggen. Ik zette de kookwekker. Tien minuten, daarna moesten we op onze buik.

Ik heb zin om mijn zus te bellen. Straks, als ik heb gedoucht, zal ik het doen. Ik stel me voor dat Isabel over een paar jaar met een vriendinnetje op vakantie gaat. Wie zal er dan op haar passen, is ze verstandig genoeg? Ze komt altijd slim en zelfstandig over, maar de wereld zit vol gekken. Isabel is sterk, houd ik mezelf voor, ze is geen slachtoffer, ze staat haar mannetje. Als ik weer terugkom, stuur ik haar naar kickboksen, dat kan nooit kwaad.

Ik stap onder de douche. Alleen. Thuis douche ik ook altijd alleen, maar in een hotelkamer is het anders. Daar hoort een man rond te lopen, een vreemde man, vooral niet je eigen man, die bij je onder de stralen kruipt en je borsten inzeept of beter nog: die je onder de douche vandaan trekt en teruggooit op bed terwijl hij gromt dat hij nog niet klaar met je is.

Ik droog me af en loop met mijn handdoek om naar het raam om de gordijnen open te doen. De zon schijnt. Het is een prachtige dag, hij ligt wijd voor me open.

Ik pak mijn mobiel en bel Kaitlin. Ze zit ergens in Afrika, waar precies is me niet bijgebleven. De telefoon gaat vijf keer over, dan neemt ze op.

'Hé, Jules,' zegt ze slaperig.

'Hoi. Sorry dat ik zo vroeg bel. Was je al wakker?'

'Soort van.'

'Ik moet je wat vertellen. Ik ben in Portugal. In Faro.'

'Leuk,' zegt ze lauw. 'Nou ja, Faro is niet veel bijzonders, maar in de Alentejo zijn nog wel wat aardige plekken te ontdekken.'

'De Alentejo?'

Ze geeuwt. 'Ligt boven de Algarve. Is niet zo toeristisch. Maar jij zit natuurlijk met de kinderen.'

'Ik ben alleen,' zeg ik stoer. 'Paul is thuis bij de kinderen.'

'Hebben jullie ruzie?' vraagt Kaitlin. Ze klinkt ineens een stuk helderder.

'Nee, hoor. Nou ja, een beetje, omdat Paul het niet begrijpt. Hij zou nooit weggaan zonder zijn gezin.'

'Ik vind het ook niet echt iets voor jou.'

Zelfs mijn bloedeigen zus ziet me alleen nog als brave echtgenote en moeder. Alsof ik in mijn eentje niets meer zou kunnen of durven. Ik moet mijn imago hoognodig bijstellen.

'Hoelang blijf je daar?' vraagt Kaitlin.

'Geen idee. Zolang ik het leuk vind. Ik begrijp nu veel beter waarom jij zo vaak op reis gaat, Kaitlin. Het is lekker om weg te zijn, ver weg van alles en iedereen.'

'Portugal is niet bepaald ver weg, Jules,' zegt ze een beetje spottend. 'Wanneer ben je aangekomen?'

'Gisteravond.'

Ze begint te lachen. Ik negeer het.

'Toevallig zat ik net aan Corsica te denken,' zeg ik. 'Kun je niet hierheen komen, om samen de Algarve onveilig te maken?'

'Dat lijkt me best leuk, maar ik zit in Kenia.'

'Als het een kwestie van geld is: ik kan je invliegen, geen probleem.'

'Heeft pa je eindelijk opslag gegeven?' Ze wacht het antwoord niet af. 'Sorry Jules, ik ben hier met een groep, ik kan er moeilijk tussenuit knijpen.'

Ik probeer mijn teleurstelling te verbergen. 'Nou, mocht je nog van gedachten veranderen, je weet me te vinden. Vanavond ga ik trouwens stappen, weet jij nog een leuke tent?'

'In de Algarve? Dan heb je weinig keus. Ga maar naar The Strip.'

'The Strip,' herhaal ik. 'Klinkt spannend.'

'Het is het uitgaansgebied van Albufeira. Vooral veel dronken Engelsen, dat werk.'

Na Kaitlins enthousiaste beschrijvingen krijg ik ook trek in een borrel.

'Hé Jules, ik word geroepen, ik moet je hangen. Alles goed met ma en pa?'

'Ja hoor.'

'Mooi. Fijne vakantie. Ciao!'

Ineens heb ik haast. Ik moet me aankleden, naar de ontbijtzaal, eten, daarna wil ik weg uit Faro, naar een leuke kustplaats, om te doen waar ik hier voor ben: lol maken. Ik pak mijn tas en rits hem open. Bovenin vind ik iets wat ik niet zelf heb ingepakt. Het is een vierkant plat pakje in cadeaupapier, met een envelop eraan. Voor mama, staat er in het handschrift van Isabel.

Ik maak de envelop open.

Lieve mama,

Heel veel plezier op je reis. als we op vakantie zijn mis je dit altijd het meest. Daarom geven we het aan jou.

Kusjes Isabel en Jim

JIM XXXXXXXXXX

Jim heeft zijn naam er zelf ook nog eens onder gezet, met tien kruisjes erbij. Ik weet meteen hoe het is gegaan. Isabel heeft de brief voor Jim ondertekend, Jim werd boos, griste het papiertje uit haar handen en zette, ondanks de protesten van zijn zus – 'Het staat er al, Jim!' – zijn naam er nog een keer bij. Met tien bonuskusjes.

Ik voel aan het pakje en weet al wat erin zit. Ze heeft een zak drop voor me gekocht, ongetwijfeld mijn lievelingssmaak, leer mij Isabel kennen. Ik haal het cadeaupapier eraf, ga op de rand van het bed zitten en staar naar het blauwe zakje. Muntdrop van Klene, het juiste merk.

Mijn handen trillen. Ik voel me helemaal niet goed, ik moet echt even iets hebben om mijn zenuwen tot bedaren te brengen. Vanaf morgen doe ik het rustiger aan met de verdovende middelen. Ik neem twee valiumtabletten en een biertje uit de minibar. Snel klok ik het blikje leeg, daarna laat ik een grote boer. Vroeger deden Jimmy, Kaitlin en ik wedstrijdjes wie het hardst boeren kon laten. Meestal won Kaitlin.

De drop ligt op bed. Zonder na te denken pak ik het zakje weer op en scheur het open. Ik laat nog een boer, een iets kleinere. Ik houd van drop, ik houd van Isabel, ik houd van Jim. Het zijn lieve kinderen. Liever dan ik, veel liever. Ik neem een muntdropje. Het laatste wat ik heb gegeten was een broodje in het vliegtuig. Ineens heb ik een idee. Ik haal het dropje uit mijn mond, droog het af aan de sprei en leg het terug in het zakje. Ik bewaar de dropjes tot ik terug ben. Daarmee kan ik laten zien hoeveel ik van mijn kinderen houd.

Ik zal de zak aan Isabel en Jim laten zien en vertellen dat ik elke dag trek had in drop, maar dat ik ze niet heb opgegeten, omdat ik ze samen met hen wilde opeten. Het zou een ontzettend goed plan zijn als ik niet zo stom was geweest om het zakje al open te maken. Nu is het eigenlijk te laat, ik kan niet meer bewijzen dat ik er niet een heb genomen, ik kan het zakje ook niet dichtplakken, dat zien ze meteen.

Ik hoor gegrinnik. Even denk ik dat het vanaf de gang komt, maar het is vlakbij.

– Hé, Jules. Je zit al minutenlang in een handdoek gewikkeld met een opengescheurde zak drop in je hand, besef je dat?

Jimmy. Hij is meegegaan naar Portugal. Gezellig.
– Ik dacht dat jij bezig was met de grote ontsnapping. Dit lijkt nergens op.
– Het is niet zo makkelijk als ik dacht.
– Dat was doodgaan ook niet.

Mijn adem stokt. Ik weet waar hij op doelt. Ik wil het er niet over hebben. Nu niet, nooit niet.
– Doe niet zo lullig, Jimmy. Ik probeer het, dat zie je toch?
– Ik zie je vooral veel drinken en pillen slikken.

Ik sluit mijn ogen en als ik ze weer opendoe, hangt Jimmy in een stoel in de hotelkamer. Hij zit met zijn rug tegen de ene armleuning, zijn benen bungelen over de andere leuning. Het is de jonge, knappe versie voor wie de meisjes in de rij stonden, totdat hij ziek werd. Toen kwamen er steeds minder meisjes en de meisjes die kwamen, stuurde hij weg. Er was bijna niemand die hij nog duldde, behalve ma, Kaitlin en mij. En Patrick.
– Je moet je niet zo veel zorgen om je kinderen maken. Ze zijn flexibel, ze redden zich wel. Niemand is onmisbaar.

Dat weet hij als geen ander.
– Je zit met duizend onzichtbare draden aan ze vast, Jules. Je lichaam is vertrokken, maar je hoofd is nog daar. Je probeert ze vanuit hier gelukkig te maken. Dat gaat je niet lukken. Dan kun je beter teruggaan.

Hij heeft gelijk. Naar Portugal vliegen kan iedereen. Nu begint het pas, ik moet laten zien dat ik het niet voor niets heb gedaan. Ik moet me van ze losscheuren en voor mezelf kiezen. Het zal moeilijk zijn, het zal pijn doen, maar het is niet anders. Dat was de bedoeling.

Ik sta op, de handdoek glijdt van me af, ik loop naar het raam en maak het open. Eerst haal ik diep adem, dan pak ik de zak drop aan de onderkant vast, keer hem om en strooi de drop over de binnenplaats van Hotel Eva. Als de zak leeg is, laat ik hem los. Hij waait weg. Ik doe het raam weer dicht en kijk om me heen.

Mijn handtas ligt op de stoel waar Jimmy zat. Ik pak hem en haal mijn portemonnee eruit. Daar zijn ze. Twee kinderkoppies achter een stukje doorzichtig plastic, zo mooi, zo onschuldig. Hun foto's raken me meestal meer dan hun werkelijke verschijning. Lange tijd heb ik gedacht dat ik hierin de enige was, totdat ik een keer op het schoolplein stond met mijn buurvrouw. De schoolfotograaf was langs geweest. De kinderen kwamen uit het gebouw gerend met het resultaat in hun handen, ze gaven de zakjes braaf af. Zowel mijn buurvrouw als ik trokken ze ongeduldig open en al snel gleed een vertederde trek over onze gezichten.

'Hoe staan die van jou erop?' vroeg mijn buurvrouw.

'Leuk. Vooral Jim. Isabel deze keer iets minder, maar ik neem ze wel. En die van jou?'

'Prachtig. Kijk mijn jongste nou.'

We wisselden foto's uit, bevestigden elkaars mening, gaven elkaar de foto's terug en verzonken opnieuw in stil gestaar.

De kinderen van de buurvrouw – ze heeft er drie – draalden om haar heen en trokken aan haar jas. 'Gaan we naar huis, mam, we hebben honger.'

'Laat me even met rust, ja?' snauwde ze. Ik had mijn buurvrouw nog nooit horen snauwen. 'Op de foto zijn ze schattig, vind je niet?' fluisterde ze. 'En zo heerlijk stil.'

Na die ontboezeming keek ze me niet meer aan, pakte haar fiets, stopte de zakjes in de zijtas, zette haar jongste achterop en reed weg. De twee oudsten fietsten met haar mee, ieder aan een kant.

Ik haal de pasfoto's achter het plastic vandaan. Het is beter om te zorgen dat ze uit het zicht zijn, anders word ik bij elke betaling met ze geconfronteerd.

'Vergeef me, Isabel,' zeg ik zacht. 'Vergeef me, Jim.'

Een voor een verscheur ik de foto's tot minuscule stukjes, eerst mijn dochter, dan mijn zoon. Ik leg het hoopje snippers op tafel. Ik loop een rondje door de kamer. Het is pijnlijk om de snippers te zien liggen, maar ik wil ze niet in de prullenbak gooien. Dat vind ik te erg, dat brengt vast ongeluk. Het zijn mijn kinderen, ze komen uit mij, ze horen bij mij. Ik maak de minibar open. Geen drank nu. Een flesje water, zuiver bronwater. Ik houd mijn linkerhand vlak onder de tafel, met mijn rechterhand schuif ik de snippers erin, ik hap een deel van het hoopje van mijn hand af en spoel het weg met een grote slok water. Op een van de snippers die nog op mijn hand ligt, zie ik een stukje van Jims lachende mond. Snel werk ik de rest naar binnen en gooi er een paar slokken water achteraan. Klaar. Het briefje van Isabel vouw ik zorgvuldig op en stop het onder in mijn tas.

Hoofdstuk 13

De ontbijtzaal ligt op de bovenste verdieping en biedt uitzicht op de haven, waar tientallen bootjes zijn aangemeerd. Het is stil, de meeste gasten hebben al gegeten. Ik zit met mijn zonnebril op aan een tafeltje en drink koffie. Eigenlijk heb ik geen honger, toch neem ik wat fruit en een croissant. Nou ja, croissant, het heeft de vorm van een croissant maar het smaakt als een klef wit broodje. Eigenlijk moet ik protest aantekenen. Dat hoort de nieuwe Julia te doen. Stampij maken. Noemen jullie dit een croissant? Ga toch weg, is die kok van jullie wel eens in Frankrijk geweest of is-ie er alleen overheen gevlogen? Dit is een gevlochten meelbal, het smaakt nergens naar. Ik wil de chef nu spreken, haal hem achter zijn fornuis vandaan, nee, beter nog, ik wil de baas spreken. Laat hij zich straks even melden op kamer 411. Weet je eigenlijk wel wie ik ben? Julia Roberts. Ja, in het echt lijk ik kleiner, dat hoor ik vaker, maar dat doet er nu even niet toe. Mijn manager heeft dit hotel voor me geregeld, die krijgt er straks ook van langs, reken maar van yes. Hotel Eva, vier sterren, laat me niet lachen. Dat worden er twee minder, vertel dat maar vast aan de klojo die deze toko runt.

Binnen vijf minuten heb ik mijn ontbijt op.

'Heeft het gesmaakt?' vraagt de ober routineus.

'De croissant was een beetje droog.'

Hij neemt mijn antwoord ter kennisgeving aan.

Ik neem de lift naar de receptie en vraag om toeristische informatie. De dame achter de balie wijst me op een rek vol folders. Ik neem een stapel mee en ga terug naar mijn kamer.

Op de vloer spreid ik ze uit. Ik bevind me in de Algarve, de steekwoorden dansen me tegemoet: zon, zee, eindeloze zandstranden, schitterende rotsformaties, mooie natuurgebieden en pittoreske dorpjes. Ik graai in mijn tas. In de gauwigheid heb ik op Schiphol een reisgids gekocht.

Onder het kopje 'Gastvrijheid' vind ik informatie over het

Portugese volk. Portugezen zijn over het algemeen goed opgevoed en hechten veel waarde aan hun voorkomen. Of ze nu rijk of arm zijn, ze zien er altijd netjes uit, hun kinderen ook. Ze zijn vrijgevig, vriendelijk en gastvrij jegens vreemdelingen. Portugezen zijn rustiger en gereserveerder dan Spanjaarden en Italianen. Ze zijn vaderlandslievend en hechten veel waarde aan respect. Naar schatting zevenenveertig procent van de Portugese mannen draagt een snor.

Ik laat de informatie tot me doordringen. Het is me allemaal nogal wat, wat daar zwart op wit staat. Portugezen zouden zomaar eens de aardigste aller Europeanen kunnen zijn, wat heet, de aardigste aller aardbewoners. Waarom heb ik dit nooit geweten? Ze zijn lid van de EU, hoe zorgen we ervoor dat deze ongerepte schatten niet door ons worden verpest?

Nu nog een pittoresk plaatsje uitkiezen. Ik wil niet in Faro blijven, ik wil mezelf bruin laten bakken tussen schitterende rotsformaties. Mijn oog valt op een folder over Carvoeiro. Op de foto's ziet het er snoezig uit. De zee is zo blauw als Kaitlins ogen. Het kleine halvemaanvormige strand wordt links en rechts begrensd door grote, gele rotsen, op het zand liggen een paar strategisch geplaatste vissersbootjes. Wellicht zijn het museumstukken, wellicht kunnen ze daadwerkelijk uitvaren, ik durf er mijn hand niet voor in het vuur te steken. Vanaf het goudgele zand stap je rechtstreeks op een plein, alwaar de plaatselijke horeca zich heeft genesteld. De straten van Carvoeiro lopen vanaf het plein omhoog, ze waaieren alle kanten uit en worden horizontaal verbonden door rijtjes huizen in dezelfde halvemaansvorm als het strand, maar dan omgekeerd, zodat Carvoeiro samen met de baai op een complete cirkel lijkt. Ik lees wat het *unique selling point* van Carvoeiro en omgeving is: geen hoogbouw. Ik val er als een blok voor. Ik wil erheen.

Bij de receptie van Hotel Eva staat een man voor me. Het is een lange, slanke neger die qua kleur dichter tegen Will Smith aanzit dan tegen Eddy Murphy. Will draagt een zachtgeel, op maat gesneden pak. Als bling nog niet bestond, zou hij het hebben uitgevonden. Alles wat hij draagt, glimt. Zijn ringen – drie vingers en zijn rechterduim zijn ervan voorzien – zijn horloge, zijn armband, een schakelketting en ook de smalle clip die een dikke stapel biljetten van vijfhonderd euro bij elkaar houdt, het is allemaal van goud, net als het front van het mobieltje dat hij tegen zijn oor drukt. Het geld hangt tussen zijn duim en wijsvinger, het bungelt voor de ogen van de receptioniste, die geduldig wacht tot hij zijn gesprek heeft afgerond.

Will voert een zakelijk gesprek doorspekt met veel *yeah's* en *right's* en *sure's*, zo te horen is hij een Amerikaan, hij vertelt degene die hij spreekt – waarschijnlijk een man – dat hij aan het uitchecken is. Feitelijk is dat niet waar. Hotel Eva, dat wil zeggen personeel en gasten, ligt als een bibberende chinchilla aan zijn voeten te wachten op wat er komen gaat. Het houdt haar adem in totdat het Will behaagt om op te hangen en te doen wat hij beweert te doen: uitchecken. De prins maakt geen enkele haast, hij heeft nog het een en ander uit te wisselen met zijn gesprekspartner, achter hem staan intussen negen mensen – een gezin, twee koppels en ik – die op hun beurt wachten, maar het stoort hem niet of hij merkt het niet eens.

Gefascineerd bekijk ik de scène. Waarom kan hij dit flikken? Omdat hij knap is, dat is een. Omdat hij rijk is of lijkt, dat is twee. Omdat hij een man is, dat is drie. Omdat hij geen last heeft van schuld, schaamte of andere onbehaaglijke gevoelens, dat is vier.

Til me over je schouder en neem me mee, Will, het kan me niet schelen hoe je aan dat geld komt, waarschijnlijk zit je tot over je oren in de drugshandel (leuke diamant in dat linkeroorlelletje, trouwens), het deert me niet, wat heet, het maakt je extra spannend. De wereld is niet meer te verbeteren, laten we het ervan nemen. Ga met me mee naar kamer 411, neem me op het bed, tegen de muur, op de wastafel, op de grond en leer me daarna al je trucs.

Will hangt op.

'Hebt u vanochtend gebruik gemaakt van de minibar?' vraagt de receptioniste.

'Geen idee.'

Dit brengt haar in verwarring. Ze had duidelijk een bevestigend dan wel ontkennend antwoord verwacht. 'Eh, ik moet het wel weten. Hebt u vandaag iets uit de minibar genomen?' Haar vingers hangen boven het toetsenbord van haar computer.

Zelfs ik begrijp dat je Will beter niet twee keer dezelfde vraag kunt stellen.

'Dat horen jullie te checken. Ik ben gast hier.' Will speelt met zijn geld. Zijn mobiel ligt op de balie.

Er gaat een zucht door de rij wachtenden. Dit kan lang duren.

De receptioniste roept er iemand anders bij, die na enig overleg naar de kamer van Will vertrekt om te kijken of hij vanmorgen naast zijn ontbijt wellicht nog een doosje pinda's uit de minibar heeft gehaald.

Will kijkt verveeld om zich heen. Het is niet alleen zijn kleur, hij heeft echt iets van Will Smith, hij zou zomaar eens naaste familie kunnen zijn, of de acteur zelf. Zijn blik valt op mij. Er schiet een steek door mijn buik. Ik ben een vrouw, ik ben alleen, hij is een man, hij is alleen, zou het mogelijk zijn dat er ter plekke iets tussen ons ontstaat?

Ik glimlach naar hem en haal een hand door mijn haar. Jezus christus, ik ben aan het flirten.

Will trekt zijn wenkbrauwen op. O mijn god, ik sta voor gek. Hij vindt me idioot, hij vindt me te oud, hij heeft waarschijnlijk net zoveel vriendinnen als ringen aan zijn vingers, wat sta ik me hier aan te stellen en bovendien: mijn laatste neger-ervaring was op de kermis met Clark, alsof dat zo'n topper was.

'Vertrek je vandaag uit Portugal of alleen uit Faro?' Is dat mijn stem? Ja, ik praat tegen hem. Ik stel een vraag, ik ben het nog niet verleerd.

'Geen idee,' zegt hij.

Natuurlijk, we zullen eens gewoon antwoord geven. Ben je gek. Bedankt Will, ik ben gelijk door mijn tekst heen.

'En jij?' vraagt hij, terwijl hij me recht aankijkt.

Godsammelieve, wat is hij knap. Imponerend. Ik moet mijn best doen om niet steil achterover te vallen. Het is maar goed dat ik geen hakken aan heb, anders zou ik nu gestrekt op mijn rug op de marmeren vloer liggen met mijn achterhoofd in een plas bloed, die zich langzaam uitspreidt.

Zal ik nu ook mysterieus doen? Dat zou het beste zijn. Dat is wat Jimmy me altijd voorhield. Mannen willen mysterie. Hoe minder ze van je weten, des te meer ze van je willen.

'Ik ben op doorreis,' zeg ik na een – hopelijk – lange, ietwat verveelde stilte.

'Waarnaartoe?'

Ik haal mijn schouders op.

Er ontstaat enige activiteit bij de receptie. Will blijkt zijn minibar die ochtend niet te hebben geopend. De receptioniste kan haar werk afmaken. De mobiel van Will gaat, hij houdt het dit keer kort. Hij blijkt vijf nachten in Eva te hebben doorgebracht, ik vraag me af hoeveel nachten hij alleen was. Opnieuw een steek door mijn buik.

Will betaalt cash. Hij stopt de rest van zijn geld in zijn binnenzak, trekt het handvat uit zijn koffer, geeft het ding een zetje met zijn knie en draait zich om.

– Doe iets, sist Jimmy.

– Wat dan?

– Je wilt die gozer toch? Doe dan iets. Vraag zijn nummer, weet ik veel.

Koortsachtig kijk ik om me heen. Hij is al bijna bij de deur.

De receptioniste opent haar mond, strekt haar arm uit en ik zie meteen waarom: de blinkende mobiel van Will ligt nog op de balie. Ik sla mijn klauw uit en ben haar voor.

'*Hey mister!*' roep ik. 'Je vergeet iets.'

Hij draait zich om.

– Niet naar hem toe gaan, laat hem naar jou toe komen. Het is net als bij honden. Ze moeten voor je kruipen, ze moeten moeite voor je doen, dan pas ben je de baas.

Hij krijgt gelijk. Will zet op zijn gemak z'n koffer rechtop en loopt in slowmotion naar me toe.

'Alsjeblieft,' zeg ik. Onze handen maken contact terwijl ik hem de mobiel geef. Ik val bijna flauw. We zijn net Nokia: *Connecting people.* Die twee handjes die naar elkaar toe gaan als je het toestel aanzet, zo puur, zo prachtig. Ik moet ook aan Nike denken: *Just do it.* Aan dit soort slogans heb ik in mijn leven meer gehad dan aan de bijbel. Op Schiphol zag ik een briljante campagne met golfer Tiger Woods, met teksten om je vingers bij af te likken: *Every great accomplishment is at first impossible. Go on. Be a Tiger.*

Is it enough for you to improve your game? Or is it your goal to change the game itself? Go on. Be a Tiger. Dat zijn geen slogans meer, dat zijn levensvragen. En dat je gelijk een tijger wilt zijn, dat krijg je er ook van.

Prins Will heeft in de verte ook wel wat weg van Tiger.

'Waar kom je vandaan?' vraagt Will.

'Amsterdam.'

Deze mededeling brengt een glimlach op zijn gezicht. 'Hoe heet je?'

'Julia.'

Weer glimlacht hij, iets breder dit keer. Ik begrijp niet waarom, er zijn weinig mensen die mijn naam bijzonder grappig vinden. Will stopt de mobiel in zijn binnenzak en legt zijn hand kort op mijn schouder.

Vonken, ik neem zeker honderdtachtig volt waar. Voelt hij het ook?

'*Nice meeting you, Julia,*' zegt hij.

'*Likewise.*'

Er valt nu weinig meer te zeggen. Dat weet hij, dat weet ik. Als we ooit nog iets met elkaar willen, dan moet een van ons tweeën nu toeslaan.

Just do it.

'Mocht je in de Algarve blijven, ik ga naar Carvoeiro. Het is een kleine plaats, vlakbij Lagoa,' zeg ik, met de nadruk op kleine. Dat Carvoeiro als pittoresk bekend staat, laat ik buiten beschouwing. Ik weet niet hoe je pittoresk in het Engels zegt en bovendien lijkt Will me niet iemand die daarvoor zou vallen.

Hij knikt. Slaat hij de informatie in zich op of is zijn hoofd al ergens anders, bij een lucratieve deal met een of andere *motherfucker* die hem opwacht in een koffieshop om de hoek? Ik voel me beroerd, ik weet niet meer hoe ik het spel moet spelen, ooit was ik een begerenswaardige prof, nu een armzalige amateur.

Ik haal diep adem. 'Misschien zien we elkaar nog eens,' zeg ik. Het moet klinken alsof het me weinig uitmaakt, terwijl het voelt alsof het welslagen van deze reis van zijn antwoord afhangt.

'Misschien,' herhaalt hij.

En dat is alles. Hij draait zich om en loopt bij me vandaan, naar zijn koffer, naar de deur, door de deur, en weg is hij.

De vrouw achter de receptie kijkt me vragend aan. Ik laat iemand anders voorgaan, ik moet even bijkomen. Ik loop naar de bar en laat me op de dichtstbijzijnde perzikkleurige bank vallen.

Even resumeren. Dit is niet Corsica. Toen moest ik ze van me afslaan. Ik was zestien jaar, nu ben ik zesendertig, oftewel: twintig jaar ouder. Je kunt het proberen te camoufleren tot je een ons weegt, maar het zal nooit afdoende zijn. De tijd is niet vriendelijk voor vrouwen. Een paar rimpels hier, een paar kilo's daar, de eerste grijze haren. En dan de angst. Dat je niet ziet wat anderen allang doorhebben: dat jouw zogenaamd frivole mini-jurk allang niet meer kan. Dat ze fluisteren: van achteren lyceum, van voren museum. Dat je permanent voor schut loopt zonder het te weten.

Mijn verlanglijstje voor de plastisch chirurg ligt klaar en wordt met de dag langer. Het is er alleen nog niet van gekomen. Je moet je zo vreselijk ethisch verantwoorden voor een ingreep. Als je je haar blondeert kraait er geen haan naar, als je je cupmaat bijstelt is een kruisverhoor je deel. Dat vind ik ook zo zielig voor beroemdheden. Dat journalisten altijd vragen of ze al 'iets' hebben laten doen en zo ja: wat, wanneer en was het echt nodig?

Soms voel ik me zo oud. Zowel vanbuiten als vanbinnen. Alsof ik te vroeg te veel heb meegemaakt. Alsof na Jimmy's dood alle kleuren van het spectrum in een klap verbleekten. Het was vreselijk dat hij doodging, maar ook zo heftig, zo bijzonder, iets vergelijkbaars heb ik nooit meer meegemaakt, zelfs niet toen de kinderen werden geboren. Misschien ben ik op zoek naar wat verloren is gegaan. Naar een regenboog, naar een licht dat zo fel is dat het pijn doet aan je ogen.

Jimmy mengt zich in mijn gedachtestroom.

– Precies! Dit is het. Dit is wat we hadden afgesproken.

– Ik weet het. Ik ben mijn belofte niet vergeten. Daarom ben ik hier. Misschien is er hoop.

– Het is je verdomme geraden. Pak die gozer, Jules, die van net. Bewijs het. Bewijs dat je leeft. Je kunt het. Je kunt alles nog.

Ik staar naar de deur waar Will net is uitgelopen.

– Ik weet niet eens hoe hij heet. Hij is niet zoals jij, hij is een mens van vlees en bloed, hij heeft een eigen wil.

– Smoesjes. *Go on. Be a Tiger.*

Jimmy heeft het commanderen nog niet verleerd.

– Zeg mijnheer Alwetend, als je echt wilt helpen, geef me dan even zijn naam en zijn nummer, ja?

Er komt geen antwoord. Hij is ervantussen. Hij heeft blijkbaar ook een eigen wil. Ik moet op eigen kracht verder.

Hoofdstuk 14

'Ik heb een auto nodig en een onderkomen in Carvoeiro. Het mag wat kosten,' zeg ik ferm tegen de receptioniste. Will heeft me aangestoken.

Ze springt gelijk in de houding, belt een taxi die me naar het dichtstbijzijnde autoverhuurbedrijf zal brengen en geeft me adressen van verschillende villa's die te huur staan. Een ervan heeft haar absolute voorkeur. Ze kent de beheerder, hij is zeer betrouwbaar. 'U huurt dan wel in de hoogste prijsklasse,' zegt ze met enige nadruk.

Ik knik alsof ik met minder sowieso geen genoegen zal nemen.

Casa da Criança ligt in Sesmarias, een buitenwijk van Carvoeiro. Volgens de receptioniste is het een villa in het absolute topsegment, met alles erop en eraan. Geheel ommuurd, 'onder architectuur gebouwd', met zeezicht plus weids landzicht, zes kamers, een ruime keuken met de nieuwste inbouwapparatuur, drie badkamers, een binnen- plus een buitenbubbelbad, een sauna, een washok met wasmachine plus droger, een verwarmd zwembad met *poolman*, drie terrassen, een tennisbaan, desgewenst elke dag een schoonmaakster en dit alles op een perceel ter grootte van anderhalve hectare, met een tennisbaan, een *putting green* en een tuin met vijgen-, amandel-, peper-, sinaasappel- en palmbomen.

'Zal ik de huurprijs per week voor u opvragen?' vraagt ze.

'Nee hoor, ik wil alleen weten of ik er straks in kan trekken.'

Ik stijg per seconde in haar achting. Ze grijpt de telefoon.

Casa da Criança is beschikbaar. Weet ik al hoelang ik zal blijven?

Begin maar met twee weken, daarna praten we verder.

Ze maakt het voor me in orde, geeft me de naam en het adres van de beheerder – een Engelsman – en een routebeschrijving.

'Je bent een schat,' zeg ik. 'Bedankt.'

De meeste plaatsen uit reisgidsen vallen zwaar tegen als je ze in het echt bezoekt, Carvoeiro is de uitzondering op de regel. Het is een dorpje om op te vreten. Overzichtelijk, gemoedelijk, toeristisch maar niet té, ik heb een goede keuze gemaakt. Mijn gehuurde jeep heb ik op het centrale plein geparkeerd, ik ben uitgestapt en kijk naar de zee. Paul, Isabel en Jim zouden dit ook enig vinden. De kinderen zouden onmiddellijk naar het strand hollen, Paul zou zeggen dat ik opnieuw moest inparkeren, omdat de jeep niet netjes tussen de lijnen staat.

Ik trek mijn schoenen uit en stap het zand op. Het is een kleine baai, links en rechts zijn grote rotsen. Er klimt een jongetje op de rotsen, hij is een jaar of zes. Bij wie hoort hij? Ik tuur het strand af. Twintig meter verderop zit een vrouw, ze praat luidruchtig tegen haar man, zo te horen hebben ze ruzie. Hij staat rechtop in het zand met zijn handen in zijn zakken en staart nors voor zich uit. Hij heeft een gebreide coltrui aan, onwaarschijnlijk met dit weer. Zij zit op een kleedje, draagt een gebleekt T-shirt, een crèmekleurig rokje en daaronder kistjes zonder veters. Er scharrelt een hondje om het stel heen. De man beent weg in de richting van het pleintje. De pup hobbelt met hem mee.

De vrouw is ineens volkomen verdiept in haar mobieltje. Geen van tweeën kijkt naar het jongetje. Ik klim op de rotsen en knoop een gesprekje met hem aan. Hij spreekt Duits en heet Leon. Ik vraag Leon waar zijn moeder is. Hij wijst naar de vrouw met de kistjes. Dus toch. Leon vertelt dat verderop zeesterren en mossels te vinden zijn. Daar gaat hij naartoe. Hij klautert verder, het is een schattig kereltje. Ik zeg dat hij wel voorzichtig moet doen.

De vrouw is opgestaan. Ze loopt naar de andere kant van het strand, nog verder weg van haar zoon. Ze houdt haar mobieltje met een gestrekte arm voor zich uit, waarschijnlijk gebruikt ze de camerafunctie.

Ik let op Leon, iemand moet het toch doen. Ik kijk met een half oog naar het kind en met een half oog naar de zee. Na een paar minuten begint de jongen opgewonden naar me te zwaaien. Hij heeft iets gevonden, ik moet komen kijken. Ik klim naar hem toe. Het is een zeester. We vinden hem allebei erg mooi. Ik aai hem over zijn bol en ga weer terug naar mijn plek. Leons moeder loopt nu onze kant uit.

Ik wil haar geruststellen, vertellen dat alles in orde is, maar ik krijg geen oogcontact, ze is nog steeds bezig met haar mobiel.

Pas als ze vlak bij de rotsen is, roept ze haar zoontje. Zij kan hem vanaf haar positie niet zien. Ze heeft een tongpiercing.

'Hij is hier,' zeg ik. 'Hij zoekt mosselen. Ik houd hem wel in de gaten.'

Ze knikt. 'Hij mag alleen niet te dicht bij de zee komen. Er is daar een gevaarlijke stroming. Als kind ben ik er bijna verdronken.' Ze maakt een vaag gebaar in de richting van de zee achter de rotsen, Leon staat zich er niet ver vandaan. 'Ik werd meegesleurd. *Schrecklich*. Daarom moet hij goed oppassen. Wil je hem dat zeggen?'

Natuurlijk wil ik dat.

'Is mijn man bij hem?'

Ik schud van nee.

'En het hondje?'

'Die liep met je man mee naar het plein.'

Ze draait zich om en loopt weg.

Als het gezin na enige tijd is herenigd, kan ik met een gerust hart van de rotsen af. Ik slenter naar de ijssalon en bestel een hoorntje met twee bolletjes. Midden op het plein staat een cirkelvormige, stenen bank. Er zit een jong stel dat volledig in elkaar is verdiept en een oud Portugees mannetje, dat zo uit een reisgids lijkt gesprongen. Zijn rug staat krom, hij heeft ingevallen wangen, hij draagt een platte lichtgrijze pet en heeft een stok in zijn hand. Ik nestel me naast het mannetje en lik aan mijn ijsje. Het is dat ik geen woord Portugees spreek, anders zou ik iets aardigs tegen hem zeggen. Hij ziet er namelijk niet zielig uit, terwijl hij toch in zijn eentje op een bankje bivakkeert. Dat valt me altijd op in warme landen, dat bejaarden daar op een of andere manier beter in hun gerimpelde vel zitten.

Ze verplaatsen zich ook veel beter. En dat zonder rollators en scootmobielen. Nederland heeft de hoogste rollatordichtheid ter wereld. Mijn schoonmoeder woont in een buurt waar je je nek breekt over die krengen. De gemiddelde bewoner van Amsterdam Oud-Zuid is vijfenzeventig plus, heeft minstens één plastic heup en verlaat het huis niet zonder het opklapbare onding op zwiepwielen.

Het ijsje is erg lekker. Mijn mobiel gaat. Het is Paul. Ik beantwoord de oproep.

'Je dochter wil je spreken,' zegt hij.

Isabel komt aan de telefoon. 'Mam, ben jij het?' zegt ze buiten adem.

'Hallo lieverd, alles goed?'

'Ja.'

'Wat hijg je.' Verder klinkt ze normaal. Niet radeloos, niet wanhopig. Misschien valt het mee. Ze kan heus wel even zonder mij. Dat moet. Ik had ook borstkanker kunnen krijgen, ik had dood kunnen gaan. Goedbeschouwd is dit iets positiefs. Als ik terugkom, ben ik een leukere moeder.

'Ik heb hard gefietst. Waar ben je, mam?'

Even aarzel ik. Paul weet nog niet waar ik ben. Op een of andere manier vind ik dat een prettig idee. 'In Portugal,' zeg ik. Het is een groot land, tenslotte.

'Is het leuk?'

'Ja, hoor.' Ik wil niet al te enthousiast klinken.

'Heb je internet?'

'Nee.'

'Dat moet je nemen, mam, dan kunnen we chatten.'

Ik heb nog nergens een internetcafé gezien, ik heb er ook niet op gelet. Ik ben nog niet in de villa geweest. Misschien staat daar een computer.

'Wanneer kom je terug?' vraagt ze dringend.

'Schat, ik ben er net. Hoe gaat het met Jim?'

'Die is naar voetbal.'

Natuurlijk, het is woensdagmiddag. Straks komt hij thuis, dan wil hij zijn verhaal kwijt, wil hij vertellen hoe vaak hij heeft gescoord en dat hij mooie passes heeft gemaakt.

'Waarom ging papa niet met hem mee?'

'Hij is met Denzel en zijn moeder gegaan. Papa was moe.'

Er staat niemand van ons langs de lijn. Dit is de consequentie van mijn keuze.

'Wil je papa nog hebben?' vraagt Isabel.

'Nee hoor,' zeg ik.

'O, hij jou wel. Ik geef hem je, mam.'

Voor ik kan protesteren, krijg ik Paul aan de lijn. Die wil ook weten waar ik ben.

'Portugal,' zeg ik. Mijn ijsje begint steeds sneller te smelten, ik neem een lik.

'De kinderen hebben het heel moeilijk,' zegt hij. 'Dat je vanmorgen niet bereikbaar was, was een drama. Ik heb nu met ze afgesproken dat ze je drie keer per dag mogen bellen. 's Ochtends, tussen de middag en voor het slapen gaan.'

'Tussen de middag? Maar dan blijven ze over...'

'Isabel krijgt een mobieltje van me. Verder lijkt het me het beste als wij 's avonds laat nog even contact hebben om alles door te spreken.'

Blijkbaar heb ik geen enkele stem in het geheel. 'Is drie keer bellen niet wat veel voor de kinderen?'

'Zo hebben ze er het minst onder te lijden.'

Het kan ook anders uitpakken. Het kan zijn dat ze steeds op pijnlijke wijze herinnerd worden aan de situatie. Dat ze een moeder hebben die er niet is. Een moeder die telkens zegt: 'Nee, vandaag kom ik nog niet thuis.' Ik vraag me af of dat wel zo fijn voor ze is. En voor mij: drie keer, nee, vier keer per dag contact. Duizend onzichtbare draden en een praktisch permanente telefoonverbinding.

'Wat is je adres?' vraagt Paul.

'Heb ik nog niet. Ik ben aan het zoeken.' Straks besluit hij dat de kinderen komend weekeinde ook wel even langs kunnen komen.

'Laat het me zo snel mogelijk weten, ja?'

Hij hangt op.

Ik eet de rest van mijn ijs op. Het smaakt opeens minder lekker. Stel je voor dat je een ijsje eet en je proeft niks. Mijn voorbeeld aan Isabel en Jim.

Naast me klinkt een serie korte piepjes, het klinkt als een semafoon. Ik wist niet dat die dingen nog bestonden. Het oude mannetje graait in zijn zak en ja hoor, hij haalt er een tevoorschijn. Hij drukt op een knopje. Het gepiep houdt op. Hij knikt tevreden en kijkt me aan met een blik van: het is weer zo laat.

Ik glimlach naar hem en lik mijn vingers schoon. Hij zegt iets wat ik niet versta, stopt het ding weer in zijn zak en staat op. Steunend op zijn stok stiefelt hij weg. Ik moet ook gaan. Casa da Criança wacht op me.

Eerst langs de beheerder voor de sleutels. Als ik mijn jeep bij zijn bescheiden villa parkeer, stormen twee kolossale honden blaffend naar het hek. Daar had de receptioniste van Eva me al voor gewaarschuwd. Beter gezegd, ze had verteld dat ik zijn huis aan de honden kon herkennen, het zijn Franse mastiffs, van die bruine beesten met een grote kop met vel dat naar beneden hangt en eindigt in een kwijlende bek. Tom Hanks had ooit zo'n hond als tegenspeler in de film *Turner & Hooch*. (Hanks was Turner, de hond heette Hooch.) Het tweetal springt tegen het hek, ze komen er half overheen.

'Rustig jongens, goed volk,' probeer ik. Dat maakt geen indruk. Integendeel, ze gooien er nog een schepje bovenop. Ik deins terug.

Achter de mastiffs duikt een schriele man van een jaar of zestig op. Hij is geheel in het wit gekleed: korte broek, poloshirt en een zonnehoedje. Het enige wat aan hem ontbreekt is een golfclub of een racket.

In onberispelijk Engels zegt hij zijn honden dat ze moeten gaan liggen. Dat doen ze, nou ja, niet helemaal, maar ze houden wel op met blaffen. Eventjes.

'*Hello love, you're the Dutch girl, aren't you?*'

Ik smelt gelijk.

'Ik ben Eddie,' zegt de beheerder.

We schudden handen over het hek.

'Julia.'

'Zo, zo. Dat is een mooie naam voor een mooie jongedame.'

Hij haalt de sleutels uit zijn zak en overhandigt ze. Of hij even mee moet rijden om alles uit te leggen? Hoe verleidelijk ook, ik sla zijn aanbod af. Ik wil mijn nieuwe onderkomen in mijn eentje verkennen.

Eddie geeft me een papiertje met de code van het alarm plus zijn telefoonnummer en bezweert me dat ik hem of zijn vrouw Doris altijd kan bellen of opzoeken als er problemen zijn. Ben ik op de hoogte van het feit dat ik een week huur vooruit moet betalen?

Geen probleem, cash genoeg, ik ben net nog langs een bank geweest om te pinnen. Wat krijg je van me?

'Achtentwintighonderd euro,' zegt de beheerder.

Ik verschiet van kleur. Ik dacht dat het ongeveer de helft zou zijn en dan vond ik nog dat ik het ruim had genomen. 'Sorry,' stotter ik. 'Zo veel heb ik niet bij me.' Ik zet mijn zonnebril af en kijk hem smekend aan. Hopelijk ziet hij dat ik te goeder trouw ben. 'Vijftienhonderd lukt wel, de rest kan ik morgen brengen.'

'Geen probleem,' zegt Eddie.

Ik pak mijn geld en begin te tellen.

'Ben je helemaal alleen op vakantie?'

Inderdaad.

En blijf ik dat ook? Het is een erg groot huis voor een vrouw alleen, vindt hij.

Even twijfel ik. Dan besef ik dat ik in Portugal kan zijn wie ik wil. Ik vraag Eddie of hij een geheim kan bewaren. Dat kan hij. Ik vertel dat ik actrice ben. Een beroemde actrice, in Nederland althans, en dat ik rust zoek.

'Een beroemde actrice, wie had dat gedacht? Heb je ook een echtgenoot?' Eddie wil het naadje van de kous weten.

'Er is een man,' beaam ik, 'maar we zitten in een moeilijke periode.'

'Och heden,' zegt Eddie. 'Heb je kinderen?

Die vraag had ik kunnen verwachten.

Hij zal me een slechte vrouw vinden als ik vertel dat ik een dochter en een zoon heb, hij zal er niets van begrijpen. Ik wil niet dat hij het weet, ik wil dat niemand het weet, ik wil hier niet bekend staan als de vrouw die haar kinderen in de steek liet.

'Dat is een pijnlijke kwestie, Eddie,' fluister ik.

Hij excuseert zich onmiddellijk.

'Het geeft niet,' zeg ik. 'Het is alleen zo dat we... hoe zal ik het zeggen, we kunnen ze niet krijgen. Dat is het probleem. En ik—'

Verder praten lukt niet. Het is alsof ik mijn kinderen voor de eerste keer verloochen.

'Stil maar,' zegt Eddie. 'Ik begrijp het. Je hoeft niets meer te zeggen. Mijn schoonzuster...'

Hij begint een omstandig verhaal over de jongste zus van zijn vrouw en hoeveel miskramen zij allemaal heeft moeten doorstaan om tenslotte van een drieling te bevallen, waarvan er twee dood geboren werden en de derde na één dag overleed.

Ik knik. Erg sneu, inderdaad.

'Zij heeft uiteindelijk kinderen geadopteerd,' vertelt Eddie. 'Ze is nu heel gelukkig.'

'Mijn man wil niet adopteren,' zeg ik. 'Vandaar onze ruzie.' Ik zucht diep.

Eddie begrijpt dat ik wil afronden. Hij knikt me bemoedigend toe en zegt nogmaals dat ik altijd kan bellen.

'Dit is alvast vijftienhonderd.' Ik overhandig hem de stapel bankbiljetten over het hek. Hij pakt het aan zonder het na te tellen en vertelt me waar ik het huis kan vinden.

Casa da Criança ligt maar een paar honderd meter verderop, net voorbij de bocht, het is een ultramoderne villa, hij hoopt dat hij me zal bevallen. Ik spring in mijn jeep en wuif hem vrolijk na. De mastiffs komen weer tot leven.

Ik rijd weg, nieuwsgierig naar het walhalla dat zich voor me zal openbaren. Na de bocht zie ik twee villa's die een eind uit elkaar liggen. Eentje is lieflijk wit, in Moorse bouwstijl met een Engelse tuin eromheen, de ander is een grotesk gebouw in primaire kleuren en heeft het meest weg van een lukraak omgekeerde doos Duplo. De termen 'ultramodern' en 'onder architectuur gebouwd' krijgen terstond een negatieve connotatie. Het zal toch niet waar zijn?

Ik stop eerst bij de lieflijke villa. Dit keer slechts één hond die blaffend naar het hek stormt. Een koningspoedel, met iets van een labrador erdoorheen. Zijn coupe lijkt me niet helemaal in orde. Als kind wilde ik altijd een hond, in plaats daarvan kreeg ik een hondenencyclopedie. Daarom ken ik alle rassen.

Casa Encantador staat op de betegelde plaat bij het hek.

Ik moet door naar de Duplo-doos. Die ligt er verlaten bij. Geen honden, dat is een pluspunt, voor de rest kan ik wel janken. Casa da Criança bestaat uit grote, vierkante blokken die half lijken te zweven, voor de andere helft rusten ze op elkaar. Het ene blok is vaalrood, het andere babyblauw, het derde mintgroen, het vierde woestijngeel, het dak zweeft tussen fuchsiapaars en Paris Hilton-roze in, en dan heb ik mijn zonnebril nog op. De tuin staat inderdaad vol met allerlei soorten bomen, tussen de bomen ligt een tapijt van gitzwart grind. De letters van de naam staan niet op van die authentieke Portugese tegels, maar zijn van ijzer, half verroest en kriskras – ongetwijfeld speels bedoeld – op het hek geschroefd, het doet me denken aan een Nederlands peuterdagverblijf.

Ik stap niet eens uit en maak rechtsomkeert naar Eddie. Eerst stormen de hysterische honden weer naar buiten, Eddie volgt in hun kwijlspoor. Hij lacht verheugd, zo snel had hij me niet teruggewacht. Hij heeft nog niet in de gaten dat mijn stemming binnen drie minuten twintig graden is gedaald.

Ik spring uit mijn jeep.

'Kijk eens aan, daar hebben we de beroemde actrice alweer. Hallo, Julia.' Dan ziet hij dat mijn gezicht op onweer staat. 'Wat is er, *love?*'

Ik zet mijn zonnebril af. 'Ik heb jou net anderhalfduizend euro gegeven, toch?'

Hij knikt.

'En je krijgt nog...'

'Dertienhonderd.'

'Precies. In totaal bijna drieduizend euro om een week te slapen in dat... dat...' Ik kan niet uit mijn woorden komen. 'Hoe durf je het ervoor te vragen?'

'Casa da Criança is ontworpen door Tomás Taveira,' zegt de beheerder koeltjes. 'Taveira is een zeer gerenommeerde architect. Hij heeft de nieuwe jachthaven van Albufeira ook ontworpen.'

'En Disneyland toevallig ook? Ik heb nog nooit zoiets afzichtelijks gezien, Eddie.'

Eddie blijft beleefd. 'Taveira werkt graag met kleur, dat is waar. Als je tijd hebt moet je de *marina* maar eens bekijken, dan zul je zijn stijl herkennen. Hij is een groot kunstenaar.'

Moedeloos staar ik de beheerder aan. Hij meent het.

'Casa da Criança was een experiment voor Taveira, hij heeft de villa vlak voor de jachthaven ontworpen in opdracht van een buitenlandse investeerder.'

Dit verhaal wordt met de minuut beter. Ik zit minimaal twee weken gevangen in de vingeroefening van Tomás Taveira.

'Ik zag nog een andere villa, die was heel schattig, Casa Encantanogwat. Kan ik die niet huren?'

Hij schudt zijn hoofd. 'Casa Encantador wordt permanent bewoond. Door Nederlanders, dat is misschien wel leuk voor je. Het is een aardig stel, alleen...' Hij aarzelt.

'Alleen wat?'

'Ze hebben een groot gezin. Een meisje en drie jongetjes. Het jongste zoontje is pas geboren. Doris vindt dat hij opvallend veel huilt, maar volgens de Hollanders heeft hij last van krampjes. Een voedselallergie of een zonneallergie, ze zijn er nog niet helemaal achter.'

Iets zegt me dat ik het eerste het beste vliegtuig naar Nieuw-

Zeeland moet nemen. Mijn mobiel gaat. Dat is vast het thuisfront weer. Door het hek heen grijp ik Eddie's hand. 'Vertel in godsnaam niet aan die Nederlanders dat er een beroemde Nederlandse actrice in Casa da Criança verblijft. Straks bellen ze een roddelblad en ligt er morgen een paparazzo met een telelens in de voortuin. Ik wil hier anoniem zijn. Begrijp je?'

Hij knikt.

Ik neem het gesprek aan. Het is Paul.

'Je auto moet APK gekeurd worden. Ik ga hem morgen naar de garage brengen. Waar ligt het kentekenbewijs?'

'Kastje in de hal. Linkerla.'

'Bedankt.'

Er zit niets anders op, ik moet naar mijn nieuwe onderkomen. Wie weet valt het vanbinnen mee. Met een slakkengangetje rijd ik terug. Als ik langs het huis van de Nederlanders kom, wend ik mijn hoofd af. Bij Casa da Criança stap ik uit, maak het smeedijzeren hek open, stap weer in en rijd het terrein op. Ik parkeer mijn jeep op het grind, ga naar binnen en loop naar de woonkamer. Godzijdank is Tomás met zijn tengels van de binnenkant afgebleven. Het interieur is tamelijk neutraal, crèmekleurig, de meubels zijn wit uitgeslagen met van die beits die ervoor moet zorgen dat ze oud lijken. Op de vloer ligt marmer.

Opnieuw gaat mijn telefoon. Opnieuw Paul. Ik heb geen zin om op te nemen. Het rinkelen houdt even op, daarna begint het weer.

'Hallo?' Ik kan een lichte irritatie niet verbergen.

'Jim heeft een hersenschudding,' zegt mijn man zonder omhaal.

'Wat?'

'Hij heeft een bal tegen zijn hoofd gekregen. Heel hard. Hij moest overgeven.'

Hier ben ik altijd bang voor geweest. Dat Jim iets zou overkomen. Net als Jimmy.

'Hoe is het met hem, waar is hij?' vraag ik paniekerig.

‘De moeder van Denzel heeft hem naar de EHBO gebracht. Hij is nu thuis. Ik moet hem elk uur wakker maken.’

‘Waarom?’

‘De dokter heeft gezegd dat dat moest. Om te controleren of het goed gaat.’

‘En als het niet goed gaat?’

‘Ik weet het niet, Julia, ik ben geen arts.’

‘Zal ik naar huis komen?’ Ik zeg het zonder nadenken. Ik wil bij mijn zoon zijn.

‘Dat moet je zelf weten.’

‘Is hij in levensgevaar?’

Paul zucht. ‘Hij is thuis, Julia, hij ligt in bed. In principe gaat het vanzelf over, als hij zich rustig houdt. Ik zal elk uur bij hem kijken en—’

‘Kan ik hem aan de telefoon krijgen?’ onderbreek ik hem.

‘Hij slaapt nu. Ik ga hem niet wakker maken.’

‘Hoelang moet je dat wekken volhouden?’

‘Tot morgenochtend.’

Ik begin te rekenen. Zelfs als het me lukt om een vlucht te boeken, zal het minstens een uur of acht uur duren voordat ik thuis ben. Als het goed is, is het ergste gevaar dan geweken. En dan? Wat moet ik thuis doen? Jim een kus geven en de volgende dag weer vertrekken? Dan breek ik zijn hart voor de tweede keer. ‘Paul, wees eerlijk alsjeblieft. Is het ernstig, maakt hij een erg zieke indruk?’

‘Ik weet het niet. Hij zag bleek en had hoofdpijn. Ik heb hem een paracetamol gegeven, toen is hij gaan slapen. Ik moet nu weer even bij hem gaan kijken, ik check hem voor de zekerheid elk half uur. Ik spreek je nog.’

Paul zal hem goed in de gaten houden, daaraan twijfel ik geen seconde. Halsoverkop terugvliegen is misschien wat overdreven. Het is maar een hersenschudding. Kaitlin heeft er als kind ook wel eens eentje gehad, ze was van een hek gevallen. Die sprong na twee uur alweer op en neer in haar bed, omdat ze zich verveelde. Mijn moeder werd kwaad, ze was als de dood dat er als-

nog een of ander bloedvat fataal zou knappen. Het gebeurde niet. Kinderen zijn sterk. De meeste kinderen zijn sterk. Jim ook.
– Ik niet.
– Jawel Jimmy, jij ook. Je was heel sterk. Je hebt het zo lang volgehouden. Tot op het allerlaatst. Je was niet kapot te krijgen.

Hij glimlacht een alwetende glimlach. Ik masseer mijn nek. Ik geloof dat ik een migraine voel opkomen. Valium, daar ben ik helemaal aan toe. Valium, paracetamol en het liefst een *vino tinto*. Er is alleen geen vino in huis. Eerst valium. Ik pak de handtas en neem drie pillen. Na een kwartier sukkel ik op de bank in slaap.

Anderhalf uur later word ik met een schok wakker. Jim!

Ik bel naar huis. Paul neemt op. Alles is onder controle, er zijn geen bijzonderheden, de patiënt slaapt, een uur geleden heeft hij zelfs wat soep gegeten.

'Kom je nog naar huis?' vraagt Paul.

'Nee,' zeg ik schuchter. 'Dat heeft nu toch geen zin meer.'

'Oké,' zegt Paul. Dan hangt hij op. Het gaat moeizaam tussen ons, de stemming blijft ijzig. Ik weet niet wat ik eraan moet doen.

De villa is donker, het is zelfs fris, het is ook pas februari. Ik doe wat lichten aan. Ik wil de open haard aansteken, maar ik zie geen hout. Ook geen lucifers. Morgen moet ik boodschappen doen, morgen moet een leukere dag worden. Even recapituleren: ik ben anderhalve dag van huis en wat heb ik meegemaakt? Bar weinig. Ontsnappen betekent niet alleen weg zijn, het is de bedoeling dat je meer lol hebt dan in de situatie waaruit je bent ontsnapt.

Goed, morgenavond ga ik naar The Strip in Albufeira. Overdag zal ik drank en voedsel inslaan, ik zal een nieuwe outfit scoren, misschien nog even langs de kapper, daarna ga ik los.

Het voornemen kikkert me een beetje op. Ik sta op en schuif de gordijnen open. De zon is aan het ondergaan, de lucht boven de zee kleurt rood. Het uitzicht is adembenemend.

Hoofdstuk 15

Ik loop op The Strip. Het is alsof ik een onzichtbare rollator voor me uitduw. Niemand ziet me. Verbeeld ik het me of lopen ze werkelijk met een boogje om me heen? Iedereen is zeker tien, vijftien jaar jonger en heeft plezier of lijkt het te hebben. Meisjes in korte shirtjes met aanstootgevende teksten over de volle breedte van hun borsten slierten over straat, lachen met gierende uithalen, steken de ene sigaret na de andere op en voorzien hun lippen om de drie minuten van een dikke laag gloss. Jongens kijken alsof het ze niets kan schelen dat hun pet achterstevoren staat en hun broek op half zeven hangt.

Ik draag een bloemetjesjurk met een spijkerjack, en teenslippers. Ik heb de plank misgeslagen. Waar moet ik naar binnen, waar is het leuk, waar vind ik lotgenoten? Hoe verloopt een gemiddelde stapavond tegenwoordig? Als ik huis en haard nog verlaat, is het voor een beschaafd etentje of een drankje in een café. En daarmee houdt het dan wel op. Wat doen jongeren tegenwoordig om los te komen? Inpilsen, die term heb ik ooit ergens opgevangen. Misschien moet ik daarmee beginnen.

Een afgelegen hoekje, in een rustige bar. Een biertje. Doe eigenlijk maar gelijk een halve liter. Eerst een flinke slok, diep ademhalen en de volgende teug. Je moet er gewoon even doorheen, houd ik mezelf voor. Je bent een feestbeest, een tijger, je bent degene die ze bij zonsopgang vriendelijk doch dringend zullen verzoeken te vertrekken, omdat de dweilploeg wil beginnen.

Van het bier krijg ik een klotsbuik. Ik gooi er een Bacardi-cola achteraan. Het personeel besteedt geen noemenswaardige aandacht aan me en de clientèle ook niet.

Ik heb mijn mobiel uitgezet. Paul heeft me vandaag drie keer gebeld met onzinnige praktische vragen, ik weet niet wat hem bezielt, blijkbaar heeft hij besloten om te doen alsof ik niet weg ben, maar wat langer op kantoor doorwerk. Met Jim gaat alles prima, er is vannacht niets engs gebeurd. Hij heeft goed geslapen en is gewoon naar school gegaan. In het kringgesprek heeft hij over zijn hersenschudding verteld. Het maakte diepe indruk op de andere kinderen.

'Nu weten ze tenminste zeker dat je hersens hebt, Jim,' grapte ik aan de telefoon.

Isabel wilde weten of ik al internet heb. Ze gaat steeds online, maar ziet me nooit op MSN. 'Ik ben er nog niet aan toegekomen, vrouw.' Weer dat gevoel van tekortschieten, ik vraag me af of dat ooit over zal gaan.

'Goed, dan spreek ik je morgenochtend weer,' zei Isabel. Ik durfde niet te zeggen dat ik van plan was te gaan stappen en dat het misschien laat zou worden.

Ik reken de biertjes af. 'Wat is de beste disco hier?' vraag ik de barman.

Hij spoelt een glas om en neemt de moeite niet om me aan te kijken. 'Kadoc,' zegt hij.

Ik verlaat de tent en ga op zoek naar Kadoc. De club is makkelijk te vinden, iedereen kent hem. Ik geef mijn jack af bij de garderobe en baan me een weg naar binnen. Kadoc heeft verschillende zalen, met in elke een andere muziekstijl. Ik ga naar de ruimte waar ik uit de oorverdovende herrie nog iets van een melodie kan opmaken. Een meute die op en neer deint, lichteffecten, rookwolken, schaars geklede meisjes en jongens met open overhemden, het begint ergens op te lijken. Ik begeef me in de massa, ga op in de massa. Ik dans.

Paul houdt niet van disco's. Hij houdt ook niet erg van feesten. 'Feest heeft als doel ons te doen vergeten dat we eenzaam, ongelukkig en ten dode opgeschreven zijn. Met andere woorden, ons in dieren te veranderen,' hield hij me een keer voor. Hij citeerde een Franse schrijver die hij wel vaker aanhaalt. Zijn naam vergeet ik steeds, ik ben niet zo'n lezer.

'Maar dan is het toch juist goed dat er feesten zijn? Dat is des te meer reden om ernaartoe te gaan,' antwoordde ik. Ik doe niets liever dan vergeten dat ik eenzaam, ongelukkig en ten dode opgeschreven ben.

Paul ziet dat anders. Paul leest liever boeken waaruit blijkt dat de mensheid eenzaam, enzovoort, enzovoort is. Hij kijkt ook graag naar DVD's over oorlogen: de Tweede Wereldoorlog, de Vietnamoorlog, de oorlog in Irak, de Tachtigjarige Oorlog, de Spaanse Burgeroorlog, de Balkanoorlogen, het zijn er te veel om op te noemen. Altijd als hij zo'n DVD heeft gezien, zet hij de televisie uit met zo'n blik in zijn ogen waaruit blijkt dat zijn meest angstige vermoedens over de mensheid zijn herbevestigd.

Het is precies de reden waarom ik dat soort films mijd, ik vind het overbodig om de treurige geschiedenis van anderen te herbeleven. Ik ben nooit als geketende slaaf naar de VS gevaren, ik heb nooit in een loopgraf gelegen, er is nimmer een tapijt van bommen op mijn hoofd gelegd, ik heb nog nooit in de loop van een geweer gekeken, ik ben nooit geknecht, vernederd, verkracht, onderdrukt of gemarteld, nu ik er zo over nadenk moet ik zeggen dat het er in het licht van de geschiedenis van de mensheid op lijkt dat ik een hoop heb gemist.

In Kadoc zijn veel mooie mensen. Mooie, jonge mensen. Hun vrolijkheid werkt aanstekelijk. Mijn wangen gloeien, ik lach, ik zing mee met de muziek, voorzover ik die ken en voorzover er sprake is van zang. Ik dans en kijk en kijk en dans, soms zie ik een Hele Leuke Jongen en probeer ik die met mijn ogen naar me toe te lokken, zoals ik dat vroeger deed. Het verschil met vroeger is dat het niet lukt, omdat die Hele Leuke Jongen op zijn beurt naar een Heel Leuk Meisje kijkt, dat vijftien jaar jonger is dan ik. Ik laat me niet meteen ontmoedigen en verken op mijn gemak de dansvloer. Het is wel een tikje jammer dat ik nergens *Anschluß* heb. Hoe zou Kaitlin dat altijd doen op haar reizen? Ik had haar om tips moeten vragen. Laat ik eerst eens een drankje bij de bar halen. Daar zitten altijd mensen, daar raak je makkelijker aan de praat.

Het is dringen bij de bar, er is geen kruk vrij. Met veel moeite lukt het me een Baco te bestellen. Ik neem een paar flinke slokken, het brandt in mijn keel, heerlijk.

'*Bist du allein?*' hoor ik iemand naast me zeggen.

Verrast kijk ik opzij. Ik zie niemand.

'*Bist du allein?*' klinkt het weer.

Zit iemand me in de maling te nemen?

'Hallo!'

Het geluid komt van omlaag. Ik kijk om me heen. Vlak achter me staat een man, zijn kruin bevindt zich ter hoogte van mijn heup. Hij heeft in elke hand een pul bier. Het is een dwerg, een Duitse dwerg. Ze hebben het wel eens over dieptepunten in je bestaan, maar zo letterlijk had ik ze me nooit voorgesteld. Ik kan er niets aan doen, ik barst in lachen uit.

De mini-man beent weg, het bier klotst over de randen van zijn pullen. Even vraag ik me af of ik hem achterna moet gaan om mijn excuses aan te bieden. Maar waar zou ik me voor moeten excuseren? Hij maakte een *move*, hij had geen schijn van kans, ik wond er geen doekjes om. Waarom zouden we altijd overal doekjes om moeten winden?

Na nog twee Baco's ga ik weer dansen.

Al versier ik vanavond niemand, het interesseert me niet. Ik ben in Kadoc, ik ben in partyland, ik heb plezier, ik mag me bezatten, ik mag alles, ik ben een vrij mens.

Dan zie ik De Portugees. Beter gezegd: De Portugees ziet mij.

Het is een Hele Jonge Portugees. Zijn donkere haar is in tweeën gedeeld door een strakke middenscheiding. Hij heeft aandacht besteed aan zijn uiterlijk, dat is duidelijk, de puistjes op zijn voorhoofd kon hij niet camoufleren, de moedervlek op zijn wang maakt een hoop goed. Ondeugende blik, niet woest aantrekkelijk, wel een goede middenmoter. De vriend die hij bij zich heeft, is oninteressant. We maken oogcontact. Hij danst wat dichter naar me toe, ik laat hem komen. Niet veel later dansen de Hele Jonge Portugees en ik samen. Door mijn hakken ben ik iets groter dan hij.

'Hoe heet je?!' Ik moet het in zijn oor schreeuwen.

'Nuno', is het antwoord.

Nuno vraagt niet naar mijn naam. Wel doet hij me een onzedelijk voorstel. Of ik met hem wil zoenen.

'Ik, jou zoenen? Nu, hier, meteen?'

'Waarom niet?'

'Waarom wel?'

'Gewoon.'

'Weet je wel hoe oud ik ben?'

'Wat maakt dat nou uit?'

'Hoe oud ben jij?'

'Zeventien.' Hij zegt het met enige trots. 'Nou, mag het?'

Nuno's handen liggen al op mijn heupen. Ze voelen heerlijk aan, laat hij weten. Ik kan me niet voorstellen dat een jongen van zijn leeftijd het prettig vindt om mijn plaatselijke vetophopingen te masseren, maar goed, smaken verschillen.

Zijn vriend tikt hem op de schouder en maakt een gebaar.

'We moeten weg!' schreeuwt Nuno. 'Wat wordt het?'

Ja, wat wordt het?

Hij buigt zich naar me toe en drukt zijn lippen op de mijne. Ik laat het gebeuren. Mijn mond gaat een stukje open, zijn tong dringt naar binnen en maakt wilde draaibewegingen. Zijn rechterhand glijdt in een moeite door naar een borst en knijpt erin. Zeventien jaar en hondsbrutaal. Ik pak zijn pols en trek zijn hand gedecideerd van me af. Hij begrijpt de boodschap. Zijn tong maalt nog even door.

Het is niet bijzonder geil, het is niet bijzonder lekker en toch is het cruciaal. Ik zoen met een minderjarige, ik overschrijd een grens. Daarom ben ik hier. Om te leven. Om nieuwe, krankzinnige dingen mee te maken. Het opgewonden standje duwt zich tegen me aan, zijn vriend kijkt ongeduldig toe. Ik voel zijn erectie. Als ik zou willen, zou ik met hem naar bed kunnen. Hij heeft geen micropenis, dat is op zeker, vol, honderd procent.

'Wat wil je?' fluistert hij in mijn oor. Zijn adem ruikt naar bier.

Weer die erectie tegen mijn erogene zone. Mijn god, de tijden zijn wel veranderd. Of ben ik veranderd?

'Ik ben een moeder. Ik zou jouw moeder kunnen zijn.' Ik vind dat hij recht heeft op deze informatie voordat we verder gaan.

'Wat wil je, mama?' vraagt hij. 'Ik wil melk. Warme melk van mama.'

Dit joch is niet goed snik. Gedecideerd duw ik hem van me af.

Nuno is niet onder de indruk en vraagt of ik er morgen weer ben. De vriend trekt nu aan zijn arm.

'Geen idee,' antwoord ik.

Hij steekt zijn hand op en verdwijnt in de massa. Ik heb ogenblikkelijk behoefte aan een nieuwe Baco.

De rest van de nacht drink ik veel, te veel, en dans ik steeds wilder, ik voel me met de minuut aantrekkelijker worden, hoewel ik me dat vermoedelijk verbeeld, want als ik me rond vier uur probeer op te dringen aan een Best Aantrekkelijke Portugees van een jaar of vijfentwintig kijkt deze me met iets van walging in zijn ogen aan. Misschien is mijn make-up doorgelopen, ik moet hoognodig naar de dameskamer. Ik giechel hardop om mijn ongelooflijk lollige taalgrapje. Het is druk in de dames. We hebben allemaal kleine blazen en er zijn nooit genoeg wc's. Ik wil al naar de heren gaan als ik opeens mijn naam hoor.

'Hé, Julia!'

Even denk ik dat ik het me verbeeld, maar er staat toch echt iemand voor de spiegel die me bij mijn naam noemt. Via de spiegel kijkt ze me aan. Ik herken haar niet. Ze draait zich om.

'Wat maf om jou hier te zien, ken je me niet meer? Ik ben het, Lotus.'

Lotus, Lotus... er schiet me zo gauw geen Lotus te binnen.

'Vroeger heette ik Marion,' helpt ze.

O, Marion, natuurlijk, een vriendin van Kaitlin. Lang niet gezien. Ze heeft ander haar. Langer en blonder. En wat is ze slank. Slank en strak. Vast geen kinderen.

'Hé Marion, ik bedoel Lotus, hoe is het met jou?' De zin komt er moeizaam uit. Ik heb al een paar uur niet gesproken.

Lotus stort een lawine aan woorden over me heen. Wat grappig dat ze me hier tegenkomt, dat had ze nooit verwacht, ze had van Kaitlin gehoord dat ik getrouwd ben, twee kinderen heb gekregen, een meisje en een jongen, precies zoals het hoort, en dat ik helemaal huisje-boompje-beestje ben geworden. 'Kaitlin zegt altijd: "Ze woont in Amsterdam, dat is het enige wat nog wild is aan Julia,"' besluit ze lachend.

Ik weet niet wat ik daarop moet antwoorden.

'Je ziet een beetje bleek, gaat het wel goed met je?' vraagt Lotus.

'Iets te veel gedronken.'

'Ben je alleen?'

'Ja.'

'Houd jij er een geheim leven opna waar je zus niets van weet? En je man en kinderen, waar zijn die, liggen die ergens eenzaam in een hotelkamer?'

Ik vind Lotus erg scherp voor dit uur van de nacht. Te scherp.

'Mijn gezin is heel ver weg en ik ben alleen,' zeg ik. 'En niemand schijnt te denken dat ik in mijn eentje ook plezier kan maken. Terwijl ik dat best kan.'

Ineens heb ik zin om te huilen. Heel hard te huilen op de schouders van Lotus. Maar ik heb ook zin om over te geven. En ik moet plassen.

'Wat heb je allemaal gedronken?' vraagt Lotus. Ze maakt haar handtas open en rommelt erin.

'Vooral Baco's.'

'Wil je een oppeppertje?'

Ik kijk haar glazig aan.

'Een wit oppeppertje,' verduidelijkt ze. Ze neemt me mee naar een hoek van het toilet en duwt haar hand onder mijn neus. Er ligt wat poeder op de muis van haar hand.

'Is dat coke?' vraag ik, iets te hard.

'Sst!' zegt ze. 'Wil je het of niet?'

Drugsgebruikers, alcoholisten en rokers zijn zulke gezellige mensen. Ze willen altijd dat anderen meespuiten, meesnuiven, meedrinken en meeroken. Ze willen uitdelen. Dat siert ze. Op je zesendertigste kan een beetje coke vast geen kwaad. Ik snuif het spul op.

'Wedden dat je je zo een stuk beter voelt?' Lotus klopt me bemoedigend op mijn rug.

'Dank je,' zeg ik verward.

Als ik eindelijk op de wc neerdaal, merk ik pas goed hoe draaierig ik ben. Even blijf ik doodstil zitten, met mijn ogen dicht. Zo gaat het wel. Langzaam maar zeker verdwijnt mijn neiging om over te geven. Ik zou nog veel langer op de wc willen zitten als alles niet zo draaide. Het draaien moet ophouden. Ik knipper een paar keer met mijn ogen. Ping! Ineens is het alsof er een tl-buis aanfloept in mijn hoofd. Helder ben ik, glashelder. Dat moet de cocaïne zijn, het kan niet anders. Ik sta op, hijs mijn onderbroek omhoog en loop het damestoilet uit.

Onverwacht vast op mijn benen steven ik op de grote zaal af. Ik zie Lotus aan de zijkant van de dansvloer met een jongen staan praten. Ik moet even naar haar toe. Ze glimlacht als ze me ziet en brengt haar gezicht naar mijn oor. 'Vind je het lekker?'

'Zeg dat wel, ik voel me een stuk beter. Bedankt.'

'Als je je nou écht heel prettig wilt voelen, heb ik nog wel wat anders voor je.'

Wat een apart meisje, die Lotus. Ze is zo lief voor me, terwijl ik haar niet eens goed ken.

Ze pakt mijn hand en drukt er iets in. Het is een halfje. Je hebt het zeker nooit eerder gebruikt?'

'Wat?'

'XTC. Als je dat slikt, word je helemaal *mellow*.'

Ik durf niet in mijn hand te kijken.

'Voor tien euro mag je hem hebben. Daarna geen Baco's drinken. Alleen water, veel water. Doe alsof je moet hoesten en stop het snel in je mond, ze houden je hier in de gaten.'

'Ik gebruik overdag valium,' zeg ik tegen Lotus, die er blijkbaar verstand van heeft. 'Gaat dat wel samen, valium, coke en XTC?'

'Ja, hoor.'

Ik adem diep in en uit, doe alsof ik moet hoesten en slik het halve pilletje door. Lotus geeft me een slokje water uit de fles van de jongen met wie ze stond te praten. Hij heeft al die tijd geen woord gezegd, hij staart continu naar Lotus alsof ze een enorme bezienswaardigheid is.

Ik geef Lotus tien euro. 'Hoelang duurt het voordat ik iets merk?'

Ze hoort me niet meer, want de jongen trekt haar naar zich toe. Ik neem aan dat hij haar wil zoenen, maar hij is wat anders van plan. Hij likt haar wangen af, van links naar rechts met grote halen. Lotus ondergaat het met een flauwe glimlach. Als hij even pauzeert, likt ze hem terug. Ze begint bij zijn kin en likt recht omhoog, over zijn mond, via zijn neus naar zijn voorhoofd en weer terug. Zo gaat het een tijdje door, ze onderbreken het likgala alleen om af en toe een slokje water te nemen. Ze merken mijn aanwezigheid niet meer op, maar lijken er ook geen last van te hebben. Wonderlijk. Misschien is het een nieuwe trend. Wat hip is, en wat juist niet, is amper bij te houden wanneer je de twintig bent gepasseerd.

Ik ga weer naar de dansvloer. Het duurt niet lang voordat Lotus' halve pil begint te werken. Het licht van de tl-buis in mijn hoofd dimt, alles om me heen kleurt roze, alsof Tomás Taveira in mijn brein bezig is, en ik vind het niet eens erg. Ik vind Tomás lief, was hij maar hier, dan zou ik het hem vertellen. Dat hij een poepie is en dat hij ook maar zijn best doet om mooie dingen voor de mensen te maken en dat je altijd van die chagrijnen hebt zoals ik die alles afkraken. Morgen ga ik een briefje sturen aan Tomás, zeker weten.

Ik heb een droge mond, ik moet water drinken. Onderweg naar de bar zie ik in een hoekje de dwerg zitten. Ik begin dubbel te zien, want naast hem zie ik er nog eentje. Ik knipper een paar keer met mijn ogen. Het zijn er nog steeds twee, ze lijken op elkaar, alleen heeft de een een hawaïhemd aan en de ander een gestreept T-shirt. Ze staren zwijgend voor zich uit. Als ik me niet vergis, was het gestreepte T-shirt degene die mij probeerde te versieren. Ik stap op hem af.

'Sorry dat ik je net uitlachte,' zeg ik. 'Ik hoop dat je het niet erg vindt dat ik Engels praat, want mijn Duits is nogal beroerd.'

Dat vindt hij niet erg antwoordt hij in het Engels, met een Duits accent, en dat klinkt ontzettend schattig. Eigenlijk is hij helemaal schattig, en die ander ook. Kijk ze nou zitten in Kadoc. Twee koddige kabouters.

'Ben je nog boos op me?'

'Nee, hoor.'

'Mag ik jullie iets te drinken aanbieden?'

'Bier.'

Ik haal twee pullen en een flesje water voor mezelf. 'Zal ik erbij komen zitten?'

Hij vindt het best.

'Zijn jullie familie?' vraag ik.

'Ja.'

'Broers? Neven?'

'Broers.'

'Wat een pech voor jullie ouders.' Meteen sla ik mijn hand voor mijn mond. 'Sorry, ik bedoelde het niet lullig.'

Het geeft niet, ze zijn het gewend. Hun ouders zijn ook klein. Het hawaïhemd vertelt dat de kans een op vier was dat zij wel een normale lengte hadden gehad. Hun ouders hebben de gok twee keer genomen.

'Laten we proosten,' zeg ik. 'Klein, groot, dik, dun, wat maakt het uit? We zijn allemaal mensen. We willen allemaal hetzelfde.' Ik begin te zingen: '*Ein bißchen Frieden, ein bißchen Sonne für diese Erde auf der wir wohnen.*'

Het is het enige Duitse liedje dat ik ken. Ja, en dat van die negenennegentig luchtballonnen, maar dat heb ik zo snel niet paraat. Terwijl ik zing, vraag ik me ineens af of hun geslacht een normaal formaat zal hebben. Het zal toch wel? Er zit tenslotte geen bot in.

Het tweetal trekt een bedenkelijk gezicht. Misschien zing ik niet zo zuiver, misschien houden ze niet van Duitse liedjes. Ik vind ze moeilijk te peilen.

'*Skol!*' roep ik tenslotte.

We nemen allemaal een slok.

'Trouwens, ik ben Julia. En jullie?'

De mijne heet Wolfgang en het hawaïhemd heet Heinz.

'Wolfgang? Als in *Amadeus?*' vraag ik.

Hij knikt.

'Dat is mijn lievelingsfilm! Die is geweldig. *Super toll! Macht viel Spaß!*' Ik gooi er nog wat Duits doorheen om de kleine mannen een plezier te doen.

Wolfgang heeft *Amadeus* nog nooit gezien, Heinz ook niet. Ik kan het niet geloven.

'*Was ein blöde Wahnsinn! Amadeus* is de beste film aller tijden. Die moet je gezien hebben!'

De dwergen houden meer van James Bond. *Lord of the Rings* vinden ze ook leuk.

Ik kan niet meer blijven zitten, ik spring op van het bankje en huppel van de ene voet op de andere. 'Weet je wat we doen? We gaan nu naar een videotheek, we huren *Amadeus* op DVD en dan gaan hem we in mijn villa bekijken.'

'In jouw villa?' vraagt Wolfgang.

'Ja man, ik heb hier een villa. Een enorme villa. Daar passen wel honderd...'

Ik wil bijna lilliputters zeggen, maar slik het nog net in.

'...personen in.'

Wolfgang en Heinz kijken me aarzelend aan.

'Wil jij dat we met jou meegaan naar jouw villa?' vraagt Wolfgang tenslotte. 'Nu?'

'Ja, dat wil ik! En dan gaan we lol maken. Ik heb een heel groot bed. En twee bubbelbaden. En een zwembad. Weet je hoe mijn villa heet? Casa da Criança. Ik weet bij god niet wat dat betekent, maar het is een prachtig huis. Vanbinnen.'

'Waar is je man?' vraagt Heinz.

'Die is ergens anders. Niet hier. Ik ben alleen, helemaal alleen.'

Ineens komt er beweging in de lilliputters. Ze legen hun bierpul en staan op.

'Zijn jullie de enige... ik bedoel... kennen jullie nog meer kleine mensen hier in de omgeving?' vraag ik Heinz.

Hij schudt van nee.

'Is er geen verzamelpunt of een vereniging of zoiets?'

'Nee,' zegt Heinz. 'Hoezo?'

'Beloven jullie dat je niet boos wordt?'

Ze beloven het.

'Ik vind jullie schattig.' Om te bewijzen hoe schattig ik ze vind, geef ik ze allebei een kus op hun voorhoofd. 'Ik kan me voorstellen dat het leven voor jullie heel zwaar is en daarom ga ik jullie straks helemaal doodknuffelen. Het allerliefst zou ik nog vijf kleine mannen meenemen naar Casa da Criança en die zou ik dan ook allemaal verwennen, net zoveel als jullie, allemaal evenveel. En jullie zouden mij ook verwennen, we zouden elkaar van top tot teen verwennen en dan zou ik de volgende ochtend wakker worden en me een echte prinses voelen.'

Heinz fluistert iets in het oor van Wolfgang. Dat vind ik niet leuk. We kunnen best open en eerlijk met elkaar praten. We zijn vrienden.

'Nou, hoe zit het? Gaan jullie mee?' vraag ik.

Ze smoezen nog even door.

'Mijn broer denkt dat je kickt op gehandicapten,' zegt Wolfgang dan. 'En dat je ons daarom uitnodigt.'

Dit moet een hallucinatie zijn. Sta ik nu werkelijk op het punt om te worden afgewezen door twee dwergen? Ik probeer mijn gezicht in de plooi te houden. 'Beste Wolfgang, beste Heinz, met mijn hand op mijn hart: ik heb nog nooit gefantaseerd over seks met gehandicapten. Niet dat ik ze weiger in mijn fantasieën, laat dat duidelijk zijn, maar het is er gewoon nog nooit van gekomen. Geloven jullie dat?'

Wolfgang knikt, Heinz blijft enigszins argwanend.

'Zullen we dan maar?'

'Oké,' zegt Wolfgang na een snelle blik op zijn broer.

'Top! We pakken mijn auto. Ik heb een *ganz geile* jeep. Wacht nog heel even, ik ben zo terug.'

Ik ga op zoek naar Lotus. Ze staat op de dansvloer met de jongen en ze dansen heel traag. Ik loop naar haar toe en geef haar een likje op haar neus. Omdat ik haar vriend niet wil beledigen, krijgt hij er ook eentje. Ik hoop dat ze zien hoe snel ik in het uitgaansleven assimileer.

'Dat pilletje van jou,' roep ik in haar oor. 'Dat bevalt me. Mag ik de andere helft ook?' Ik duw een tientje in haar hand.

'Sorry, het is mijn laatste halfje. Je mag het wel hebben, maar dan wil ik er twintig voor hebben.'

Alsof dat een probleem is voor de voorzitster van de Stichting voor het Behoud en de Redding van het Gezin. Ik kijk in mijn portemonnee: alleen nog een biljet van vijftig. Lotus heeft geen wisselgeld, de jongen is niet in staat tot een financiële transactie. Ik heb geen zin om naar de bar te gaan. Dan maar vijftig euro voor een halfje XTC. Even hoesten en hup, het schatje is naar binnen.

Ik stop mijn portemonnee terug in mijn tas, pak mijn mobiel en zet hem weer aan. Na een halve minuut komen de gemiste oproepen door. Het zijn er zeven. Zeven keer Paul. Hij heeft geen boodschap ingesproken. Als er echt iets was, zou hij dat wel hebben gedaan. Het is te laat om terug te bellen, ik doe het morgen wel.

Wolfgang en Heinz staan braaf op me te wachten. Ik haal mijn spijkerjack op bij de garderobe, we gaan naar buiten en snuiven de frisse nachtlucht op. Ik kijk omhoog.

'Wauw, wat een sterren! Moet je nou toch zien. Schitterend!'

Wolfgang en Heinz lopen om mijn jeep heen. Die vinden ze mooier.

'Waar verblijven jullie eigenlijk?'

'Op Camping Albufeira.'

'In een tent?'

Ze knikken.

De dwergen klauteren in mijn jeep, het is een hele klim. We sjezen naar de villa. Wolfgang zit naast me, Heinz achterin. Met honderddertig kilometer per uur over de snelweg is het een ritje van niks. Onderweg zet ik de radio aan, we arriveren in een opperbeste stemming in Sesmarias. Als ik het hek van de villa openmaak, de buitenlampen en de zwembadverlichting aandoe, zijn de mannen onder de indruk.

'Welkom in Casa da Criança!' zeg ik trots. 'Zullen we een duik nemen? Het zwembad is verwarmd.'

Wolfgang en Heinz hebben geen zin. Ik wel. Ik doe mijn sandalen en mijn spijkerjack uit en neem een duik. Mijn bloed bevriest in mijn aderen, het is alsof ik in een bak ijswater ben gesprongen. Jezus christus, wat heeft Eddie die thermostaat zuinig afgesteld. Er staat me iets bij van een zeil waarmee ik het zwembad 's nachts moest afdekken. Niet gedaan.

Ik zwem naar de thermometer. Het water is vijftien graden. Ik houd me groot. 'Kom erbij, jongens, het is heerlijk. Je weet niet wat je mist.'

'We willen naar binnen,' zegt Heinz. 'We hebben het koud.'

Ze kunnen wel zeiken, die dwergen.

Ik klim het zwembad uit. Met blauwe lippen en een druipende jurk loop ik naar de voordeur. 'Wil jij mijn jack en mijn schoenen even pakken, schat?' vraag ik Wolfgang. Hij aarzelt even en loopt dan terug om de spullen op te halen. Dat hij dat niet even uit zichzelf heeft gedaan, wonderlijk. Ze zijn sowieso een beetje horkerig, die dwergen van mij. Ik bedoel: wie heeft alle rondjes betaald? Julia. Wie neemt ze mee naar een luxeverblijf? Julia. Enige dankbaarheid zou op zijn plaats zijn.

Kleine mensen moeten blijkbaar al zo veel moeite doen om zich staande te houden dat sociaal gedrag niet hoog op hun prioriteitenlijst staat. Dat zal de verklaring zijn. Het zou wel erg toevallig zijn als ik nu net de meest horkerige aller dwergen eruit heb gepikt om een nacht in mijn villa mee door te brengen.

Casa da Criança kan de goedkeuring van Wolfgang en Heinz wegdragen. Terwijl de mannen de villa verkennen ontdoe ik me in de badkamer van mijn natte kleren, wrijf me warm met een handdoek en trek een roomkleurige badjas aan. Ik vind mijn nieuwe vrienden terug in de keuken. Ze zijn op zoek naar bier.

'Sorry, ik heb alleen wijn in huis. En melk.'

Ze houden niet van wijn.

We doorzoeken alle kasten en vinden een fles wodka die nog voor driekwart vol zit. Daar hebben ze wel trek in. Omdat ik zo gauw geen glazen zie, schenk ik twee koffiekopjes vol. Ik neem water.

We proosten.

'Wat zullen we doen, jongens?' vraag ik na tien minuten. Heinz heeft Wolfgang en zichzelf al een keer bijgeschonken zonder toestemming te vragen. Het tweetal zegt weinig, eigenlijk zeggen ze niets. Ik moet de conversatie gaande houden, ik moet de stemming erin houden, het is best moeilijk om een goede gastvrouw te zijn.

Wolfgang haalt zijn schouders op. Hij ziet er lief uit in zijn streepjes T-shirt. Hij is net een kleine zebra.

'Je hebt een mooi shirt aan,' zeg ik. 'Het lijkt zo zacht, alsof je een dierenvel hebt. Mag ik eens voelen?'

Het mag.

Ik aai Wolfgang over zijn borst. Het is inderdaad zacht, mijn hand gaat ervan tintelen, ik blijf hem strelen, ik kan er niet mee ophouden.

Heinz neemt nog een wodka, Wolfgang bedankt. Heinz kijkt een beetje bozig, misschien voelt hij zich tekort gedaan. Zijn overhemd is wit met rode bloemen. Ik stop met strelen, ga naar Heinz toe en buk me om mijn neus in zijn overhemd te stoppen. Ik besnuffel zijn kraag. 'Ik wist het,' zeg ik tevreden. 'Je hemd ruikt verrukkelijk, het is net Anaïs Anaïs.'

Eens zal tederheid de wereld voor zich winnen.

Dat is een belofte waar ik verdrietig van word. Omdat hij niet waar is. Je zou wel willen dat het waar was en als je dat nimfachtige meisje ziet dat nooit ouder wordt en dat zo zoet over haar opengevouwen handen blaast, zou je bijna denken dat het mogelijk is, maar dan begint het *Achtuurjournaal* en worden al je fantasieën over tederheid met de grond gelijk gemaakt.

'Laten we teder zijn,' zeg ik tegen Wolfgang en Heinz. 'Laten we een begin maken met het verspreiden van tederheid over de wereld. Ik zal Tomás Taveira bellen, laten we samen een piramide van tederheid bouwen.'

Heinz en Wolfgang beginnen weer te smoezen, ik krijg niet de indruk dat ze staan te trappelen om een piramide van tederheid met me te bouwen.

'Is er iets te eten in huis?' vraagt Heinz.

Ongelooflijk, wat een stelletje. Ze hebben geluk dat ik in een bijzonder ruimhartige bui ben. En dat ik vanmiddag melk, brood en eieren in huis heb gehaald. Ik inspecteer het kruidenrek van de villa. Er is kaneel. Heel goed.

'Zin in wentelteefjes, jongens?'

Ze weten niet wat dat zijn. Een soort pannenkoeken, leg ik uit, gemaakt van boterhammen. Wolfgang knikt gretig, Heinz blijkt te kunnen glimlachen.

Ik graai in de laden, pak een schort en doe het voor. Zonde om vlekken op mijn badjas te maken. De dwergen bieden geen hulp aan. Volgens mij zijn ze nogal verwend. Hoofdschuddend giet ik de melk in een kom.

Tijdens het kokkerellen worden mijn gasten steeds stiller, en ze waren al niet erg spraakzaam. Als ik het eerste goudbruine wentelteefje wil showen, liggen ze allebei te slapen. Wolfgangs hoofd rust op zijn borst, dat van Heinz op tafel. Het is kwart over vier op de keukenklok.

'*Mahlzeit!*' Ik schud Wolfgang voorzichtig wakker. Heinz komt ook overeind en rekt zich geeuwend uit. Ik zet een stapel wentelteefjes op tafel.

'Eerst pissen,' zegt Heinz.

'Was je wel je handen?' Het floept er zo uit.

Hij kijkt me raar aan.

Wolfgang pakt drie borden uit de kast.

Suiker is er alleen in klontjes. Het is behelpen, toch probeer ik het *gemütlich* te maken, zo vaak heb ik nou ook weer geen gasten in mijn villa. De wentelteefjes smaken heel behoorlijk. Heinz eet er drie, Wolfgang twee, ik heb na anderhalve genoeg. Terwijl Wolfgang en ik de tafel afruimen, werkt Heinz de restanten op mijn bord naar binnen, daarna is de stapel schoon op. Het doet me deugd.

Om kwart voor vijf is de keuken aan kant. We zijn uitgepraat en uitgegeten. Heinz gaapt alleen nog maar. Het feestje is over zijn hoogtepunt heen.

'Ik ga naar bed.'

De dwergen staan als één man op.

Ik begrijp dat ik ze nu niet naar huis kan sturen. 'Jongens, er zijn genoeg kamers boven, zoek maar een mooie uit.'

Heinz schudt zijn hoofd. 'Wij slapen bij jou. Dat heb je beloofd.'

'Ja,' valt Wolfgang hem bij. 'Je zou ons verwennen.'

'Volgens mij heb ik dat net gedaan.'

Het roze licht in mijn hoofd begint zo langzamerhand groen en geel te worden. Ik vind de dwergen steeds minder onweerstaanbaar en schattig. Ze zijn zo ontevreden, je kunt beter een roedel uitgehongerde rottweilers mee naar huis nemen dan twee mannen van een meter dertig.

'We willen bij jou in bed,' herhaalt Heinz.

'Vergeet het maar.'

'Waarom niet?'

'Omdat ik moe ben.'

Heinz begint weer te smoezen met zijn broer.

'Wat is er nou?' vraag ik geïrriteerd.

'Heinz denkt dat je discrimineert,' zegt Wolfgang. 'Hij zegt dat je niet met ons wilt slapen, omdat we klein zijn.'

'Kan Heinz niet zelf praten?'

'Je hebt hem erg teleurgesteld.'

Ze willen bij mij in bed. Op zich is er ruimte genoeg. Ik monster de broers van onder tot boven. Zouden ze sterk zijn?

Zouden ze me kunnen overmeesteren als ze samenspannen? Straks word ik verkracht door die twee idioten.

'Wat wordt het?' vraagt Wolfgang.

Volgens mij heb ik die vraag vanavond al eerder gehoord, ik weet niet meer wat ik toen heb geantwoord. Ik ben niet meer in staat om helder te denken, nog even en ik val om. 'Goed, goed, jullie mogen mee. Maar alleen om te slapen. Ja?'

We gaan naar boven, naar de *master bedroom* van Casa da Criança. Wolfgang gaat naar de wc, Heinz kleedt zich uit. Ik hoop maar dat hij zijn onderbroek aanhoudt.

Ik heb nog steeds mijn badjas aan. Daaronder ben ik naakt. Ik pak de grootste onderbroek en het wijdste T-shirt dat ik kan vinden en ga naar de badkamer. Als ik terugkom, is het aardedonker in de slaapkamer. 'Hé, ik zie niks,' protesteer ik.

Er wordt een lampje aangeknipt.

Wolfgang en Heinz liggen naast elkaar en kijken me verwachtingsvol aan. Hun bovenlichaam is naakt. Ze hebben veel borsthaar. Zo hebben ze toch wel weer iets aandoenlijks.

'Jullie weten het, hè?' zeg ik waarschuwend. 'Geen geflikflooi.' Ik klim in bed. Eindelijk kan ik plat. Godzijdank. Mijn arme voeten. 'Welterusten, jongens.' Ik draai me op mijn zij en knip het licht uit.

'Wat zei ik je? We krijgen niet eens een nachtkus,' moppert Heinz.

Ik schiet overeind. 'Nou moet jij echt ophouden, godverdomme! Wie denk je wel dat je bent? Ondankbare *Schweinhund*. Wil je een nachtkus? Hier...'

Ik doe het licht aan, buig me over Wolfgang heen, die naast me ligt, trek het hoofd van Heinz naar me toe en pers mijn lippen hard op de zijne.

'Zo! Was dat lekker? Wil je meer?'

Hij kijkt me angstig aan.

In de badkamer had ik valium willen nemen, misschien had ik dat beter wel kunnen doen. 'Je zegt het maar, hoor! Moet ik je aftrekken? Of even pijpen misschien?'

Het gaat niet helemaal goed met me. Het is me allemaal een beetje te veel. De drank, de pillen, de dwergen. Ik wou dat ik thuis was. Ik wou dat ik gewoon naast Paul lag. Isabel en Jim horen nachtkusjes van mij te krijgen, en niemand anders.

'Rustig nou maar,' zegt Wolfgang.

'Laat me dan ook met rust!' roep ik. 'Jullie begrijpen er niks van.'

Wolfgang aait me onhandig over mijn rug.

'Wat verwachten jullie nou eigenlijk?'

'Niks, helemaal niks,' sust Wolfgang. 'Ga maar slapen.'

Ik ga weer liggen. Heinz stapt het bed uit. Hij is spiernaakt. Gedrongen en naakt. Hij heeft een normaal geslacht. Het is half stijf. Ik wil het niet zien, maar ik zie het toch. Hij gromt iets onverstaanbaars en verlaat de slaapkamer.

'Wil je dat ik ook wegga?' vraagt Wolfgang.

'Heb je een onderbroek aan?'

'Natuurlijk.'

'Blijf dan maar,' zeg ik sniffend.

Het licht gaat weer uit.

Het is doodstil. We durven geen van tweeën een vin te verroeren. Ik vrees dat ik nooit in slaap zal vallen. Toch gebeurt het. Ik droom over twee dwergen die zich boven me aftrekken en elkaar na afloop een *high five* geven.

Vanuit de verte klinkt een geluid. Een penetrant, bekend geluid. Het houdt maar niet op, het gaat maar door, laat het stoppen. Het stopt niet, het is mijn mobiel. Iemand belt me. Met gesloten ogen tast ik mijn nachtkastje af tot ik het toestel te pakken heb.

'Hallo,' zeg ik schor.

'Dag mama, met Jim,' zingt mijn zoon.

Meteen ben ik klaarwakker. Ik kijk naast me. Daar ligt Wolfgang. Hij is door de herrie heen geslapen, zijn mond hangt open, op het kussen zit een natte plek.

'Dag, schat. Hoe is het?' fluister ik. Wolfgang mag in geen geval ontwaken, Jim mag geen mannenstem horen. Als ik overeind wil komen, draait Wolfgang zich om, zijn hand belandt op mijn buik. Ik hou nog net een kreet van afschuw binnen.

'Goed. Weet je, mam, ik mag vandaag na school van papa....'

Voorzichtig til ik de hand van Wolfgang op en leg hem naast mijn lichaam. Ik glip het bed uit.

'...en Isabel ook. Leuk, hè?'

'Heel leuk, lieverd.' Op mijn tenen sluip ik de slaapkamer uit. Een van de slaapkamerdeuren staat op een kier. Daar zal Heinz wel liggen.

'Wanneer kom je thuis?' vraagt Jim.

'Dat weet ik nog niet, Jim. Ik ben hier pas twee dagen.' Ik loop de trap af. Mijn hoofd bonkt bij elke stap. Zo'n kater heb ik in geen tijden gehad. Ik zal nooit meer drinken en Lotus mag haar pillen voortaan houden. 'Ga je vandaag nog iets leuks doen?'

'Dat zei ik net,' zegt hij verontwaardigd.

'Sorry, ik ben nog een beetje slaperig. Het is hier een uurtje eerder, hè?'

'Hier komt Isabel.'

'Alles goed met je hersens?'

Hij is al weg. Ik kijk op de keukenklok. Kwart over zeven, het is daar dus kwart over acht. Dit staat me iedere ochtend te wachten. Ik hoop dat Paul ze in het weekeinde wat later laat bellen.

'Hoi, mam!' Isabel klinkt opgewekt.

'Dag, meisje.'

'Ik heb van papa een mobiele telefoon gekregen.'

'Dat heb ik gehoord.'

'Hij is cool, je kunt er ook filmpjes mee maken. En foto's. Ik ga elke dag een filmpje opnemen. Heb je nou al mail daar?'

'Nee. Nog niet. Hoezo?'

'Om het filmpje te mailen, natuurlijk.'

'Natuurlijk.'

'Ik moet nu naar school.'

'Dat is goed. Veel plezier. Kus voor papa.'

'Hij staat naast me, hier heb je hem. Dag, mama.'

Er is geen ontsnappen aan, ik krijg Paul aan de lijn. 'Waar was je gisteravond?' vraagt hij bars.

'Ik was weg.'

'Dat heb ik gemerkt, ja. Je was onbereikbaar.'

'Mijn telefoon zat in mijn tas,' zeg ik verdedigend. 'Ik heb hem niet horen afgaan.'

'Hij stond uit. Ik kreeg je voicemail. Ik heb je zeven keer gebeld. Zeven keer! Je hebt je mobiel blijkbaar niet eens gecheckt. Stel je voor dat er wat was gebeurd…'

'Er ís niets gebeurd, Paul!'

'We hadden een afspraak, Julia.'

'Sorry hoor, maar jij hebt die afspraak gemaakt. Je hebt mij niets gevraagd.'

'*Nicht so laut, bitte!*' Heinz verschijnt boven aan de trap, hij is nog steeds naakt. '*Ich kann nicht schlafen!*'

Ik wijs naar de telefoon en doe mijn wijsvinger over mijn lippen.

'Wat hoor ik?' vraagt Paul.

'Niks,' zeg ik snel.

'Is er iemand bij je?'

Ga weg, gebaar ik naar Heinz. Hij werpt nog een verstoorde blik naar beneden en verdwijnt. De deur van zijn slaapkamer gaat met een klap dicht.

'Nu begrijp ik waarom je onbereikbaar was. Mevrouw is al niet meer alleen.'

'Hou toch op, Paul. Er is niemand hier, geloof me.'

'Wil je weten hoe het met je gezin gaat, heb je daar nog enige interesse in?'

'Ik heb de kinderen aan de lijn gehad.'

'En dat was alweer meer dan genoeg, bedoel je?'

'Dat bedoel ik niet.' Ik probeer rustig te blijven. 'Ik ben net wakker, het is hier nog geen half acht.'

Paul zucht. 'Ik doe dit niet om je te pesten, Julia. Ik doe het voor de kinderen, voor ons…'

De rest van zijn antwoord gaat verloren in het geluid van een drilboor.

'Wat was dat?' vraag ik als het ophoudt.

'Ze zijn begonnen met de sloop,' zegt hij geërgerd.

Natuurlijk, die ellende zou deze week beginnen, ik was het glad vergeten. Een blok vervallen huizen in onze straat gaat tegen de vlakte en wordt vervangen door nieuwbouw. Ik heb mijn vertrek niet eens zo slecht gepland. Als ik wil zeggen dat ik drie keer per dag bellen een beetje veel vind, begint de drilboor weer. Misschien is dit ook niet het goede moment. Ik zal het later aankaarten. Als ik helder, uitgeslapen en katervrij ben. Christus, wat voel ik me beroerd.

'Dit is niet te doen, ik spreek je later, oké? Dag, Paul!'

Ik ga naar boven, naar mijn slaapkamer. Wolfgang is overal doorheen geslapen. Ik neem een paar maagtabletten, wat valium en kruip terug in bed.

Als ik voor de tweede keer wakker word, ruik ik koffie. Wolfgang is verdwenen. Het is kwart voor elf. Ik moet opstaan, over een kwartier begint de middagpauze van Isabel. Hopelijk zijn mijn gasten aan het ontbijten, des te eerder zijn ze vertrokken.

Ik loop de badkamer in. Wolfgang zit in het bubbelbad.

'Goedemorgen!' zegt hij met een brede glimlach. Hij is een stuk vrolijker als zijn broer niet in de buurt is.

'Hoi,' antwoord ik lauwtjes.

'Dit is best uit te houden, hoe lang mogen we hier blijven?'

Even ben ik met stomheid geslagen. 'Blijven?' breng ik dan uit. 'Jullie blijven niet, jullie gaan!'

Wolfgang rijst op uit de bubbels. 'Mijn broer had gelijk,' constateert hij. 'Je voelt niets voor ons.'

'Ik voel heus wel wat,' lieg ik. Voelde, zou ik moeten zeggen, ik heb iets gevoeld, het was chemisch opgewekt, maar dat maakte het niet minder echt.

'Doe je shirt dan uit en kom erbij.'

Ik zucht. 'Wolfgang, jullie moeten gaan.'

'We gaan niet.' Hij laat zich weer in het water zakken.

Het zal me toch niet gebeuren dat ik een instantie moet inschakelen om twee dwergen uit Casa da Criança te laten zetten? Ik bijt op mijn lip. 'Mijn man komt vandaag thuis.'

'Geloof je het zelf?'

'Ik wil geen vervelende toestanden,' zeg ik snel. 'Hij is een stuk ouder dan ik en erg jaloers. Hij was een paar dagen aan het golfen. Ik weet niet precies hoe laat hij hier is. Kleed je alsjeblieft aan, neem je broer mee en ga terug naar je camping.'

'Heinz wil ook blijven. Die krijg je echt niet weg. Trouwens, hoe zouden we vanaf hier op onze camping moeten komen?'

'Weet ik veel.' Een halve nacht in een villa en al volledig afhankelijk. 'Ik zal kijken of ik een taxi kan regelen. Kom nou eerst maar uit bad, straks staat mijn man voor de deur.'

Ik ga naar de slaapkamer en pak mijn mobiel. In plaats van de taxicentrale bel ik Eddie.

'Eddie, met Julia.'

'*Hello, love.*'

Gelukkig, hij heeft me mijn scheldpartij op Tomás Taveira vergeven. 'Even een rare vraag, Eddie.'

'Julia, ik ben bijna zestig jaar. Ik vind niets raar.'

'Een paar collega's van mij zijn langsgekomen. Acteurs. *Method actors*, je kent het wel. We zijn wat aan het improviseren, we zitten midden in een scène en hebben een jaloerse echtgenoot nodig. Zou jij... ik durf het bijna niet te vragen...'

'Zou ik wat?'

'Zou je die rol op je willen nemen? Je moet hem dan wel spelen vanaf de eerste seconde dat je binnenkomt, kun je dat? Die twee mannen zijn zogenaamd mijn minnaars. Jij ziet ze, wordt woest en jaagt ze het huis uit.'

'Is dat alles?'

'Ja. En eigenlijk zou je gelijk moeten komen. We zitten er al middenin, weet je. Ik doe nu alsof ik een taxi bel, omdat mijn man zogenaamd elk moment kan binnenstappen.'

Eddie legt zijn hand over de telefoon, ik hoor hem gedempt praten, vermoedelijk met Doris. 'Het kan,' zegt hij. 'Voor alle duidelijkheid: ik ben jouw man, ik kom binnen, ik zie je minnaars, het zijn er twee, toch?'

'Yep.'

'En ik jaag ze het huis uit.' Hij praat met een zware, boze stem.

'Geweldig, je bent een *natural*, ik hoor het al.'

'Zal ik de honden meenemen?'

'Nee, nee, dat hoeft niet. Je komt van de golfbaan.'

'O, dan pak ik mijn *clubs* even.' Hij lacht. 'Het komt mooi uit dat ik de sleutels van de villa heb, hè? Zo lijkt het echt alsof ik de heer des huizes ben.'

'Zeker,' zeg ik. 'Nog een dingetje. Je zult waarschijnlijk schrikken als je de acteurs ziet, maar dat is geen probleem. Dat weten ze. Dat maakt je reactie des te overtuigender, oké?'

'Je begint in raadsels te spreken, love. Ik kom je redden.' Eddie hangt op.

Laat Heinz aangekleed zijn, bid ik. Laat Wolfgang uitgebubbeld zijn. Laat Eddie zijn rol goed spelen. Laat deze nachtmerrie eindigen.

'*Darling, I'm home!*'

Eddie komt binnen met een golftas over zijn schouder en een geruite pet op zijn hoofd. Ik snel naar hem toe en kus hem op zijn wang.

'Hallo, liefste,' zeg ik.

Hij geeft me een knipoog. 'Tjonge jonge, wat heb ik fijn gegolfd. Heerlijk gewoon,' zegt hij iets te luid. Hij zet zijn tas in een hoek van de hal. 'Ik rammel van de honger. Ik denk dat ik maar eens in de keuken ga kijken of mijn vrouwtje iets lekkers in de koelkast heeft liggen.'

Ik krijg een tikje op mijn achterste. 'Wacht!' roep ik gespeeld paniekerig. 'We hebben bezoek.'

'Bezoek?' roept Eddie. 'Je hebt me niet verteld dat we gasten zouden krijgen.'

'Onverwachte gasten,' zeg ik.

'Onverwachte gasten? Wij hebben nooit onverwachte gasten!' Eddie gilt het bijna uit.

Op dat moment stappen Wolfgang en Heinz de scène binnen.

Heinz heeft een kop koffie in zijn hand, voor de rest is hij nog altijd naakt, Wolfgang heeft alleen een handdoek om. Drie monden zakken simultaan open.

'Schat, het spijt me.' Ik pak Eddie's arm en schud eraan om hem terug in zijn rol te dwingen. 'Ik had het je moeten zeggen. Dit zijn vrienden van me. Vrienden van vroeger. We hebben gisteravond herinneringen opgehaald. We hebben te veel gedronken. Ze zijn blijven slapen.'

Eddie is weer bij zinnen. 'Blijven slapen?!' buldert hij. Hij vindt het duidelijk moeilijk zijn eigen teksten te verzinnen.

'Er is niets gebeurd, ik zweer het je.'

'Inderdaad.' Heinz mengt zich in de conversatie. 'Zij wilde wel, ze smeekte erom, wij hadden er alleen geen trek in. Ze is te oud voor ons. We kunnen wel wat beters krijgen dan twee hangtieten, een dikke kont en een gerimpelde kop.' Hij neemt een slok koffie en kijkt me triomfantelijk aan.

Eddie weet zich even geen raad. 'Julia,' zegt hij. 'Julia.' Improviseren, laat hem improviseren. 'Noem je dit vrienden?' brengt hij tenslotte uit.

'Ja, ik bedoel, nee. Ze hebben misbruik gemaakt van mijn gastvrijheid. Ik wilde dat ze weggingen, zij stonden erop om te blijven.' Ik staar naar de grond.

'Schaam je!' Eddie neemt zijn geruite pet af en gooit hem naar Heinz.

Die zet zijn koffie weg, raapt de pet op en bedekt zijn geslacht ermee.

'Eruit!' roept Eddie.

Eindelijk.

'Horen jullie me? Wegwezen. Jullie hebben mijn vrouw beledigd en in verlegenheid gebracht. Verdwijn!' Hij opent de voordeur. 'Zonder kleren?' fluistert Eddie in mijn oor.

Welja, waarom niet.

Wolfgang en Heinz lopen langzaam achteruit. Dat is de verkeerde kant op.

Eddie heeft de smaak te pakken. Hij haalt zijn mobiel uit zijn broekzak. 'Ik bel nu de politie. De Portugese politie houdt niet van huisvredebreuk.'

De broers veranderen van richting.

Ik loop naar de slaapkamer, graai hun kleren bij elkaar en ga terug naar de hal. De dwergen staan op hun blote voeten op het grind.

Eddie zwaait dreigend met een club. 'En waag het niet om hier ooit nog terug te komen!'

Ik gooi de kleren naar buiten, de dwergen pakken ze bij elkaar en zetten het op een lopen. We kijken ze samen na.

'Was ik goed?' vraagt Eddie. 'Of moet ik nog door? Komen ze terug?'

'Nee, ze blijven weg. We spelen een scène altijd helemaal uit.'

Hij knikt begrijpend. Wolfgang en Heinz rennen nog steeds. Ze passeren Casa Encantador, ze zijn bij de bocht, ze passeren de bocht, ze verdwijnen uit zicht. Niet veel later slaan de honden van Eddie aan. Dat brengt een grimas op mijn gezicht.

'Die ene heeft mijn pet nog. Die krijg ik toch wel terug?' vraagt Eddie zorgelijk. 'Ik heb hem in 1996 gewonnen bij een toernooi. Het is mijn gelukspet.'

Ik geef geen antwoord. Een dikke kont, hangtieten en rimpels. Staat genoteerd. Kleine mensen en dronkaards vertellen de waarheid.

Hoofdstuk 16

Ik rijd naar het centrum van Carvoeiro. Isabel heeft net gebeld. Ze had groot nieuws. Ze mocht het eigenlijk niet zeggen, maar papa had beloofd dat als Jim en zij heel lief waren ze dan met z'n drietjes bij mij op bezoek zouden gaan. En dat ik dan waarschijnlijk met hen mee terug naar huis ging. Ik liet mijn toestel bijna uit mijn handen vallen na deze mededeling. Was Paul helemaal gek geworden?

Ik parkeer de jeep op het plein, ga op het bankje zitten en kijk naar de zee. De zon schijnt in mijn gezicht. Ik sluit mijn ogen en adem een paar keer diep in en uit. Een zachte stem spreekt me troostend toe.

– Ontspan je, Julia. Probeer het vandaag zonder valium. Doe het op eigen kracht. Dit is Portugal, hier is geen stress, je hebt alle tijd voor jezelf. Nederland is ver weg, niemand weet waar je bent, onthoud dat goed: als jij het niet wilt, kan niemand je vinden.

Jimmy! Wat ben ik blij dat hij er nog is. Hij begrijpt me. Hij weet waarom ik alleen moet zijn. Mijn mobiel piept. Een smsje van Paul: wat is je adres?

Ik druk het bericht weg zonder het te beantwoorden. Dit gaat fout, Paul trekt te veel aan me, ik word voortdurend aan thuis herinnerd, op deze manier kom ik nooit los, kom ik nooit aan mezelf toe.

Een oud mannetje met een stok schuifelt mijn kant op. Het is dezelfde als de vorige keer, het mannetje met de semafoon. Hij gaat naast me zitten. Ik knik hem vriendelijk toe, hij knikt terug, ik geloof niet dat hij me herkent.

Opnieuw een piepje. Opnieuw Paul: vanavond bel ik om tien uur, jouw tijd. Zorg dat je bereikbaar bent.

Dit is het probleem. Ik ben bereikbaar. Ik ben weg, maar hij kan me nog steeds vinden. Elk bericht uit Nederland werkt op mijn schuldgevoel. Bij elk gesprekje met de kinderen word ik bevangen door twijfels: doe ik hier goed aan? Moet ik volhouden of stoppen? Moet ik terug naar huis?

Verdomme, ik ben net weg, natuurlijk moet ik doorgaan. Er zijn te veel onopgeloste kwesties die ik daar niet kan uitzoeken. Thuis word ik opgeslurpt, ben ik de spons die alle problemen van iedereen opzuigt en ze het liefst gelijk wil verhelpen. Thuis is een kloof ontstaan tussen Paul en mij, en ik ben bang dat we net als mijn ouders zullen eindigen: volledig vervreemd van elkaar. Kan wegvluchten de manier zijn om een kloof te dichten? Als ik thuiskom, kan ik het Paul dan uitleggen? Kan ik dan weer slapen, kan ik hem liefhebben, echt liefhebben?

Laat ik praktisch blijven. Dat is mijn sterkste kant. Het belangrijkste is dat ik bereikbaar ben voor noodgevallen. God verhoede dat er iets met de kinderen gebeurt, maar als er iets gebeurt, moet Paul me kunnen vinden.

Ik kijk opzij. Het oude mannetje leunt tevreden op zijn stok. Dat is het. Hij heeft de oplossing voor mijn probleem op zak. Ik tik hem op zijn schouder. '*Semafono? Semafonos? Beeper?*' probeer ik, terwijl ik naar zijn broekzak wijs.

Hij herkent me nog steeds niet en fronst verbaasd. Hoe kan ik weten wat hij in zijn broek heeft? Na enige aarzeling haalt hij het ding tevoorschijn. Ik glimlach breed en pak mijn portemonnee.

'*How much? Quanta costa?*'

Hij schudt zijn hoofd. Nee, hij is niet te koop.

'*Where can I buy semafonos?*' vraag ik. De oude man begint een heel verhaal in het Portugees, waar ik geen woord van versta.

Dit schiet niet op. Ik loop naar het meisje van de ijssalon. Spreekt zij Engels? Ja, dat doet ze. Zou ze aan die oude man op het bankje willen vragen waar hij zijn semafoon heeft gekocht? Natuurlijk wil ze dat. De reisgids had helemaal gelijk: Portugezen zijn reuze vriendelijk tegen vreemdelingen. Het meisje fungeert als tolk. De oude man blijkt de semafoon te hebben gekregen van zijn dochter, zij had hem weer van het ziekenhuis waar ze werkte.

Juist.

‘Wilt u alstublieft zeggen dat ik hem wil kopen? Ik heb er honderd euro voor over,’ zeg ik roekeloos.

De ogen van het meisje worden groot. Ze vertaalt mijn verzoek. De man wil zijn semafoon niet kwijt.

‘Hoeveel dan?’ vraag ik het meisje. Ik ben in staat een blanco cheque uit te schrijven.

Opnieuw overleg.

‘Tweehonderdvijftig euro,’ zegt ze voorzichtig. Waarschijnlijk werkt zij voor dat bedrag een half jaar in de ijssalon.

Ik tel het geld uit. Het apparaatje wisselt van eigenaar. Ik vraag het nummer, test de semafoon met mijn mobiel, hij doet het, de partijen kunnen tevreden uiteengaan.

Met mijn schoenen in de ene hand en mijn mobiel in de andere loop ik het strand op. Nog één belletje plegen. Hij gaat een keer over, dan heb ik Paul aan de lijn.

‘Hallo, hoe is het?’ Ik probeer opgeruimd te klinken.

‘Waarom reageer je niet als ik sms?’ Zijn stem is koud. Het is dezelfde stem die me vaak heeft verteld hoeveel hij van me houdt. Dezelfde stem die lang geleden in geile buien ondeugende voorstellen in mijn oor fluisterde. Ik ben verantwoordelijk voor de klankwisseling. Ik stel me eraan bloot. Laat ik het kort houden.

‘Heb je pen en papier bij de hand?’

‘Ja,’ antwoordt hij onwillig.

‘Ik ga je een nummer geven. Het is het nummer van een semafoon. In geval van nood kun je me oppiepen en dan bel ik je meteen terug.’

‘Oppiepen? Waar heb je het over?’

‘Ik doe mijn mobiel weg.’

‘Waarom?’

‘Omdat het zo niet werkt. Ik krijg geen rust.’

‘Jij krijgt geen rust. En hoe denk je dat ik hier zit met twee kinderen?’

‘Dat weet ik. Het spijt me. Wil je het nummer alsjeblieft noteren?’

'Je zou me je adres geven.'
Hier was ik al bang voor. Ik zwijg.
'Ik ben je man, Julia, waarom mag ik niet weten waar je bent?'
In plaats van antwoord te geven, dreun ik het nummer op, ik weet niet of hij het noteert, ik weet niet eens of hij me verstaat, want de drilboor in onze straat begint weer. 'Paul!' roep ik. 'Als er echt iets is, piep me dan op. Ik sms je, daarna gaat mijn mobiel uit. Dag!'
Met trillende vingers beëindig ik het gesprek. Voor alle zekerheid sms ik het nummer van de semafoon niet alleen naar Paul, maar ook naar de mobiel van Kaitlin en naar die van Isabel. Drie mensen hebben het in hun bezit. Dat moet genoeg zijn.
Ik was van plan mijn Nokia in de zee te slingeren, dat leek me een mooi, symbolisch gebaar, maar nu het zover is, kan ik het niet over mijn hart verkrijgen. Het is een redelijk nieuw type, ik vind het zonde. Ik maak het toestel open en haal de simkaart eruit. Ik leg hem op het zand en doe de mobiel terug in mijn tas. Ik trek mijn kleren uit. In mijn string en met de simkaart in mijn hand ren ik het water in.
Het kan me niet schelen dat er geen andere zwemmers zijn, ik voel niet hoe koud het is, ik voel alleen vreugde. Na een meter of twintig laat ik me vallen, ik crawl een stukje door, mijn hand tot een vuist geknepen. Als er een grote golf aankomt duik ik onder water, mijn ogen zijn dicht, mijn hand gaat open, de simkaart is weg, ik ben los.
Als ik weer bovenkom, zie ik Jimmy op het strand zitten bij mijn kleding. Hij heeft Eddie's gelukspet op, zijn zuurstoffles staat naast hem, wat is het toch een mafkees. Uitgelaten zwaai ik naar hem.
'Ik heb het gedaan, Jimmy, ik heb het gedaan! De oude Julia komt terug, ik beloof het, ik ga alles doen wat ik beloofd heb.'
Hij applaudisseert.
'Let jij even op mijn kleren?'
Ik draai me om en zwem verder de zee in.

Een paar dagen voordat Jimmy stierf, riep hij me bij zich. 'Ik wil je iets voorlezen.'

Hij pakte een boek onder zijn bed vandaan. Het was *De pest* van Albert Camus. Ik kende het alleen van naam. Jimmy sloeg het boek open. 'Deze passage gaat over een jongetje dat sterft aan de pest.'

Lekker voorspelbaar, dacht ik nog. Maar toen begon Jimmy te lezen. Het was geen gezellig, hapklaar brokje leed waar een mens van opkikkert. Terwijl dat het enige aardige is aan leed: dat anderen ervan opkikkeren. Als er in een kamer vol mensen iemand in een rolstoel binnenrijdt, voelen alle aanwezigen zich subiet een stuk beter. Gelukkiger zelfs. Dat bedoelen ze niet lullig, dat gebeurt automatisch.

De doodstrijd van de jongen van Camus maakte niet dat ik me beter voelde, integendeel. Het werd zo nauwkeurig en beeldend beschreven dat ik er de rillingen van kreeg. Het ging maar door, pagina na pagina, ik wilde eigenlijk dat Jimmy ophield met lezen, omdat het zo moeizaam ging, niet alleen het sterven van het jongetje, ook het voorlezen door Jimmy, hij had te weinig lucht, het klonk alsof hij bijna bij de top van de Mont Blanc was, af en toe moest hij stoppen om naar zijn zuurstoffles te grijpen.

Ik lees het zelf wel, zei ik tijdens zijn derde inhalatiepauze, maar daar wilde hij niets van weten, hij vond dat ik het helemaal moest horen, tot het jongetje zijn allerlaatste adem uitblies. Als ik het me goed herinner gebeurde dat een paar keer, want telkens als het voorbij leek, sloeg het kind weer aan. De dokter stond erbij en keek ernaar. Hij kon niets doen.

'Luister,' zei Jimmy. Hij was nu volledig buiten adem. 'Het verhaal gaat verder...'

Korte adempauze.

'...Tarrou, de assistent van de dokter, komt de vader van het jongetje tegen.'

Iets langere pauze.

'De vader vraagt of hij erg heeft geleden...'

Pauze van drie seconden, ik begon onwillekeurig te tellen.

'...weet je wat Tarrou dan zegt?'

Ik schudde mijn hoofd zo langzaam mogelijk om Jimmy zo veel mogelijk lucht te geven.

'Hij zegt: "Nee".'

Lange pauze. Zeker vijf seconden.

'Hij liegt. Hij liegt tegen de vader van het kind.' Jimmy duwde het kapje op zijn mond en inhaleerde.

Ik keek hem aarzelend aan. Was dat fout of juist goed? Mijn broer is zo streng en principieel geworden, het is linksom of rechtsom, de gulden middenweg is verdwenen. Hij legde het kapje weer weg.

'Jij, mijn postume woordvoerder, moet dat ook doen. Zeg tegen mama en Kaitlin dat ik niet heb geleden. Dat je dat kon zien toen je me vond.' Jimmy sprak niet meer, hij hijgde woorden.

Eindelijk durfde ik iets te zeggen. 'Wat als zij jou eerder vinden dan ik?'

'Dat gebeurt niet, daar zorg je voor.'

'Hoe doe ik dat?'

'Elke dag vroeg opstaan, Jules,' zei hij met een zwakke grijns. 'En kijken of ik nog leef.'

Om half tien, op de dag dat de dokter zou komen, de dag na de nacht dat Jimmy overleed, toen ma en Kaitlin en ik bij zijn bed zaten, lag Jimmy er vredig bij. Dat was mijn werk geweest.

Ik pakte ma's hand en verzekerde haar dat Jimmy niet had geleden, dat je dat kon zien aan de uitdrukking op zijn gezicht. Ik had de woorden nog niet uitgesproken of zijn zuurstoffles viel spontaan om en rolde door de kamer. Ma en Kaitlin werden zo bleek als Jimmy, ik begon te giechelen: 'Dit is Jimmy. Dit is zijn seintje. Hij heeft me beloofd dat hij me een teken zou geven als er een hiernamaals bestond. Dit is het, jongens.'

Ik zag dat ma zich gesterkt voelde door wat ik had gezegd. Ze knikte, vouwde haar handen en zei: 'Meisjes, het is goed. Mijn zoon is bij de Heer. Hij heeft geen pijn meer, hij is opgenomen in vreugde. Laten we de Heer danken.'

Ik weet niet hoe vaak mijn moeder de Heer heeft bedankt, maar ik weet wel dat Hij de laatste was die ik zou bedanken, ik zou Hem eerder in zijn gezicht spugen, o, wat had ik dat graag gedaan, ik was boos op Hem, pislink was ik, ik vond Hem een boerenlul, nee, een hondenlul, en dat terwijl ik niet eens geloofde dat Hij bestond, dat was wel knap van Hem, dat moet ik Hem nageven, dat iemand die niet bestaat iemand die wel bestaat zo op de kast kan krijgen.

Deel drie

Romeo

Hoofdstuk 17

Ik sta naakt voor de spiegel in de master bedroom. De afgelopen weken heb ik zo veel gefeest dat ik bijna ben vergeten dat ik eenzaam, ongelukkig en ten dode opgeschreven ben. Lotus en ik zijn elkaar weer tegen het lijf gelopen. Ze kwam net uit een lange, saaie relatie, vertelde ze. Een week nadat ze uit elkaar waren gegaan, heeft ze zich nieuwe borsten laten aanmeten. Vervolgens is ze naar Portugal gevlogen. Ze logeert bij een kennis. Als ze uitgaat, draagt ze nooit een slipje, dat voelt spannend. Ze heeft elke avond een ander vriendje.

Ik heb de huur van Casa da Criança met een maand verlengd. Gek genoeg ben ik aan de vingeroefening van Tomás Taveira verknocht geraakt. Haast ongemerkt heb ik een dagelijkse routine opgebouwd. Ik weet nu overal de weg in de omgeving van Sesmarias. De Intermarché en de Continente zijn net zo vertrouwd als Albert Heijn en Super de Boer. Er is een grote Lidl in Albufeira. Als ik daarlangs rijd, denk ik altijd even aan Paul. Bij de Makro tegenover het Algarve Shopping Centre kan ik met de pas van mijn vader naar binnen.

Eddie en ik maken geregeld een praatje bij het hek. Hij informeert steevast naar mijn man en naar zijn geruite gelukspet, ik bezweer hem dat ik de dwergen al honderd keer heb opgebeld, maar dat ze geen sjoege geven.

'Onbetrouwbare lui,' vindt Eddie. Ik breng het gesprek dan snel op zijn honden. Ze herkennen me en blaffen iets minder lang als ze me zien, tenminste, dat maken Eddie en ik elkaar wijs.

Ik heb intussen mijn personeel ontmoet. Eerst de poolman: over hem had ik wilde fantasieën. Ik hoopte dat hij een Portugese macho zou zijn met wie ik hele stoute dingen in en om het zwembad zou beleven. Ik vroeg Eddie hoe hij heette. Hij wist zijn naam niet, hij noemt hem De Vogelverschrikker.

'Hoe ziet hij eruit?'

'Typisch Moors, donkere huid, Mexicaanse snor, nauwelijks

groter dan die collega-acteurs van jou,' somde hij op. 'Vorig jaar zat hij een paar maanden vast wegens kippendiefstal en bedreiging.'

Ik verheugde me enorm op de kennismaking.

De Vogelverschrikker had een onaangename uitstraling en gedroeg zich schuw. Ik zette me over mijn weerzin heen en keek de kunst van het zwembadonderhoud van hem af. Ik zag hoe hij de bodem stofzuigde, hoe hij het pomp- en filtersysteem in de zwembadmachinekamer bediende en hoe hij de pH- en chloorwaarden op peil hield. Zodra ik het zelf kon, zei ik dat hij minder vaak hoefde te komen. Zijn aanwezigheid maakte me zenuwachtig, daarnaast was hij een ontsierend element. Ik kan niet tegen ontsierende elementen. Het opgerolde plastic dekzeil bij het zwembad is ook zo'n doorn in mijn oog.

Behalve met De Vogelverschrikker, heb ik kennisgemaakt met de schoonmaakster. Stella is klein, onverstoorbaar en pittig. Bijna iedereen in deze streek is klein, ik voel me met mijn een meter zeventig een reuzin. Ze komt binnen, verruilt haar schoenen voor pantoffels, trekt een blauw schort aan en werkt zich systematisch door de villa heen. Stella is de eerste Portugese die ik enigszins versta. Toen ik dat aan Eddie vertelde, legde hij uit dat dat komt omdat ze Russisch is. Ze praat langzaam en duidelijk, in tegenstelling tot de lokale bevolking: die slikken de helft van hun woorden in, en van de andere helft maken ze een brei die ze op onverstaanbare wijze uitspugen. Dankzij Stella leer ik elke week een paar woorden Portugees: vaatdoek (rodilha), dweil (esfregão), emmer (balde), dat soort dingen. Stella heeft twee zoontjes. Ze wonen in Rusland bij hun oma, haar moeder. Ze liet me foto's zien. Twee blonde, kortgeschoren jongetjes in keurige maatpakjes met stropdas. Ik hield nog net op tijd binnen dat we in hetzelfde schuitje zitten. Dat ik ook kinderen heb in een ander land. Dat ik ze ook mis. Dat ik geen foto's van ze bij me heb, maar dat ik hun koppies elke dag voor me zie. Dat ik weet hoe het voelt: alsof je geamputeerd bent. Dat ik heb gemerkt dat alcohol verdovend werkt.

'Ik schrijf,' vertelde Stella me ongevraagd. 'Als ik triest ben, pak ik pen en papier. Dan schrijf ik alles op en huil.'

Mijn semafoon gaat nooit af. Ik draag hem altijd bij me en controleer hem om de paar uur. Omdat ik de kinderen niet meer spreek, heb ik ze een briefje gestuurd:

> Lieve Isabella en Jim,
>
> Hoe gaat het met jullie? Hier is mama. Ik ben nog steeds in Portugal. Het is een mooi land, met aardige mensen. Het is bijna altijd mooi weer. En het wordt hier 's avonds vroeg donker, eerder dan in Nederland. Soms maak ik een wandelingetje rond het huis waar ik logeer, kijk naar de maan en dan denk ik aan jullie, want jullie zien dezelfde maan. Zullen jullie aan mij denken als je de maan ziet vanavond?
> Ik heb mijn mobiel weggedaan zodat ik nog beter kan uitrusten. Ik hoop dat het goed met jullie gaat, gelukkig is papa thuis om voor jullie te zorgen. Doen jullie wel je best op school? Zijn je hersens helemaal uitgeschud, Jim? Sorry, maar ik heb nog geen internet, Isabel.
> Weet je nog dat ik vertelde over de muur om mijn hart? Die is al iets minder dik, fijn hè? Hij is nog niet helemaal weg, dus ik moet nog even hier blijven. Ik beloof dat ik veel zal schrijven. Denk veel aan jullie en mis jullie. Tot gauw!
> Veel xxx-jes en knuffels van mama
>
> PS: Als je mij post wilt sturen, doe dat dan naar: Julia de Groot, Posta restante, 8400 Lagoa, Portugal
> PPS: natuurlijk ook een kusje voor papa

Lotus en ik zijn een goed team. We consumeren samen de nodige geestverruimende middelen, we lachen, we dansen, ze vraagt niet meer naar mijn gezin. Het enige wat ontbreekt is resultaat: de mannen die mij willen versieren zijn dik, lelijk en dronken. De mannen die ik wil versieren vinden mij dik, lelijk en dronken. Heel concreet: ik heb nog geen seks gehad met een penis van formaat. Eigenlijk heb ik nog helemaal geen seks gehad. Met geen enkele penis. Dat baart me zorgen.

De gordijnen zijn opengeschoven en het daglicht schijnt genadeloos naar binnen. De oude Julia komt terug, heb ik Jimmy beloofd. Ik heb Jimmy te veel beloofd, dat is duidelijk. De woorden van Heinz spoken nog altijd door mijn hoofd. Als ik mezelf objectief bekijk, moet ik hem gelijk geven. Dit lichaam heeft zijn beste tijd gehad. *Playmate* van de maand zal ik niet meer worden. Ik heb geen meisjeslichaam, in feite heb ik niet eens een vrouwenlichaam. Een moederlichaam, dat heb ik. Ooit was mijn buik plat, nu is het een golfterrein. Ooit zat er ruimte tussen de binnenkant van mijn benen, nu plakken ze aan elkaar. Ooit had ik een taille, nu loopt de lijn vanaf mijn oksel in een wijde boog naar mijn heupen. Cher schijnt haar onderste ribben te hebben weggehaald om slanker te lijken. Ik begrijp dat wel. Als ik mijn onderste ribben wegdenk, zou het ook schelen. Niet dat daarmee alles is opgelost, maar het zou een aardig beginnetje zijn.

– Wat zijn we weer opgewekt!

Jimmy kijkt me via de spiegel aan. Hij is helemaal in het wit gekleed. Hij lijkt wel een dokter.

– Sorry hoor, maar wees nou eerlijk. Ik zie er niet uit.

– Details.

– Tot nu toe heb ik nog niet veel succes geboekt met mijn details, Jimmy. Ik ga de verleiding niet uit de weg, de verleiding gaat mij uit de weg.

– Doe er wat aan.

– Hoe bedoel je?

– Moet ik het uitspellen?

– Graag.

– Als uw vet u ergert, zuig het uit. Je hebt tijd genoeg, je hebt genoeg geld in kas, het enige wat je nodig hebt is een goede chirurg.
– Meen je dat?
– Doe niet alsof je er nog nooit over na hebt gedacht.

Hij heeft gelijk. Een geschikter moment dan nu zal niet snel voorbijkomen. Niemand zal het merken, niemand zal vragen stellen, ik kan doen wat ik wil. Lotus heeft haar borsten in een kliniek in België laten verbouwen, het is daar is een stuk goedkoper dan in Nederland, ze was er vol lof over.

Hoofdstuk 18

Tap Air brengt me naar Brussel. Ik heb alleen handbagage bij me en voel me superstoer. Wat een wereldburger ben ik geworden.

De kliniek ligt in het centrum van Brussel, in een smalle straat met hoge panden. De dokter die de intake doet is in de veertig. Hij is een knapperd, hij heeft warrig, donker haar met beginnend grijs erdoorheen. Bij mannen staat dat charmant, bij vrouwen denk je: mens, ga naar de kapper. De dokter zou ook een beeldhouwer kunnen zijn, hij heeft iets artistieks over zich. Hij ziet je en hij ziet je niet, zijn gedachten vliegen alle kanten op, zo'n type. Haastig geeft hij me een hand, dan gaat hij achter zijn bureau zitten met zijn pen in de aanslag. Ik wil me al uitkleden, maar de dokter wil eerst praten. Ook goed.

'Wat kan ik voor u doen?' Hij zegt 'iek' in plaats van ik.

Ik zet mijn zonnebril af en wikkel de sjaal van mijn hoofd. 'Zoals u ziet heeft het verval ingezet. Mijn gezicht, mijn lichaam, het gaat met de dag achteruit. U mag volkomen eerlijk zijn: ben ik nog te redden?'

Hij legt zijn pen neer. 'Hoe oud bent u?'

'Bijna zevenendertig.'

'Kinderen?'

Hier hoef ik niet te liegen. Ik vertel dat mijn jongste zes jaar is.

Hij richt zich op en monstert me van onder tot boven. 'Ik zie geen buitensporigheden.'

'Meent u dat?' Ik verschik iets aan mijn haar.

'Nou ja, ik kan niet alles inschatten, dat komt straks. Vertelt u me eerst eens: wat stoort u het meest?'

'Alles.'

De dokter laat zich weer op zijn stoel zakken.

'Het is allemaal even erg. Ik heb rimpels. Die had ik vroeger niet. Ze zitten op mijn voorhoofd, tussen mijn wenkbrauwen, boven mijn lip. Hier, bij mijn wang, loopt een hele lange, die wordt steeds dieper. Bij mijn mondhoeken is het rommelig, mijn huid is aan het verslappen. Onder mijn kin ook.'

Terwijl ik praat, maakt de dokter aantekeningen.

'En wat betreft mijn lichaam: dat is nooit ideaal geweest. Ik bedoel, ik was geen fotomodel, maar het was wel in proportie, begrijpt u?'

Hij begrijpt het.

'Ik heb er lang over nagedacht en ik wil u carte blanche geven. U mag doen wat u goeddunkt. Ik wil dat u een droomvrouw van me maakt. De vrouw die iedere man zou willen hebben.'

'Hebt u een bepaald iemand in gedachte?' vraagt hij fronsend.

Nou en of. In het vliegtuig had ik alle tijd om erover te fantaseren. 'Ik wil het wulpse van Marilyn Monroe, het jeugdige van Paris Hilton, de borsten van Pamela Anderson en het gezicht van Meg Ryan.'

'U bent niet blond,' merkt de dokter op.

'Straks wel,' beloof ik. *Blondes have more fun*, dat weet iedereen.

De dokter leunt naar voren. 'Ik voer de operatie niet uit, ik doe alleen de intake. Dat is u bekend?'

'Jazeker. Ik wil uw allerbeste man. De nieuwste technieken. Als ik hier uitloop, wil ik achtentwintig zijn. Achttien zal niet haalbaar zijn, maar achtentwintig moet toch lukken?'

Hij maakt nog een notitie en legt zijn pen dan neer. 'Kleedt u zich maar uit achter het scherm. U mag uw slip aanhouden.'

'Ik dacht dat u het nooit zou vragen.' Ik geef hem een knipoog. Hij schrikt ervan, ik denk niet dat hij veel knipoogjes van zijn patiënten krijgt.

Speciaal voor de gelegenheid heb ik een lingeriesetje gekocht in zachte voorjaarskleuren. Even later sta ik op blote voeten voor zijn bureau. De dokter komt achter zijn bureau vandaan en loopt om me heen. Hij voelt aan mijn vel, knijpt erin, hij tilt hier en daar een huidplooi op en kijkt eronder. Het kietelt, ik kan mijn lachen nog net inhouden.

'Denkt u dat u wat ribben moet verwijderen? Van mij mag het hoor, ik ben niet bijzonder gehecht aan mijn ribben.'

Hij schudt zijn hoofd.

'Een beenverlenging dan?'

Ik heb laatst op tv gezien dat Chinese vrouwen massaal hun benen verlengen. Het is even gedoe, ze zagen je botten door en zetten er pennen in, maar als het lukt, pak je er zo tien centimeter bij. Lijkt me heerlijk. Hoef ik niet altijd op hakken te lopen.

'Mevrouw, eh...' zegt de dokter terwijl hij overeind komt.

'De Groot,' help ik hem.

'Mevrouw de Groot, wat u opnoemt zijn zeer zware ingrepen die wij in deze kliniek niet uitvoeren. Eerlijk gezegd is het me een raadsel waarom u ze zelfs maar zou overwegen.'

'Ik wil aantrekkelijk zijn, dokter, ik wil dat alle mannen hun hoofd omdraaien als ik voorbij loop.'

'Bent u getrouwd?'

Ik knik.

'Wat vindt uw man ervan?' Hij gebaart naar de stoel. Ik moet weer gaan zitten. Mijn borsten zijn nog bloot. Hij neemt plaats achter zijn bureau. Als hij voor psychiater gaat spelen, ben ik weg.

'Mijn man heeft hier niets mee te maken,' zeg ik stug. 'Als u mij niet wilt helpen, zoek ik wel een andere kliniek. Net zo makkelijk.' Demonstratief pak ik mijn tas en maak aanstalten om op te staan.

Het kwartje valt.

'Blijft u alstublieft zitten,' zegt de dokter honingzoet. 'Natuurlijk willen wij u helpen. Het is alleen belangrijk dat u zich goed realiseert waar u aan begint. U hebt het over drastische veranderingen. Die kunnen van invloed zijn op uzelf en op uw omgeving. Het is mijn plicht u hiervoor te waarschuwen.'

Drastische veranderingen zijn precies waaraan ik behoefte heb. Zijn vak is het ogenblikkelijk bevredigen van die behoefte. Weg met moeke, lang leve de stoot. 'Beschouw het als een uitdaging, dokter. U krijgt de vrije hand. Geld speelt geen rol.'

'Wilt u nog even gaan staan?' vraagt hij.

Daar gaan we weer.

Dit keer heeft hij zijn bril opgezet. Hij loopt als een keurmeester om me heen en betast mijn borsten. Het is lang geleden dat die zo werden betast, ik probeer de tintelingen te negeren.

'Het is hier best fris, vindt u ook niet?'

Ik krijg geen antwoord, hij is helemaal verdiept in mijn lichaam. Hij pakt zijn papieren erbij en maakt notities.

'U mag zich weer aankleden,' zegt hij tenslotte.

Als we weer tegenover elkaar zitten, kijk ik hem vragend aan.

'Ik heb goed nieuws voor u, mevrouw...'

'De Groot,' help ik hem opnieuw.

'*Excusé*. Mevrouw de Groot, u hebt een elastische huid met een perfecte structuur, die naar verwachting prima zal herstellen na de behandeling.'

'Wat gaan we doen?'

'Ik stel voor dat we liposculptuur toepassen. We kunnen de vetophopingen verwijderen uit uw bovenarmen, uw heupen, de binnenkant van uw dijbenen, de buiten- en zijkanten van uw bovenbenen, uw buik, rond uw taille en bij uw rug, bij de bh-banden.'

Hij zegt het alsof het doodgewoon is. Voor hem is dat het ook. Voor mij is het een droom. Dat je op een tafel kunt gaan liggen en dat er dan iemand met een stofzuigerslang alle onderhuids opgehoopte ellende wegzuigt.

'En mijn billen?'

'Komt u nog heel even overeind, als u wilt.'

Hij komt naast me staan. 'De lijn op zich is goed.' Zijn hand glijdt langs mijn achterwerk. Hij raakt het net niet aan. 'Uw billen zijn rond. De vorm is prima, daar verander ik niets aan. Maar erboven en eronder kan ik wel wat weghalen.'

Ik knik enthousiast. Nooit geweten dat mijn billen een goede vorm hadden. Fantastisch dat dat nu medisch is vastgesteld.

'Mocht het nodig zijn, dan kunnen we na de liposculptuur uw buikwand operatief corrigeren. Doet u aan sport?'

'Moet dat?' Ik trek een bedenkelijk gezicht.

'Het helpt wel. Zeker bij buikspieren.'

'Hmm. Ik zal er eens over nadenken.'

'En dan uw borsten...'

Vol verwachting klopt mijn hart.

'Aan welke cupmaat had u gedacht?'

Het is alsof ik op audiëntie ben bij De Schepper.

'Een kleine D?' opper ik.

'Dat had ik ook in gedachten,' zegt hij. 'Ik meen dat Pamela Anderson een iets grotere maat heeft, maar dit past beter bij uw lichaam. Ik zou daarbij tevens een borstlift adviseren.'

'Lift alles wat jullie onderweg tegenkomen en liften kunnen. Dat hoef je me niet eens te vragen, schat.'

We zijn nu partners in crime. Ik durf hem zomaar schat te noemen. Dokter Bibber glimlacht.

'En mijn gezicht?'

'Ik neem aan dat u er geen bezwaar tegen heeft als we uw bovenlip iets vergroten? Een ooglidcorrectie lijkt me niet nodig. Nog niet. Mogelijk gaan we over tot een mini-lipo voor uw onderkin.'

Kind, smijt er gerust een mini-lipo tegenaan. Wat moet, moet.

'Verder zou ik hier en daar wat vulling willen inspuiten. Tijdelijke vullingen, om mee te beginnen. Als het u bevalt, kunnen we overgaan op permanente vullingen.'

'Ik dacht dat ik een facelift nodig had.'

'Geen sprake van,' zegt de dokter gedecideerd. 'Daar bent u nog veel te jong voor en bovendien doen we die steeds minder. Een facelift trekt het gezicht strak. Vullingen verzachten de lijnen, maken het ronder. Een rond gezicht is een jong gezicht. De oudere huid verliest vooral volume en stevigheid, dit kunnen we met vullingen compenseren.'

Ik hang aan zijn lippen. Deze man weet van wanten.

'Wat Botox voor de fronsrimpel, wat Botox voor uw voorhoofd en dan zijn we er wel.'

'Geen neuscorrectie?'

'Ik zou niet weten wat we daaraan moeten corrigeren.'

Ik kan hem wel zoenen. 'En mijn marionetlijnen? Wat gaat u daaraan doen?'

Marionetlijnen, zadeltassen, rijbroek, lovehandles, taillerollen, kalkoennek, hamsterwangen, horecaspoiler, als je ouder wordt krijgt je lichaam ineens allemaal nieuwe onderdelen en die onderdelen krijgen de gruwelijkste namen.

'Die pakken we aan met vullingen.'

Ik leun tevreden achterover.

'Werkt u?' vraagt de dokter.

'Eh... ik ben met verlof. Een sabbatical, zeg maar.'

'Hebt u hulp?'

'Hoe bedoelt u?'

'Huishoudelijke hulp. Hebt u kinderen?'

Het is jammer dat dokter Bibber zo jong dementeert. Ik knik.

'U zult voor hen ook extra hulp nodig hebben. Als u dit werkelijk allemaal wilt, moet u zichzelf een maand ontzien.'

'Ik heb hulp. En ik wil het hele pakket.'

Een lange, onderzoekende blik van de dokter. Hij vertrouwt me nog steeds niet helemaal.

'Maak maar een mooie totaalprijs en boek me in. Ik krijg toch wel korting?' Ik kijk hem schalks aan.

Hij krabbelt wat op een papiertje. De schade zal tegen de vijftienduizend euro lopen. Het valt me nog mee, voor een compleet nieuw lichaam inclusief borsten, maar ik doe alsof ik me kapot schrik en begin te rekenen. Ik heb al bijna twaalfduizend euro aan mijn villa gespendeerd, de jeep kost driehonderd euro per week, Paul heeft tienduizend gehad, het gaat harder dan ik dacht, maar goed, ik heb nog vijftigduizend over, het moet kunnen.

Opgewekt nemen we afscheid.

Hoofdstuk 19

Al ben je een vrouw, sommige dingen moet je dragen als een man. Bevallingen, katers, abortussen, dat werk. Plastische ingrepen ook, heb ik ontdekt. De Belgische chirurgen waren ongetwijfeld vakmensen, maar ze gingen als beesten tekeer. Vooral de liposculptuur riep herinneringen op aan de Derde Kabeljauwoorlog.

De behandelend arts was net een stripfiguur: broodmager, hij had waarschijnlijk al zijn eigen vet tot op de laatste cel opgezogen. Toen hij voor aanvang van de voorstelling met zijn viltstift aan de gang ging, dacht ik per ongeluk bij een tattoo-kunstenaar te zijn beland. Hij kalkte een halve wegenkaart op mijn huid, met stippels, doorlopende lijnen, zebrapaden en *no go areas.*

Het zal vast allemaal in orde komen, dacht ik groggy van de valium die ik boven op mijn eigen portie van de verpleegster had gekregen. Ik kreeg een roesje en ging onder zeil. Tegen het einde van de behandeling kwam ik weer bij. Het voelde alsof er iemand ergens onder aan mijn rug, bij mijn stuitje, in mijn lichaam zat te poeren met iets hards en staafvormigs. Het voelde niet alleen zo, het was zo, besefte ik. De staaf ging heen en weer onder mijn huid en stootte af en toe tegen een bot.

Een stem vroeg of ik kon staan.

Nou, dat ging maar net.

Er werd nog wat gepoerd, ik wilde zeggen dat het best vervelend begon te worden, maar dat lukte niet. Ik zakte weer weg, iemand hield me nog net overeind. Toen ik voor de tweede keer bijkwam, werd ik door verschillende handen in een strak pak gehesen. Ondersteund door twee schimmen slaapwandelde ik de behandelkamer uit. Ik mocht ergens op een bed gaan liggen om bij te komen. Ik lekte aan alle kanten. Dat was de verdovingsvloeistof, vermengd met bloed, zeiden de schimmen. Het moest eruit, het was goed. De schimmen vertrokken.

Naast mijn bed stond een scherm en daarnaast lag iemand die

waarschijnlijk ook was leeggezogen. Ze hoorde me kreunen en begon door het scherm heen tegen me aan te praten. Aan welke lokaties was ik geholpen, hoeveel liter hadden ze weggehaald? Zij had dit keer haar zadeltassen en haar bananenrollen laten doen. Dijen, buik en armen had ze al gehad. Vorige keer was het twee liter, dit keer bijna drie, zei ze verlekkerd. Meid, je kunt het beter kwijt zijn dan rijk. Het viel haar hartstikke mee, ze voelde zich kiplekker.

'Ik heb niet gevraagd hoeveel liter,' zei ik timide.

'Dat moet je wel doen, joh,' zei ze, 'en snel ook, voordat ze het weggooien.'

Het beeld van mijn vet dat ergens door een gootsteen werd gegoten, maakte me nog misselijker dan ik al was. Een uurtje of wat mocht ik bijkomen, daarna kwamen de schimmen terug. Ze zeiden dat ik weer naar huis kon. Mijn gezicht zou aan het einde van de week aan de beurt komen en mijn borsten als laatste. Ik had een kamer geboekt in het dichtstbijzijnde hotel en liet een taxi bellen om me ernaartoe te brengen.

De chauffeur keek bedenkelijk toen hij me op de stoep voor de kliniek ontwaarde. Ik zag er waarschijnlijk uit alsof ik elk moment kon gaan braken, wat niet ver bezijden de waarheid was. Daarnaast had ik over mijn duikerspak een onelegant, zwart joggingpak aan, dat had dokter Bibber geadviseerd. Het moest makkelijk zitten en donker van kleur zijn, dan zou je de lekplekken niet zo erg zien.

Ik spreidde het door de kliniek verstrekte plastic zeiltje uit over de passagiersstoel. De chauffeur was zo mogelijk nog minder geamuseerd.

'Het is vlakbij, het gaat wel,' zei ik.

Hij antwoordde in het Frans.

'*Pas de problème. Ce n'est pas loin,*' zei ik. '*Deux kilomètres.*'

Hij nam me mee. Op vijftig meter van het hotel moest ik toch overgeven.

'*Arrête la voiture!*' riep ik nog, maar het was al te laat. Het meeste ving ik op met mijn handen, de rest belandde in de taxi en deels op mijn tas. Ik veegde mijn mond en mijn handen af met een maandverbandje, dat had ik toevallig bij me, want dat moest ik tegen de lekplekken duwen. Ik verontschuldigde me bij de chauffeur en gaf hem een flinke fooi. Hij bleef boos en wilde mijn weekendtas het hotel niet in dragen.

Twee dagen lang kwam ik de kamer niet uit. Behalve bont en blauw, raakten sommige lichaamsdelen zo opzwollen van het vocht dat ik ineens echt op een oud vrouwtje leek. Beter gezegd: op een lijk dat te lang in het water heeft gelegen. Blauw, bol en akelig, ik paste mijn oude kleren niet meer, ze waren te klein geworden, maatje 36 was verder weg dan ooit. Ik probeerde de moed erin te houden, het kon hierna alleen maar beter worden.

Wie A zegt, enzovoort, enzovoort. Nadat dokter Bibber me gerust had gesteld dat het allemaal goed zou komen, dat ik alleen geduld moest hebben, liet ik de Brusselse slagers los op mijn gezicht. Ook dat ging er met sprongen op vooruit: alsof ik vijf ronden had gebokst met de dochter van Muhammad Ali, geblinddoekt en met mijn handen op mijn rug.

Wie mooi wil zijn, enzovoort, enzovoort. Lelijker kon ik niet worden, ik was de wanhoop voorbij en stond toe dat mijn borsten werden opengesneden om er druppelvormige protheses in te duwen. Al die tijd verbleef ik in het hotel, iedereen kende me, ik was een strompelende bezienswaardigheid, elke dag zat er wel weer een ander deel van mijn lichaam in het verband.

Als ik mezelf de kliniek in- en uitsleep voor de zoveelste controle, is dokter Bibber een stuk vrijpostiger dan bij onze eerste ontmoeting. Had hij het niet voorspeld? Een geluksvogel ben ik, mijn huid reageert fantastisch op alle behandelingen. En kijk die borsten nou, hoe rond, hoe pront. Hij draait in aanbidding om me heen en tikt speels tegen mijn gelifte tepels. Ach ja, een relatief jong lijf als het mijne, daar kan hij mee werken, daar valt nog wat van te maken. De meeste vrouwen die binnenstappen zijn vijftig of zestig plus, daar valt geen eer meer aan te behalen. Hij behandelt ze wel, natuurlijk, de schoorsteen moet roken, maar het is dweilen met de kraan open.

'Ik heb een verzoek aan u, namens de kliniek. Als u er geen bezwaar tegen hebt, zouden wij uw "voor" en "na" foto's graag gebruiken voor onze website. Onherkenbaar, uiteraard.'

Dat is waar ook. Voor de grote leegzuigactie ben ik digitaal vastgelegd. In mijn nakie, met alleen een blauw mutsje op, zo onvoordelig mogelijk, vlak voordat ze me gingen insmeren met jodium. Stond ik daar te bibberen op een matje, werd ik eerst gefotografeerd en daarna oranje geverfd. Het deed me denken aan een ontgroening.

'Wat vindt u ervan? We vragen het, omdat u een mooi visitekaartje voor de kliniek zou kunnen vormen.' Hij probeert me te paaien. Hij wil een gratis uithangbord.

'Aan mijn visitekaartje hangt een prijskaartje.'

'Ik kan u helaas geen geld bieden,' zegt hij. 'Wel een behandeling.'

'Volgens mij heb ik alles al gehad.'

'Dat klopt,' beaamt hij. 'Behalve...' De dokter laat een stilte vallen.

Ik ben benieuwd.

'Hebt u kinderen?' vraag hij dan. 'Of had ik dat al gevraagd?'

'Twee.'

'Precies. Ik wist het. Wat dacht u van een labiacorrectie op onze kosten?'

'Een wat?'

'Een schaamlipverkleining,' fluistert hij.

Ik vind het een onprettig idee dat dokter Bibber op de hoogte is van het formaat van mijn schaamlippen. 'Gaan de foto's daarvan ook op de website?'

'Alleen als u dat toestaat. Tot nu toe hebben we niemand daartoe bereid gevonden,' zegt hij met een zucht. 'Terwijl we prachtige resultaten boeken met deze ingreep.'

Hij rommelt in een la en pakt er twee polaroids van een vagina uit. Op de eerste foto zijn de schaamlippen opengesperd als een vleermuis in volle vlucht. Onder de rechterlip wordt een lineaal gehouden door een hand in een plastic handschoen. Het is niet goed leesbaar, maar ik geloof dat deze schaamvleugel bijna net zo breed is als Pauls penis lang. Op de tweede foto is de vagina potdicht. De vrouw heeft geen echte lippen meer, maar twee decente ribbeltjes.

'Is dan niets meer heilig? Dit is een besnijdenis, dit is vrouwenverminking!' roep ik uit.

De dokter kijkt me verbaasd aan.

Toegegeven, het klinkt raar uit een met Restylane volgespoten mond, maar ik vind dat ik moet protesteren.

'Deze cliënte had er veel last van. Ze kon geen strakke spijkerbroeken aan. Nu heeft ze een designer vagina.' De dokter bergt de foto's weer op.

'Ha! Dit is nou de makke van de Westerse wereld. Dit is elf september in een notendop. Een designer vagina, het woord alleen al. Onze vrouwen verminken zichzelf om te kunnen verleiden. Om strakke spijkerbroeken te kunnen dragen. Het is waanzin. Zij zijn niet gek, wij zijn het.'

Dit had Paul ook kunnen zeggen. Ik weet niet waarom ik ineens op zijn preekstoel zit.

'Wedden dat deze vrouw allang aan de man was? Geef het maar toe...'

De dokter aarzelt. Zijn geheugen laat hem opnieuw in de steek. 'Mogen we uw foto's nu gebruiken of niet?' vraagt hij om me af te leiden.

'Doe maar.'

'En wilt u de labiacorrectie?'

'Heel graag.'

Hoofdstuk 20

Het duurt zeker vier weken voor ik net zo blij ben met mijzelf als de dokter, zo'n beetje rond de tijd dat ik mijn armen weer op kan tillen. De laatste blauwe plekken zijn groen, geel en tenslotte huidkleurig geworden, de markeringen van de viltstift zijn eindelijk uitgewist, mijn schaamlippen – of wat daarvan over is, volgens mij is er eentje per ongeluk geamputeerd – lijken niet meer op mini-rollades, de harde stukjes zijn eruit verdwenen en ik kan zonder angst op de bank neerploffen.

Ik ga naar de kapper en kom blond terug. De aanvankelijke wanhoop heeft plaatsgemaakt voor extase. Mijn favoriete bezigheid is eindeloos rondjes draaien in mijn inloopkast met spiegelwanden. Met alleen een BH en een slipje aan, helemaal naakt, op hoge hakken, neem ik *Playboy*-poses aan, ik doe extreme pornostandjes, ik kan maar een conclusie trekken: daar staat de natte droom van iedere man.

Amsterdam lijkt met de dag verder weg. Een paar weken na het versturen van mijn brief aan de kinderen lag er op het postkantoor in Lagoa een envelop uit Nederland voor me klaar. Ik nam hem mee, stopte hem in een la in de slaapkamer en schoof het openmaken voor me uit. Ik had het te druk, maakte ik mezelf wijs, met settelen, met het onderhouden van mijn zwembad, met Eddie, met het verblijf in Brussel.

Vandaag kan ik geen enkel excuus meer verzinnen. Na mijn ochtendsessie voor de spiegel maak ik de la open, pak de envelop, ga ermee op bed zitten en scheur hem open. Er zitten twee velletjes in. Isabel heeft haar brief op de computer geschreven, Jim de zijne met de hand.

Hallo mama,

Hoe gaat het met je?
Ik had vandaag een spreekbeurt en die heb ik over

Portugal gedaan. Juf gaf me een vg. Vg = voldoende goed, weet je nog?
Ik heb Lagoa opgezocht op de kaart. Zit je in een hotel of op een camping? Papa zegt dat hij het niet weet. Ga je vaak naar het strand? Je zult wel poepiebruin zijn als je terugkomt. Heb je nou al internet? Ik heb gegoogeld en een hotel met internet gevonden. Het heet Vale D'el Rei en het zit in Lagoa. Misschien kunnen we een tijd afspreken, dat we dan MSN-en. Ik kan bijvoorbeeld elke avond na het eten. Weet je mijn adres nog?
IsabellaCaramella@hotmail.com
Verder gaat alles goed. Papa is nog strenger sinds je weg bent. Kan je niet wat eerder terugkomen ;-) ? Jim en ik spelen veel buiten. Ze hebben die huizen gesloopt, we mogen van papa niet te dicht in de buurt komen, maar we hebben er stiekem een hut gemaakt. Niet tegen papa zeggen, hè?
Wanneer kom je terug?
Kusjes van je dochter,
Isabel de Groot
PS: In de envelop zit ook een briefje van Jim. Ik hoop dat je het kunt lezen. Hij wilde eerst een tekening maken. Ik heb gezegd dat een brief leuker is om te ontvangen als je in het buitenland zit.

Hallo mama,
hier is Jim. Ik heb van papa een doos K'nex gehad!
Het is heel leuk. Ik ben bijna jarig. Ik
zou het erg leuk vinden als je op mijn feestje komt.
XXXXX Jim

Mijn hart bonst in mijn keel. Het zal toch niet waar zijn, het kán niet waar zijn, de brief ligt er al weken. Ik houd de datum niet meer bij, ik heb geen agenda, bij een van de afspraken in de kliniek ging het ook al bijna mis. Wat voor dag is het vandaag? Ik heb geen krant, geen kalender, mijn mobiel werkt niet. Ik moet naar Eddie. Eddie is nergens verbaasd over, zeker niet over een warhoofdige actrice uit Nederland.

Snel schiet ik mijn badjas aan. Ik storm de trap af en ren door de voordeur op mijn hoge, rode hakken naar zijn casa. De honden springen tegen het hek, even later verschijnt Eddie in de deuropening. In een flits bedenk ik dat ik Doris nog nooit heb gezien. Zou die altijd binnen zitten? Zou ze wel bestaan?

Eddie wandelt op zijn gemak naar me toe. 'Kom jongens,' moppert hij. 'Goed volk, het is Julia. Ga liggen.'

Weet hij toevallig de datum van vandaag? O ja, die weet hij. Hij noemt de datum.

Weet hij het heel zeker?

'Absoluut. Gaat het wel goed met je?'

Ik keer me om zonder iets te zeggen, en ren terug. Ik probeer het onderweg tegen te houden, maar het lukt niet, ik begin te huilen, het wordt janken, het wordt hysterisch janken, met gierende uithalen. Als ik de villa binnenkom, strompel ik richting keuken. Drank moet ik hebben. Drank of pillen, of allebei. In de haast struikel ik over mijn badjas en ga gestrekt tegen de betegelde keukenvloer. Het vet op mijn heupen dat de klap op had kunnen vangen is weggezogen, het is een pijnlijke smak. Dat is fijn, ik heb het verdiend. Hopelijk is mijn heup gebroken. Verbrijzeld zou nog beter zijn. Ik heb pijn verdiend, veel pijn. Ik ga zitten en sla mezelf in mijn gezicht, twee, drie keer, ik schreeuw dat ik een kutwijf ben, doe de badjas uit en trek mezelf aan mijn haren, hard, steeds harder, totdat ik de plukken in mijn handen heb.

Dan ga ik ineengerold op de geglazuurde tegels liggen.

Mijn zoon is zeven jaar geworden en ik heb er geen seconde aan gedacht. Ja, toen ik in de kliniek was, is het door me heen geschoten dat het bijna zover was, dat het zo raar was om er niet bij te zijn. Vervolgens ben ik het volkomen vergeten.

Hij heeft me voor zijn feestje uitgenodigd. Ik heb niets van me laten horen. Ik had hem op zijn minst een ansichtkaart moeten sturen. Ik had hem vanuit een telefooncel moeten bellen. Hij had me bijtijds gewaarschuwd. Ik ben Jims verjaardag vergeten, de verjaardag van mijn zoon. Als Jim Jimmy was, zou hij me nooit meer aankijken.

Na verloop van tijd raak ik versteend van de kou. Ik richt me op en kruip naar de huiskamer, onderweg schop ik mijn schoenen uit. Daar, ergens in een la van het dressoir, ligt mijn valium. Drie pillen moeten mijn lijden enigszins kunnen verlichten. Ik kruip terug naar de keuken en spoel ze weg met de wodka die de dwergen hebben overgelaten.

Weer ga ik liggen. Dit keer niet lang. Op handen en knieën maak ik rondjes door de keuken.

Every great accomplishment is at first impossible. Go on. Be a Tiger.

Wat heb ik verkeerd gedaan?

Is it enough for you to improve your game? Or is it your goal to change the game itself?

Ik wilde het spel veranderen. Ik wilde de leiding nemen. De regels bepalen. Nieuwe regels. Mijn regels. Ik zou weer de baas worden over mijn eigen leven.

When faced with new questions, do you reply with old answers or new ones?

Het is mislukt. Door mijn eigen toedoen.

Ik ben een masochist, dat is het, ik ben een meesteres in het opzoeken van pijn. Ik hoefde mijn kinderen niet te schrijven, ik had mijn gezin verlaten, ik wilde tijd voor mezelf en toch deed ik het. Als ik hem niet had uitgelokt, had Jim me niet kunnen uitnodigen.

Mijn hart is een dartbord, ik laat iedereen pijltjes gooien. Iedereen gooit raak. Niet omdat ze zo bijzonder goed gooien, nou ja, mijn moeder wel, maar vooral omdat ze zo dichtbij staan.

Ze kunnen ze er praktisch inprikken. Waarom laat ik het gebeuren, wat is dat toch?

De semafoon van het oude mannetje zit in mijn tas. Hij gaat nooit af. In het begin checkte ik hem tien, twintig keer per dag, daar ben ik mee opgehouden. Als iemand me nodig heeft, hoor ik het wel. Ik hoor niets. Blijkbaar mist niemand me dermate dat er iets wordt georganiseerd om me aan de telefoon te krijgen of om me terug te halen. Blijkbaar redt iedereen het prima zonder mij. Ik ben niet alleen een masochist, ik lijd ook aan grootheidswaanzin. Ze hebben me niet nodig. Het zit allemaal in mijn hoofd, alle muizenissen, alle angsten, ik ben al anderhalve maand weg en niemand die erom maalt.

Dit is niet de bedoeling van deze reis. Dit is niet wat ik Jimmy heb beloofd. Pijn komt altijd vanzelf, doceerde hij. Plezier moet je vergaren. Dat is hard werken. Zorg dat je het krijgt. Elke dag. Probeer elke dag minstens een keer te pieken, op wat voor manier dan ook. Heb een lachstuip of een orgasme, geniet van de geur van vers gemaaid gras, doe iets wat niet mag en kick erop. Noteer je piekervaring in een dagboek. Zorg voor de broodnodige variatie. Je mag een keertje overslaan, als je ziek bent of als er iemand overlijdt – hij zei het grinnikend – daarna moet je weer aan de bak. Achttien uur nadat hij was gestorven, begon ik met schrijven.

Anderhalf uur lang lig ik op de grond. Jimmy komt langs en praat op me in. Dalen zijn volgens hem ook een soort pieken. Hij wilde zijn einde, zijn diepste dal, als een piek beleven en dat is hem gelukt.

– Je moet doorzetten, er is niets meer dat je in de weg staat. Je bent los, je hebt een metamorfose ondergaan, je bent er klaar voor, je hoeft alleen maar te oogsten.

Ik snuit mijn neus in een vaatdoek en herpak mezelf. De verjaardag van Jim is voorbij, die heb ik gemist, zand erover, het is niet meer te repareren. Gedane zaken nemen geen keer. Om weer warm te worden, stap ik in het bubbelbad. Als het water net tot aan mijn navel komt, valt de stroom uit. De badkamer wordt donker, de watertoevoer stopt. Dat is al de derde keer deze week. Er moeten nieuwe groepen in de meterkast. Als Stella de strijkbout en de radio tegelijk aanheeft, raakt de boel overbelast. Volgens Eddie is het de zwembadverwarming. Die verbruikt zo veel stroom, die trekt de villa als het ware leeg. Rillend stap ik uit bad. Ik droog me af.

Zo'n mooi lichaam in zo'n mooi huis in zo'n mooie streek en toch zo alleen.

Hoofdstuk 21

Ik heb een zwarte bikini gekocht, het broekje is hoog opgesneden, mijn nieuwe lichaam komt er optimaal in uit. Het bovenstukje houdt mijn gelifte borsten net binnenboord. Die bikini heb ik vanmorgen aangetrokken, met eroverheen een kort spijkerrokje en een groene top. Open slippers met een laag hakje, over mijn voet loopt een bandje van felgekleurde kraaltjes. Gelakte teennagels.

Ik rijd naar Praia Senhora da Rocha. Het is een klein strandje tussen hoge gele rotsen in de buurt van Porches. Als je er bijna bent, moet je over een steil slingerweggetje naar beneden om er te komen. Boven op de rechterrotspunt, die een stuk verder de zee in loopt dan de linker, ligt een verlaten kapel. Niet aan mama denken, nu. Er staan bijna altijd toeristen bij de kapel, het is een uitkijkpunt. Ik ben geen toerist, ik stuur mijn auto behendig de slingerweg af en parkeer zo dicht mogelijk bij restaurant Vilarhino, hang mijn tas over mijn schouder en loop naar de rand van het strand om de aanwezigen te scannen.

Ik zie hem meteen.

Hij staat wijdbeens in het zand, met een houten batje in zijn hand. Hij heeft lang, donker haar, met een grove slag erin. Hij lijkt op Jim Morrison. Ook een te vroeg gestorven Jim. Niet aan Jimmy denken nu, ook niet aan Jim.

Morrison draagt een donkerblauwe short met witte bloemen. Een gewaagde print, een man kan er de plank volkomen mee misslaan. Hij niet. Hij is slank en zijn borstkas is zandloperig van vorm. Kleine tepels. Niet supergespierd, niet eng mager, precies goed. Tegenover hem staat zijn vriend, qua uiterlijk onbeduidend, eveneens voorzien van een batje. Ze slaan een balletje heen en weer. Hij zal niet ouder zijn dan een jaar of zevenentwintig, gok ik, als hij dat al is.

Hij is de knapste jongen van het hele strand, er is geen twijfel mogelijk.

Ik wil hem.

Hij hoort bij een groep, zijn lege handdoek ligt bij nog een stuk of vier jongens en een meisje, die af en toe iets tegen hem roepen. Lastig. Als het meisje zijn vriendinnetje is, wordt het onmogelijk.

Ik maak me lang en loop heupwiegend, holle rug, borsten vooruit, het strand op. We hebben oogcontact. Ik blijf hem aankijken en glimlach.

This could be your lucky day, betekent die glimlach.

Ik positioneer mijn handdoek op een paar meter afstand van het groepje en zet mijn tas ernaast. Traag trek ik mijn topje en rokje uit, intussen verzeker ik me ervan dat hij precies ziet wat ik doe. Hij kijkt.

Ik ga bevallig op mijn rechterzij liggen, zodat mijn linkerheup als een golf omhoogsteekt. Er zijn tientallen mensen op het strandje. Gezinnen, stelletjes, groepjes jongeren, ik negeer ze. Hij en ik, vanaf nu zijn wij de enige aanwezigen.

Ik fixeer mijn blik op hem. Niet voortdurend, maar voldoende om hem duidelijk te maken dat ik serieus ben. Het spel is begonnen. Zijn vriend en hij houden op met balletje overslaan. Hij laat zich in het zand vallen, trekt zijn handdoek een meter van het groepje vandaan en gaat liggen, ook op zijn zij, op zijn linker, we spiegelen elkaar, we kunnen elkaar aankijken. Ik heb een zonnebril op. Hij pakt er ook een uit zijn tas. Echt alles aan hem is cool, de bril ook, ge-wel-dig. Hij haalt een pakje sigaretten tevoorschijn en steekt er een op.

Jammer dat ik niet rook. Ik zou om een vuurtje kunnen vragen.

Af en toe zegt hij iets tegen zijn vrienden. Het meisje en hij maken geen contact, een gunstig teken, ze zijn vast geen stel.

Na een paar minuten komt er beweging in het groepje. Een paar jongens staan op en lopen richting zee. Het meisje gaat mee. Hij volgt ze, maar pas even later, als hij op zijn gemak zijn sigaret heeft opgerookt. Hij is een eenling, een non-conformist, of wil dat in elk geval lijken.

Ik ga rechtop zitten en zie hoe hij de zee in rent en duikt, dit in tegenstelling tot zijn vrienden, die ruim de tijd nemen om door te komen. Ik had niet anders verwacht. Nu zijn haren helemaal nat en plat zijn, is het moeilijker hem te volgen, er zijn meer donkere koppies in de zee.

Als ik iets met hem wil moet ik zo langzamerhand gaan toeslaan.

Ik doe mijn zonnebril af, leg mijn rokje over mijn tas en vraag aan een meisje op een naburige handdoek of ze even op mijn spullen wil letten. Ze knikt vriendelijk.

Het is bloedheet, zelfs als hij er niet was geweest, was ik nu de zee ingegaan.

Net als hij duik ik in een keer in het water en zwem snel van het strand weg. Heerlijk. De zee, feitelijk is het de oceaan, verslaat het zwembad van Casa da Criança op alle punten. Dit is zwemmen zoals zwemmen bedoeld is. In het oneindige. Je trappelt met je benen en je hebt geen idee hoe ver de zanderige bodem onder je ligt en wat daar allemaal gebeurt. Er kan een haai onder je door zwemmen of een kwal, je voeten kunnen verstrikt raken in zeewier, je weet het niet. De zee is spannend, grillig en in potentie levensgevaarlijk. Daarom houd ik van de zee. De zee geeft, de zee neemt, het is niet mijn tekst, maar hij blijft sterk, laat de zee mij deze jongen geven, dan blijven we voor eeuwig vrienden.

Morrison is ook nog aan het zwemmen, redelijk dicht bij mij in de buurt, als hij het is tenminste, ik weet het niet zeker, het zonlicht is erg fel. Ja, deze jongen heeft lang haar, hij is het. Tientallen meters van het strand drijft een serie gele boeien in het water.

'Waarom zijn die dingen er?' vraag ik in het Engels, terwijl ik naar de boeien wijs. Ik weet donders goed waarom ze er liggen, maar dat doet er nu even niet toe.

Hij kijkt me aarzelend aan en geeft geen antwoord.

'Spreek je Engels?' vraag ik.

Hij schudt van nee.

Ik ben volkomen uit het veld geslagen. Hij spreekt geen Engels. Mijn Portugees is beperkt tot emmer, sop en dweil. Mijn

Hoe & Wat ligt in Casa da Criança. De taal der liefde is universeel, maar zover zijn we nog niet. Er zijn tussenstappen nodig, voorzichtige verkenningen, ik moet hem losweken van zijn groepje, dat gaat nooit lukken zonder woorden.

Ik zwem nog wat, hij zwemt nog wat. Hij spreekt geen Engels. Wat is dit voor jongen? Kijkt hij geen tv, luistert hij niet naar muziek, heeft hij nooit op school gezeten? Het kan toch niet waar zijn? Zo cool zijn en geen Engels spreken, het rijmt niet.

Hij zal me toch wel aantrekkelijk vinden? Ik bedoel: het is na de ingrepen toch onmogelijk om mij niet leuk en lekker te vinden? Een rilling trekt door me heen. Misschien ben ik voor hem wat De Sleutelbos in Corsica voor Kaitlin en mij was. Misschien vindt-ie me een enge vrouw. Ik ben natuurlijk wat ouder, en hij spreekt dan wel geen Engels, maar hij is niet blind.

Wat nu? Het water uit. Dat is één. Naar mijn handdoek. Het meisje bedanken voor het oppassen. Kalm blijven. Mezelf vermannen. Ik droog me af en ga op mijn buik liggen. Voorzichtig gluur ik zijn kant uit. Hij heeft hetzelfde gedaan, precies hetzelfde, hij is uit de zee en ligt nu ook op zijn buik. Onze blikken kruisen elkaar. Wat zou hij denken? Mijn koninkrijk voor een paard dat me kan vertellen wat er door hem heen gaat. Getver, ze kijkt nog steeds of sukkel-die-ik-ben, ik had een kans en heb hem verknald?

Laat het het laatste zijn, dan is er hoop.

De zon brandt op mijn schouders. Ik pak factor twintig uit mijn tas, ga rechtop zitten en begin me in te smeren. Eerst mijn gezicht, dan mijn schouders, mijn hals, de bovenkant van mijn borsten.

Hij is ook gaan zitten, met een sigaret in zijn mond. Hij zoekt zijn aansteker.

Doe iets, roep ik telepathisch naar hem, verzin een list! Gebaar of je mijn rug even moet insmeren, het is toch duidelijk dat ik daar nooit bij kan. Luister lieve schat, als jij hetzelfde wilt als ik – ruige seks zonder enige verplichting binnen nu en een uur – dan moet je me wel helpen, ik heb de eerste stap gezet, ik kan het niet alleen.

Hij kijkt, hij rookt en hij doet helemaal niets. Ik meen iets wanhopigs in hem waar te nemen, maar dat kan *wishful thinking* zijn.

Straks mislukt het nog. Met die mogelijkheid heb ik geen seconde rekening gehouden. Ik zag mezelf al zegevierend het strand verlaten, met Morrison als een mak lammetje in mijn kielzog. Misschien heb ik te lang gewacht, misschien is het over en uit, misschien ben ik de rest van mijn leven veroordeeld tot dwergen en dronken Portugezen.

Ik durf niet meer goed naar Morrison te kijken. Hij ligt, ik lig en dat is het dan, van progressie is geen enkele sprake. Als hij met zijn vrienden aan een tweede zwemronde begint, blijf ik op het strand. Het zou te opvallend zijn om opnieuw gelijk met hem de zee in te gaan, hij kan me wat, ik ga mezelf niet voor gek zetten, er zijn grenzen. Er arriveren nieuwe badgasten, twee jongens, misschien moet ik de bakens verzetten. Zuchtend kom ik overeind. Die ene met die grijze korte broek en de Nike-pet, die gaat nog wel. Als Morrison er niet was, zou hij potentieel hebben, maar Morrison is er wel en Nike steekt er schril bij af.

Zijn vrienden komen terug uit het water. Waar is mijn schatje? Hij is er niet meer. Ze drogen zich af, ze gaan niet liggen. Ik speur de zee en het strand af, ik zie hem nergens. Zijn vrienden pakken hun spullen bij elkaar. Ze gaan weg! Uiterlijk blijf ik onbewogen, vanbinnen sterf ik duizend doden. Is dit het dan? Zal hij uit mijn leven verdwijnen zonder een verdere uitwisseling van gegevens, van telefoonnummers (dat zou een soepel gesprek worden) van e-mailadressen, van een afspraak voor morgen, zelfde tijd, zelfde plaats?

De jongens en het meisje lopen zonder haast richting het restaurant, hun schoenen in hun handen. Een jongen blijft achter, hij staat bij de spullen van Morrison, hij wacht op hem, net als ik. Waar is hij? Ineens begint mijn hart te bonken. Is hij bewust verdwenen, heeft hij zich verstopt, zodat zijn vrienden weggaan zonder hem, zodat hij eindelijk alleen is en zich bij mij kan voegen? Is dit zijn briljante plan?

Laat die vriend dan alsjeblieft ophoepelen. Laat hem niet zo sociaal zijn. Weer begin ik telepathisch te schreeuwen, dit keer tegen de kleine Portugees, die gelaten bij de tas van Morrison staat.

Ga! Hij wil niet dat je op hem wacht, geloof me. Laat die spullen liggen, ik let er wel op. Er zijn andere krachten in het spel, duistere krachten, je hebt geen idee. Je mengt je in iets, je denkt dat je je vriend een plezier doet, maar je doet precies het omgekeerde. Ga! Verdwijn! Ksst!

De jongen fronst, wacht nog twee, drie eindeloze minuten, kijkt voor de laatste keer om zich heen, pakt dan de rugzak van Morrison, stopt de handdoek erin en loopt weg.

De plek waar ze zaten, is leeg. Alsof ze er nooit waren.

Heeft Morrison nog een reden om zich op het strand te vertonen? Kan Morrison zonder zijn spullen? Heeft die kleine gek zijn schoenen ook meegenomen? Waar zijn z'n vrienden? Gaan ze nog iets drinken in het restaurant? Wachten ze hem op bij de auto? Duizend brandende vragen waarop geen antwoord komt.

Ik kan slechts machteloos toezien hoe mijn toekomst met Morrison voor mijn ogen wordt verpulverd. Waar is hij? Ik draai me op mijn buik. Op het terras zie ik geen van Morrisons vrienden. Achter het restaurant zijn douchehokken en toiletten. Zal ik daar even heen gaan? Als allerlaatste kans?

Nee. Ik moet het opgeven. Het is voorbij. Ik heb verloren.

Moedeloos pak ik opnieuw mijn zonnebrandcrème. Ik moet me goed insmeren heeft de dokter gezegd, zeker mijn gezicht. Het is weggegooid geld geweest, het is allemaal voor niets geweest. Ongewild blijf ik naar het terras kijken. Mensen eten verse vis, drinken wijn, lachen, praten. Obers houden volle dienbladen hoog. Iedereen heeft plezier, behalve ik.

Plotsklaps en totaal uit het niets verschijnt mijn beoogde piek van de dag. Hij loopt van de houten trap af aan de rechterkant van het restaurant, stopt halverwege, kijkt naar het strand, draait zich om, loopt weer omhoog en verdwijnt uit het zicht. Dit alles in anderhalve seconde, zo kort dat ik me afvraag of ik het heb gedroomd. Maar dat heb ik niet. Zijn benen gestoken in blauwe shorts met witte bloemen, op de treden van de trap naast het restaurant op Praia Senhora da Rocha, zijn het laatste wat ik van hem heb gezien.

Het rouwproces kan beginnen.

Een mens moet eten.

Ik ook, misschien wordt dat het hoogtepunt. Een gastronomische piek. Altijd nog beter dan niets. Ik schud mijn handdoek uit, stop hem in mijn tas en ga naar boven. Vilarhino is stampvol, zowel binnen als buiten. Ik moet wachten tot er een tafel vrijkomt. Na tien minuten mag ik binnen plaatsnemen. Nee, ik hoef de kaart niet te zien, doet u mij maar een kannetje water, een glas witte wijn, ach, maak er gelijk een halve liter van. Wat is de vis van de dag?

Baars.

De ober zegt het over mijn hoofd heen. Het is te warm, er zijn te veel klanten, hij snakt naar het einde van zijn dienst.

Doe maar.

Ik voel me zo belabberd dat ik snak naar gezelschap. Lotus, Eddie, desnoods Jimmy. Ik mis mijn mobiel. Ik wil iemand sms'en, ik wil contact.

De ober brengt de wijn. Hij zet er een mandje brood bij en een schaaltje met tonijnpasta, een geitenkaasje en olijven. Ik laat het brood staan en neem wat te drinken.

De baars komt vlot door, ik drink net het bodempje van mijn tweede glas wijn op, de vis wordt gebracht door een andere ober. Zijn buik puilt over zijn broekriem heen, hij is zeker dertig kilo te zwaar, maar hij heeft een vriendelijk gezicht. Er hangt een theedoek over zijn schouder.

'Een mooie vis voor een mooie dame.' Zwierig zet hij een bord met een flinke moot, drie aardappels en een hoopje sperziebonen op tafel.

'*Obrigada*,' zeg ik.

De vis ziet er smakelijk uit. Ik pak mijn mes en vork. Na een klein stukje baars verschijnt de ober opnieuw aan mijn tafel. Hij schenkt mijn wijn bij en kijkt me verwachtingsvol aan. Zijn vlezige wangen kleuren rood. Ik geloof dat ik sjans heb.

'Heerlijke vis,' zeg ik, voordat hij het kan vragen. Om mijn woorden kracht bij te zetten neem ik enthousiast knikkend een grote hap. Een iets te grote hap. Ik verslik me. De hap blijft in mijn keel steken. Ik probeer hem weg te krijgen, het lijkt wel of er een graat bij zit, het lukt niet, ik krijg het benauwd, ik grijp naar mijn water en neem een slok, ook dat wil niet, ik kan niet slikken, het gaat mis, ik voel dat ik rood aanloop, verdomme, straks stik ik, dat kan er ook nog wel bij.

Wat is er met Julia gebeurd?

Die is gestikt in een baars in het visrestaurant bij Praia Senhora da Rocha.

Ach heden, wat een noodlot. Eerst de oudste zoon en nu zij. Wat waren haar laatste woorden?

Heerlijke vis.

Wat waren zíjn laatste woorden ook alweer?

Die weet niemand. Hij stierf alleen. Voordat de dokter kwam.

De ober kijkt me vertwijfeld aan. Hij ziet dat ik het moeilijk heb, maar heeft geen idee hoe moeilijk, hij durft niet te handelen. Ik wijs naar mijn rug, dan begrijpt hij me, hij zet zijn dienblad op tafel en klopt op mijn rug, eerst voorzichtig, bijna teder. Ik blijf wijzen, harder, het moet harder, toe maar. Ik steek mijn armen omhoog, dat doen mijn kinderen ook als ze zich verslikken, dat hebben ze op de crèche geleerd. De ober slaat met zijn vlakke hand tussen mijn schouderbladen, na twee ferme tikken komt de hap eindelijk los, rochelend spuug ik hem uit, witte vlokken belanden deels op mijn bord, deels op tafel. Een onsmakelijk gezicht voor de andere gasten, dat besef ik, maar een sterfgeval terwijl je zit te smikkelen is ook niet alles.

Ik adem gierend in en uit. Lucht, goddank, ik heb lucht. Nog wat bibberig pak ik mijn servet en veeg mijn mond af. Ik klok mijn derde glas wijn in twee teugen leeg.

De ober neemt mijn bord weg. 'Ik breng u een nieuwe dagschotel.'

'Nee, hoor. Doe geen moeite, ik heb genoeg gehad.'

Hij schudt zijn hoofd. 'Ik sta erop. Zo laat ik u niet gaan. U moet goed eten.'

Hij verdwijnt, komt terug met een doekje en veegt mijn tafel schoon. 'Mag ik u nog een karafje witte wijn aanbieden?'

Ach, welja. Laten we vooral vieren dat ik nog leef.

Niet veel later brengt hij mijn tweede baars en de wijn. Wederom drie aardappels ernaast en een hoopje doorgekookte sperziebonen. Hij veegt mijn tafel nog een keer schoon en zet de schotel neer.

'Voor de mooie dame...' De mooie vis blijft dit keer achterwege.

Nadat ik hem heb bedankt, blijft hij dralend naast me staan. Wat nu weer?

'Verexcuseer,' zegt hij. 'Er is een heer die al twintig minuten op een tafel wacht. Hij vraagt of hij bij u mag aanschuiven. Voelt u zich vooral niet verplicht, ik breng slechts zijn verzoek over, dat is alles.'

Een man alleen die op een tafel wacht. Wat zal het zijn: een bochel, een hazenlip of een ernstig geval van psoriasis?

Weet je wat, hij mag me verrassen.

'Laat maar komen,' zeg ik, alsof ik nog een baars bestel.

De ober knikt, ik meen een mengeling van berusting en teleurstelling in zijn reactie te zien.

Ik drink mezelf een glas moed in en begin aan mijn vis.

'*Hi,*' hoor ik naast me. '*Thanks for letting me sit with you. You really don't mind?*'

De stem komt me bekend voor. Ik kijk op. Naast me staat een lange, lichtbruine neger met een overdaad aan gouden sieraden.

Halleluja.

Praise the Lord.

My kingdom has come.

Amen, brother, amen!

Ik kan geen woord uitbrengen, alleen maar knikken en dit keer steekt er niets in mijn keel.

Will Smith pakt een stoel, legt zijn mobiel op tafel en gaat zitten.

Hoofdstuk 22

Over de tafel geven we elkaar een hand.

'Ik ben Julia.'

Hij glimlacht dezelfde glimlach als in de lobby van Hotel Eva. 'Dat meen je niet,' zegt hij dan.

Waarom zou ik dat niet menen? Ik lieg nooit over mijn naam. Soms over mijn leeftijd.

'Ik heet Romeo.'

Hij houdt mijn hand nog steeds vast. Wat voelt-ie prettig aan. 'Ik ben dus Romeo,' zegt hij weer.

Ja, ja, dat begreep ik al. Leuke naam.

'En jij bent Julia.'

Ik knik. Dat hadden we al vastgesteld. Hij kijkt me veelbetekenend aan. Eindelijk begint het me te dagen.

Romeo declameert: '*What's in a name? That which we call a rose by any other word would smell as sweet.*'

'Volgens mij was dat míjn tekst,' herinner ik me.

'*I take thee at thy word. Call me but love, and I'll be new baptized; henceforth I never will be Romeo.*'

We moeten elkaar nu echt loslaten anders wordt dit de langste handdruk uit de geschiedenis.

'We hebben elkaar al eens ontmoet,' zeg ik terwijl ik mijn glas pak.

'Onmogelijk,' antwoordt hij. 'Dat zou ik nog weten.'

'Een maand of twee geleden, in Hotel Eva.'

'Dat kan, daar ben ik geweest,' zegt hij verrast. 'Hebben wij elkaar daar gezien?'

'Je was aan het uitchecken. Het duurde nogal lang. Je liet iedereen wachten, mij ook.'

Hij lacht als een jongetje dat op iets stouts is betrapt, maar weet dat zijn moeder niet kwaad op hem zal worden. 'Ik liet jou al die tijd wachten. Waar was ik mee bezig?' Hij vouwt zijn handen ineen achter zijn nek en leunt achterover.

Jim Morrison is dood, Will Smith leeft. En hij heet Romeo.

'Je was druk aan het bellen, dat vooral.'

Hij kijkt alsof hij het nog steeds niet kan geloven. Hij is onze ontmoeting volkomen vergeten, ik heb geen enkele indruk op hem gemaakt. Toen niet. Nu wel. Nu wil hij bij mij aan tafel zitten. Waarschijnlijk heeft hij de dikke ober een paar dollarbiljetten in zijn handen gedrukt. Hij heeft moeite voor me gedaan. De rollen zijn omgekeerd. Morgen bloemen laten bezorgen bij dokter Bibber.

De ober geeft Romeo de kaart. Hij pakt hem aan en bestelt een glas ijsthee zonder zijn blik van me af te wenden. 'Je Engels is goed. Waar kom je vandaan?'

'Uit Nederland.'

'*A Dutch girl, olala...*' Hij trekt zijn wenkbrauwen veelbetekenend omhoog. 'Wat eet je?' vraagt hij dan.

'Vis van de dag.'

'Is het wat?' Hij kijkt kritisch naar mijn bord.

Zal ik hem vertellen wat er met mijn eerste portie is gebeurd? Niet doen. Hou het mysterie Julia in stand. Hij wacht mijn antwoord niet af en wenkt de ober. Die komt meteen aangesneld. Hij knipt en buigt voor Romeo, op het slaafse af. De Amerikaan heeft met dollars gestrooid, ik weet het zeker.

'Breng ons de beste vis die je hebt. Dit kan weg.' Romeo maakt een achteloos gebaar richting mijn bord. Daarop ligt een praktisch onaangeroerde moot baars.

Ik neem een slok wijn om mijn glimlach te verbergen. Daar gaat mijn bord weer, terug naar de keuken, Julia mag door naar de derde ronde.

'Beloof me dat je nooit meer de dagschotel zult nemen, in welk restaurant dan ook,' zegt Romeo ernstig. Hij doet alsof ik een misdrijf heb begaan.

'Ik beloof jou helemaal niets.' Deze mijnheer moeten we niet te snel zijn zin geven.

We kijken elkaar lachend aan. De kogel is door de kerk. Ons lot is bezegeld. Romeo en ik gaan seks hebben. Wanneer ik het groene licht geef zal het gebeuren, zo werkt het tussen mannen en vrouwen.

Ik slaak een tevreden zucht, leeg mijn glas en schenk mezelf bij. Het heeft lang geduurd, het heeft een paar centen gekost, maar het is zover. Ik heb beet. Aan mijn hengel hangt het neusje van de zalm. En daarmee ga ik seks hebben. Bij de gedachte alleen al loopt het water mij in de mond, wordt mijn kruis nat en worden mijn tepels hard. Hoe lang sta ik al droog? Veel te lang. Romeo en ik zullen het vreselijk met elkaar doen, wat mij betreft vanavond al, hij mag me hartstochtelijk nemen, hij mag me laten pieken, vandaag kan ik een piek noteren, een genotspiek, en wat voor eentje.

Ik voel een ontzettende aandrang om dit inzicht met mijn tafelgenoot te delen. 'Wij gaan het doen, nietwaar?' zeg ik.

'Sorry?'

Maakt hij een grapje of begrijpt hij me echt niet?

'*We will fuck*,' herhaal ik. 'Jij mij. Of ik jou. *Whatever*.'

Romeo deinst een piepklein stukje achteruit. Ik ben overmoedig geworden. Mijn vier happen baars zwemmen in een enorme plens alcohol.

'Ik bedoel: we gaan nu heel leuk samen eten en drinken, de beste vis, de beste wijn, de hele *enchilada*. Intussen vertel jij me wat jij doet, ik vertel jou wat ik doe, tralietrala, maar in feite is het allemaal rituele onzin. Het is een voortraject. Uiteindelijk hebben we allebei hetzelfde doel. Ik kan doen alsof ik een braaf meisje ben, ik kan *hard to get* gaan spelen, maar waarom zou ik?'

Zonder nadenken gooi ik al mijn kaarten op tafel.

'Ik bevind me op een punt in mijn leven dat ik geen zin heb om eromheen te draaien, die tijd heb ik gehad. Ik wil met je neuken, dat wilde ik in Faro al, en ik weet dat je een goeie penis hebt. Geen kleine, bedoel ik. Op dat gebied heb ik vaak pech gehad, om je de waarheid te zeggen: altijd. Ik heb het een keer eerder met een neger gedaan en dat was alleen omdat ik hoopte dat hij groot geschapen zou zijn. Dat was hij niet. Hij heette Clark. Clark was een ramp. Jij bent geen ramp, vandaag is het mijn geluksdag. Jij hebt een grote verrassing voor me in je onderbroek, waar of niet?'

Romeo zwijgt.

'Wat is er, ben je geschokt? Kom op, we zijn geen kinderen meer. Ik ken je, jij bent een man van de wereld. Dit is niet het eerste onzedelijke voorstel in je leven. Waarschijnlijk niet eens het eerste onzedelijke voorstel van vandaag.'

Hij opent zijn mond om iets te zeggen, maar dan verschijnt de ober aan onze tafel met de maaltijden.

'*Bon appetit,*' zegt hij.

Ik lach naar Romeo. 'Je had helemaal gelijk, dit ziet er stukken beter uit dan de dagschotel. Eet smakelijk.'

Ik neem eerst een slok wijn, dan val ik als een wolf aan op het eten. 'Grote klasse,' zeg ik met volle mond. Te laat besef ik dat dit misschien wat weinig verfijnd overkomt. Ik eet al te lang alleen, dat is het. Snel slik ik de hap door. Romeo zwijgt en laat zijn bestek onaangeroerd.

'Hé, wat is er? Heb ik iets verkeerds gezegd? Sorry als ik brutaal overkom, maar ik dacht dat je—'

'Je weet wie ik ben. Heb ik gelijk?' onderbreekt hij me.

'Hoe bedoel je?'

'Je weet wie ik ben, je weet wat ik doe om mijn brood te verdienen.'

'Zo te zien, verdient het goed,' zeg ik giechelend.

'Neem me niet in de maling, Julia. Je weet het, dat is duidelijk.'

Mijn vork blijft in de lucht hangen. Iets zegt me dat ik deze vis ook niet ga opeten.

'Mijn grote verrassing... is dat waarom ik bij je aan tafel mocht komen zitten?' Alle warmte is uit zijn stem verdwenen.

'Natuurlijk niet,' stotter ik. Het gaat mis. Het dreigt weer mis te gaan, dit kan niet waar zijn, dit verzin je niet, als dit een film was, zou ik het ongeloofwaardig vinden.

'Veel mensen vinden mijn werk banaal. Jij blijkbaar ook. Ik had je anders ingeschat.' Hij gooit zijn servet op tafel en staat op.

Ik ben een beetje draaierig. Ik heb geen flauw idee waar hij het over heeft, hij is boos op me, hij wil ervandoor gaan, wat er ook gebeurt, ik moet hem tegenhouden. 'Ga alsjeblieft zitten, Romeo,' zeg ik. 'Het hele restaurant kijkt naar ons, we lijken wel een getrouwd stel.'

Zijn mond is een smalle streep, zijn blik kan een stroom kolkende lava in een gletsjer veranderen.

'Geloof me: ik weet absoluut niet wie je bent en wat je doet.' Ik raak zijn hand even aan. Hij negeert me, pakt zijn mobiel en steekt hem in zijn zak.

De dikke ober duikt op uit het niets. 'Is er iets mis met de vis?' vraagt hij.

'De vis is prima. Toch?' Ik kijk Romeo aan. Hij geeft geen antwoord.

'Nog een ijsthee voor mijnheer?'

Romeo aarzelt even en knikt dan.

'En mevrouw?'

'Ik houd het bij water, dank u.' Ik schuif mijn glas wijn demonstratief van me af.

Romeo laat zich weer in zijn stoel zakken.

Ik slaak een zucht van verlichting. 'Je vis wordt koud,' zeg ik, om maar iets te zeggen.

'Ik heb geen honger meer.'

Als de ober het drinken komt brengen, mag hij onze volle borden meenemen. Driemaal is scheepsrecht.

Een paar minuten zitten Romeo en ik zwijgend tegenover elkaar. Dan vat ik moed. 'Je hebt me nieuwsgierig gemaakt.'

'Is dat zo?' Hij neemt een slok ijsthee.

'Nogal ja. Ga je het me vertellen?'

'Je weet het dus echt niet?'

Ik rol met mijn ogen.

'Oké dan.' Hij schraapt zijn keel. 'Ik werk in de porno business in Los Angeles.'

'Ben je cameraman, regisseur of... eh...' Ik vraag naar de bekende weg en hij weet het.

'Ik sta vóór de camera's, Julia.'

Voor de camera's. Mijn Romeo citeert Shakespeare en is acteur in pornofilms. Mijn dijken stonden al op springen, nu breken ze door. Ik zie naakte mannen en vrouwen, Romeo in de hoofdrol, censuur, censuur, de volgende beelden zijn niet geschikt voor minderjarigen. Romeo heeft een enorme, o mijn god, natuurlijk heeft hij een enorme... waarschijnlijk is hij gigantisch. En wat hij er allemaal mee doet: hij werkt een serie vrouwen af, hij stoot hem in de ene na de andere, hard, diep en zonder medelijden, ze kreunen van genot. Hij trekt zichzelf af boven een stel lelieblanke, bovenmaatse borsten. Hij laat zich oraal bevredigen door een roodharige schone met sproeten. Het is verschrikkelijk, het is verrukkelijk, het is plat, het is ordinair, het is heerlijk, schaam je, Julia, het is zijn baan, het is gewoon een baan, iemand moet het doen, hij doet het, heb respect voor deze man.

'Wauw,' breng ik tenslotte uit.

Een licht geamuseerde glimlach verschijnt op zijn gezicht.

'Ben je beroemd?'

Hij haalt zijn schouders op. 'Binnen de branche wel. Daarom dacht ik dat je me kende. Er zijn genoeg DVD's waarop ik in actie te zien ben.'

'In actie,' herhaal ik. Hopelijk klinkt het niet al te verlekkerd.

'In actie, inderdaad,' zegt hij droog. Ik klonk vreselijk verlekkerd.

'Dus als ik een willekeurige videotheek binnenloop...'

'...dan tref je me op een bepaalde plank zeker aan.'

'Je hebt je naam in elk geval mee.'

'In de films heet ik anders,' zegt hij kort.

Hoe dan? zou ik willen vragen. Ik zou wel honderdduizend dingen willen vragen, maar durf het niet zo goed. 'Vind je het vervelend om over je werk te praten?'

'Praat jij graag over je werk?'

Ik begin te lachen. 'Ik wil er best over praten, maar er wil nooit iemand luisteren. Jij ook niet, wedden?'

'*Try me*. Je hebt vast een exotisch beroep. *I like exotics.*'

Er gaat een heftige scheut door mijn onderbuik. *O Romeo,*

Romeo! Wherefore art thou Romeo? Ik wil jouw exotische schatje zijn. Noem de plaats, de tijd en ik ben er, benen wijd. Dit gaat niet goed, ik dwaal af, ik moet mezelf tot de orde roepen. 'Mijn beroep is heel saai, ik ben boekhouder,' zeg ik liefjes tegen Romeo.

'Bij wat voor bedrijf?'

'Een makelaarskantoor. Het is een familiebedrijf. Mijn vader is mijn baas.'

'Aha,' antwoordt hij.

Ik zeg expres niets en zie hem koortsachtig nadenken over een volgende vraag. Schattig.

'Zie je wel, je bent er nu al over uitgepraat.'

'Dat is niet waar,' roept hij verontwaardigd. 'Ik wilde net weten of jij... eh...'

Ik laat hem nog een paar seconden spartelen, dan schiet ik hem te hulp. 'Of ik een beroemde boekhouder ben? Nou en of. Wereldberoemd in Amsterdam.'

Zijn ogen lichten op. 'Amsterdam is een geweldige stad.'

Amsterdam is het enige wat nog wild is aan Julia.

'Waar denk je aan?' vraagt Romeo. 'Je kijkt alsof je pijn hebt.'

Deze acteur verstaat zijn vak.

Ik haal mijn wijn terug en neem een slok. 'Pijn is het basisgevoel, nietwaar?' zeg ik luchtig.

– Heel goed.

Jimmy mengt zich ongevraagd in het gesprek.

– Laat je eens van je serieuze kant zien, Jules. Daar maak je meer indruk mee dan met al je geobsedeerde vragen over seks.

Romeo kijkt me vragend aan.

'Leven is niets anders dan afleiding zoeken. Zodra de afleiding verdwijnt, komt de pijn terug. Dat zie je al bij baby's. Een baby heeft twee standen: hij huilt of hij is stil. Hij is stil als hij wordt afgeleid: door voedsel, door aandacht, doordat hij wordt gewiegd, door een speeltje of door zijn eigen gebrabbel. Ontbreekt de afleiding, dan zet hij een keel op. Dan voelt hij de basispijn die hij niet wil voelen, maar die altijd aanwezig is.'

'Hoe weet je dat?' vraagt Romeo.

Ik heb acuut spijt van mijn uiteenzetting. Straks wil hij weten of ik kinderen heb. 'Ik was een huilbaby. Mijn moeder werd gek van me.' Het is een leugentje om eigen bestwil. Volgens de overlevering was Kaitlin de huilbaby, zij liet zich moeilijk afleiden, ik was zoet, niet zo zoet als Jimmy, maar vriendelijk en goedlachs.

'Vergeef me dat ik zo direct ben, Julia,' zegt Romeo langzaam. 'Je komt eenzaam op me over. Alsof je veel pijn hebt.' Hij pakt mijn hand.

Is dit een pornoacteur of een medium?

Ik staar naar de tafel. Als ik hem nu aankijk, barst ik zeker in snikken uit. 'Dit is precies waarom ik liever over seks praat. Seks doet nooit pijn,' zeg ik stug.

Hij sluit zijn andere hand nu ook om de mijne.

'Dan heb je iets gemist, Julia. Dan heb je nooit de liefde bedreven terwijl je wist dat het de laatste keer zou zijn. Dat kan onvoorstelbaar veel pijn doen.'

Ik zoek zijn blik. Zijn gezicht verraadt niets. Zijn bruine ogen met gouden spikkels kijken me rustig aan. Wat is het met deze man, wat doet hij met me? Mijn instinct vertelt me dat hij een roofdier is, dat ik in gevaar ben, in zo'n groot gevaar als ik tijdens mijn vlucht nog niet ben geweest.

Hoofdstuk 23

We drinken koffie. We roeren geen serieuze zaken meer aan. Romeo brengt me naar mijn auto. Ik heb de jeep omgeruild voor een Opel Corsa. De terreinwagen zoop benzine, het kostte me elke week een vermogen, ik vond het zonde van het geld, deze is de helft goedkoper. Hij wijst me zijn wagen, een zwarte Maserati. Misschien had ik de jeep toch moeten houden.

'Waar logeer je?' vraag ik.

'In Tivoli Almansor.'

Ik ken het, het is een luxe viersterrenhotel in Carvoeiro, ik heb er een keer gegeten met Lotus. De ligging is goed, het uitzicht fenomenaal. Het hotel is tegen een rots gebouwd, vanaf de receptie loopt het naar beneden in plaats van omhoog. Je komt binnen op de hoogste verdieping, de vijfde, geloof ik, het restaurant ligt lager. 'Heb je zeezicht?'

'Wat denk je?' antwoordt Romeo. Hij is weer helemaal de man van Hotel Eva voor wie alleen het beste goed genoeg is.

Ik glimlach.

'Waar slaap jij?' wil hij weten.

'In een villa in Sesmarias. Het is een heel bijzonder huis, onder architectuur gebouwd. Als je zin hebt om langs te komen...'

Romeo heeft zijn mobiel gepakt en opengeklapt. Mijn uitnodiging blijft in de lucht hangen. Het druist tegen alle regels in, maar ik doe nog een poging.

'...kan ik een keer voor je koken, als je dat leuk vindt.'

Hij kijkt op van het schermpje.

'Ik maak een heel behoorlijke dagschotel.' Dieper kan ik mezelf niet vernederen.

'Dat geloof ik.'

Hij zegt geen ja, hij zegt geen nee, ik word gillend gek van deze man. Nog geen half uur geleden was hij *all over me* en nu moet ik hem voortdurend aan mijn bestaan herinneren.

'Morgenavond?' suggereer ik.

Hij raadpleegt zijn elektronische agenda en schudt zijn hoofd. Hij heeft al een afspraak. Hoe belangrijk kan het zijn? Zijn werk is in Los Angeles. Romeo verklaart zich niet nader, hij doet geen suggestie voor een andere dag, hij tuurt slechts zorgelijk naar het scherm, alsof hij op allerlei bezigheden stuit die hij vergeten was.

'Overmorgen?'

Weer schudt hij van nee. Wat vreet die gozer allemaal uit en vooral: met wie?

'Ben je hier aan het werk? Ik dacht dat je op vakantie was.'

'Allebei.'

'Porno in de Algarve? En ik maar denken dat die Portugezen zo preuts zijn. Ik heb hier nog geen bordeel gezien. Nou ja, mooie lokaties genoeg. Mag ik een keer een kijkje op de set komen nemen?' Dit is echt, absoluut, ik zweer het op het leven van mijn kinderen, mijn laatste poging tot een vervolgafspraak.

'Ik ben niet aan het filmen.'

'Wat doe je hier dan?' Nu wil ik het weten ook.

Hij haalt iets uit zijn binnenzak en overhandigt het. Het is een visitekaartje.

'Je mag dit nummer nooit aan iemand anders geven,' drukt hij me op het hart. 'Dat moet je me beloven. Ik ben zeer selectief als het om klanten gaat.'

'Klanten?'

Ineens begrijp ik het. Romeo is in te huren. Zijn klanten zijn vrouwen. Eenzame, hunkerende vrouwen. Vrouwen in grote villa's. Vrouwen die alleen eten. Vrouwen zoals ik.

'Is dit waarom je bij me aan tafel bent komen zitten? Zie je mij als een potentiële klant?' Ik wapper mezelf koelte toe met het visitekaartje.

'Dat heb ik niet gezegd. Jij wilde weten wat ik hier deed.'

'Jij hebt me net je kaartje gegeven. Wat gebeurt er als ik dat nummer bel?'

'Dan kun je een afspraak met me maken.'

'Een zakelijke afspraak?'

'Je vindt het misschien raar, Julia, maar er zijn genoeg vrouwen die ervoor kiezen. Het geeft rust, het geeft duidelijkheid, het schept geen verkeerde verwachtingen. Zo'n afspraak is voor beide partijen prettig.'

'Partijen? Godsamme Romeo, we hebben net samen gegeten, we hebben een intens gesprek gehad. Ik vind je bijzonder, ik wil je nog een keer zien. Dat gaat dus niet gebeuren, tenzij ik je betaal?'

'Ik ben bang dat het daar wel op neerkomt,' zegt hij langzaam.

'Waarom?'

'Het is mijn werk. Als ik wil dat jij mijn boekhouding doet, moet ik je toch ook betalen?'

'Dat is niet te vergelijken.'

Hij klapt zijn mobiel dicht en bergt hem op. 'Je gelooft me misschien niet, maar ik vond het leuk je te ontmoeten.' Hij pakt mijn hand en brengt die naar zijn mond. Terwijl hij mijn vingers een voor een kust, laten zijn ogen me geen moment los.

Ik word week.

'Julia,' fluistert hij tussen mijn wijsvinger en mijn duim door. 'Wat moeten we nu?'

Het is de hand waaraan normaal mijn trouwring zit. Die ligt in het kluisje van de villa. Ik voel me niet gebonden, ik ben vrij, vrij om mijn eigen beslissingen te nemen. Ik sta bij mijn Opel Corsa terwijl een pornoacteur schuine streep gigolo schuine streep medium schuine streep god mag weten wat mijn vingers aflikt. Hij strooit met wijsheden en zijn visitekaartje, dat laatste moet ik bewaken met mijn leven, hij wil op zakelijke voet met me verder gaan, zijn zakelijke voet heet de Love Service, ik ben een van de uitverkorenen die van deze service gebruik mag maken, een kik van mij en ik beland in zijn *organiser*.

'In de films heb je een artiestennaam. Waarom gebruik je voor de Love Service je echte naam?' vraag ik.

'Wie zegt dat Romeo mijn echte naam is?'

'Je zag me dus wél als een klant,' zeg ik verontwaardigd. 'Je stelde je voor als Romeo.'

Voor het eerst kijkt hij verlegen.

'Hoeveel namen heb je wel niet?'

'Genoeg.'

'Ik zou behoorlijk in de war raken van al die identiteiten,' mompel ik.

'Jij hebt ze ook. En daardoor ben je in de war geraakt. Alle rollen die je moet spelen zijn op een hoop geveegd en die hoop heet Julia. Julia weet niet meer wie ze is, Julia is de weg kwijt, Julia is een vat vol twijfels.'

Het orakel is weer aan het woord. En slaat de spijker op zijn kop.

'Wij zijn elkaar niet voor niets tegenkomen, Julia, ik geloof niet in toeval. We kunnen iets voor elkaar betekenen.' Romeo knikt naar het visitekaartje.

Ik wil het hem nog even moeilijk maken. 'En ik maar denken dat liefde niet te koop is.'

'Er staat Love Service,' zegt hij minzaam. 'Dankzij de service leer je het verschil kennen tussen ware en betaalde liefde. Je zult je daarna nooit meer vergissen.'

En als er toch iets tussen ons opbloeit? Als we verliefd worden, wat dan? De vraag brandt op mijn lippen, maar ik stel hem niet, ik ben bang voor zijn reactie. Mannen zoals hij worden vast niet verliefd op vrouwen zoals ik.

'Romeo, voordat ik met jouw Love Service in zee ga, wil ik een ding helder hebben. Ik moet jou betalen voor seks.'

Hij laat mijn vingers los. 'Klopt. En voor gezelschap, mocht je daar behoefte aan hebben. Pure seksdates nemen nooit zo veel tijd in beslag.'

'Goed. Hoe zit jij de komende weken qua afspraken?'

Hij klapt zijn mobiel weer open. 'Ik heb er nog drie... eh... vier staan.'

'Seks of gezelschap?'

'Drie keer seks, een keer seks met gezelschap. Al met al ongeveer zes uur werk, zonder reistijd.'

'Mooi. Die afspraken mogen wat mij betreft doorgaan. Maar dan wil ik je voor een maand inhuren.'

'Hoe bedoel je?' vraagt hij onzeker.

Zo zie ik het graag. Wie betaalt, bepaalt. 'Jij trekt bij mij in. Je offreert hiervoor een totaalbedrag, de uren dat je naar die andere afspraken moet, breng je in mindering.'

'Uiteraard,' zegt hij met een dun stemmetje.

'Voor de komende zes weken neem je geen nieuw werk aan, dat geeft mij de gelegenheid de huurperiode eventueel te verlengen. Mocht ik niet overgaan tot een verlenging, dan zal ik je daarvoor compenseren, gebaseerd op een gemiddelde van twee afspraken per week. Zit ik in de juiste richting?'

Hij knikt alleen maar.

'Je begint per direct. Je rijdt nu even naar je hotel om je spullen op te halen. Of je je kamer in het Almansor al dan niet wilt aanhouden, laat ik aan jou. Ik zal je uitleggen waar ik woon.' Ik gooi mijn hoofd in mijn nek. 'Maak jij maar vast een offerte, Romeo. Zet het op een A4'tje en neem het mee. Wij gaan zaken doen.'

'En als we er niet uitkomen qua prijs?' vraagt hij. 'Dan sta ik daar met mijn spullen. Zal ik de offerte anders eerst even doorbellen?'

'Ik onderhandel niet per telefoon.' Ik stop het kaartje van Romeo in mijn tas, haal mijn autosleutel eruit en maak de Opel open. Ik kruip zo elegant mogelijk achter het stuur. 'Nog vragen?'

Hij schudt zijn hoofd. Ik leg hem uit hoe hij naar Casa da Criança moet rijden.

'Tot zo.' Ik start de motor en rijd al hellingproevend omhoog. Het is echt een heel steil weggetje. In mijn achteruitkijkspiegel zie ik hoe Romeo langzaam naar zijn Maserati loopt.

Als ik weer in de spiegel kijk, zit Jimmy op de achterbank.
– Je laat me schrikken.
– Sorry Jules, ik probeer je alleen maar scherp te houden. Al geloof ik dat je me steeds minder nodig hebt.
– Wat vind je van Romeo?
– Vreemde vogel. Desalniettemin: gefeliciteerd. In Faro kreeg je het niet voor elkaar, nu wel. Tegen betaling, maar toch.
– Vertrouw je hem?
– Jij vertrouwt hem. Je vraagt hem bij je in te trekken.
– Ik wil seks.
– Daarvoor hoeft hij niet bij je te komen wonen.
– Je zult het wel idioot vinden, maar ik geloof hem. Dit is geen toeval. Hij noemt zich Romeo, dat alleen al. We moeten meer tijd met elkaar doorbrengen. Ik denk dat hij me kan helpen. Hij doet iets met me, hij raakt me, ik voelde het al in Hotel Eva...
– Volgens mij zit jij gewoon te lang zonder man, Jules. Iedere gek die voorbij zeilt met een paar halfzachte teksten kan jou met een natte vinger lijmen. Romeo, Your Love Service, hij is wel een uitgenaste, niet te geloven. En al die verschillende namen. Zou er een hele trits paspoorten in zijn binnenzak zitten? Zou me niets verbazen.
– Doe jij maar lekker cynisch.
– Het is jouw feest, schat. Denk je nog wel eens aan thuis?
– Net nog.

Het is niet helemaal een leugen. Ik heb even aan Isabel gedacht toen Romeo me vertelde in welk hotel hij verblijft. Naast de receptie van Tivoli Almansor is een zitje, met gratis internet. Lotus checkt daar altijd haar e-mail, die doet gewoon alsof ze een hotelgast is. De keer dat ik met Lotus in het hotel ging eten, vloog zij meteen op de computers af. Ik had het ook kunnen doen, ik had op MSN kunnen gaan om te kijken of mijn dochter online was. Ik deed het niet. Stel dat ze online was, wat had ik dan moeten zeggen? Over mijn thuiskomst kon ik niets beloven, leuke nieuwtjes had ik niet, ik kon moeilijk over de dwergen of over mijn operaties beginnen. Nu ik Jims verjaardag

ben vergeten, durf ik helemaal nooit meer contact te zoeken.
– En?
– Niks. Zeur niet zo aan mijn kop, Jimmy. Ik doe wat jij wilt, ik ga voor de piek.

Ik kijk in mijn spiegel. Hij heeft zich onderuit laten zakken, hij ligt op zijn rug op de achterbank en bestudeert zijn nagels.
– Dat vond ik het ergste. Ik was een mooie jongen, waar of niet? Daar was weinig van over op het laatst.

Hij zegt het met een zucht.
– Ben je jaloers?
– Op de levenden? Ben je mal. Al dat getob, ik moet er niet aan denken.
– Ik zei je iets: ik ga voor de piek.
– Weet je wat jouw probleem is, Jules? Jij neemt mensen veel te serieus. Je moet zorgen dat ze jou serieus nemen. Dat is het enige wat telt.

Hoofdstuk 24

Romeo houdt woord. Binnen een uur staat hij op de stoep van Casa da Criança, met twee leren koffers in zijn hand. 'Inderdaad een... eh... bijzonder huis,' zegt hij, terwijl hij langs de vaalrode voorgevel omhoogkijkt naar het fuchsiapaarsachtige dak.

'Je mag heus wel zeggen dat je het lelijk vindt, hoor. Dat vond ik in het begin ook, maar het went. Op een gegeven moment zie je het niet meer, sterker nog, je gaat het op een vreemde manier waarderen.'

'Hoe lang duurt dat ongeveer?' vraagt hij terwijl hij naar binnen stapt.

'Ik denk niet dat jij dat gaat redden.'

Hij zet zijn koffers in de hal.

'Wil je een rondleiding? Het is vrij groot hier, je zou zomaar kunnen verdwalen.'

'Straks. Voorlopig blijf ik heel dicht bij jou in de buurt, dan kan me niks gebeuren, toch?'

Hij komt recht voor me staan en plaatst zijn handen tegen de muur, ik voel het beton in mijn rug, ik kan geen kant op. Hij brengt zijn gezicht vlak bij het mijne. Pretlichtjes in zijn ogen. Hij flirt met me. De Love Service draait op volle toeren. We moeten nog onderhandelen, ik moet alert blijven.

Met een snelle beweging duik ik onder zijn rechterarm door en loop naar de woonkamer. 'Heb je je huiswerk gedaan? Je zou wat op papier zetten.'

'Zo, zo, een echt zakenvrouwtje, jij.'

'Boekhouder hè, dat krijg je ervan. Noem het beroepsdeformatie, maar ik heb alles graag zwart op wit.'

Romeo kijkt op zijn gemak rond in de woonkamer. Hij pakt een beeldje van het dressoir, draait het rond en zet het weer neer. 'Misschien moeten we er samen even voor gaan zitten, ik kwam er in mijn eentje niet uit. Een maand is lang. Wie zegt dat we het vol zullen houden?'

'Wil je vooruit betaald worden? Dat kan.'

'Het gaat niet alleen om het geld, Julia. Wij staan op het punt een bijzonder avontuur aan te gaan. Voordat ik iets vastleg, wil ik meer van je weten.'

Nou wordt-ie helemaal mooi.

'Jij hebt wel lef Romeo, of hoe je ook mag heten. Wie neemt hier het grootste risico? Ik haal een man in huis die me heeft verteld dat hij net zoveel identiteiten heeft als onderbroeken. Ik ga die man betalen, terwijl ik mogelijk te maken heb met een voortvluchtige crimineel en dan begint hij... dan begin jij te mekkeren dat je meer over míj wilt weten. Dat is toch wel de *bloody limit.*'

Hij negeert mijn uitval volkomen. 'Heb je hier een DVD-speler?'

Even ben ik uit het veld geslagen.

'Ik heb een DVD'tje bij me. Kun je zien wat je in huis haalt.'

'Dat meen je niet.'

'Natuurlijk wel. Je bent Nederlands: "Kijken, kijken, niet kopen", ik ken jullie.'

Hij zei het echt: 'Kaaikuh, kaaikuh, niet koopuh.' Het is lang geleden dat iemand iets in mijn moerstaal tegen me zei. Er lopen genoeg Nederlanders rond in de Algarve, maar ik mijd ze als de pest. Zelfs mijn buren heb ik tot nu toe alleen vanaf een veilige afstand toegezwaaid. Ik maak geen praatje met ze, ik vertik het, als je daar eenmaal aan begint sta je voor je het weet elke dag bij Casa Encantador te informeren naar de krampjes van junior.

'Zal ik hem opzetten?' vraagt Romeo vriendelijk.

'Nu?'

'Wanneer anders? Morgen heeft het weinig zin meer.' Hij geeft me een veelbetekenende knipoog. Jimmy had gelijk, dit is een uitgenaste.

'Wil je hier kijken of in de slaapkamer?'

'In de slaapkamer zou je je misschien niet kunnen beheersen, Julia. We hebben nog niets op papier, straks raakt je hele boekhouding in de war.'

Om nog maar niets te zeggen over mijn hormoonhuishouding,

die is totaal op tilt sinds een zekere Romeo aan mijn tafel plaatsnam in Vilarhino. Hij loopt hier nu rond, in mijn huis, alsof hij nooit anders heeft gedaan.

Hij is lang, mannelijk en zelfverzekerd. Hij draagt een linnen broek met daarop een wit overhemd, het bovenste knoopje is los. De rest van de knoopjes smeken erom ook los te worden gemaakt, door hem of door mij, wat doet het ertoe, als dat overhemd maar uit gaat en een beetje snel graag, ik wil die brede borstkas zien, ik wil mijn nagels erin zetten, ik wil dat hij me naar zich toe trekt, ik wil op de grond belanden, op hem, onder hem, het mag haastig, het moet haastig, mijn lichaam snakt naar hem, het doet pijn, het is een scheurende pijn, ik lijd, ik ben een spoedgeval, ziet hij dat niet? Hij is Romeo van de Love Service, hij moet voor een oplossing zorgen, hij moet me repareren, daar is hij voor ingehuurd, dat is zijn specialiteit.

Ik loop naar de Chinese sierkast, waarin de televisie staat, en maak hem open.

Romeo pakt de DVD. Hij zit in een wit doosje zonder opdruk, zodat je niet kunt zien om wat voor materiaal het gaat. Hij komt naast me staan en doet het schijfje in de DVD-speler. Ik pak de afstandsbediening en zet de televisie aan. We gaan samen op de bank zitten.

'Wil je wat drinken?' vraag ik, terwijl de standaardtekst over alleen bedoeld voor thuisgebruik en verboden te kopiëren voorbij rolt.

'Nee hoor,' zegt hij.

'Ik neem wel wat, weet je het zeker?' Lichtelijk nerveus loop ik naar de keuken. Het is alsof ik met Will Smith zelf naar zijn laatste film ga kijken. Wat zou Romeo van me verwachten? Complimentjes over zijn lichaam, zijn acteerprestaties, zijn seksuele uithoudingsvermogen? Zullen we de DVD helemaal uitkijken? Dat zou lollig zijn. En dat ik dan zeg dat het einde een beetje tegenviel: die moet ik onthouden, da's een goeie.

Ik schenk driekwart glas Bacardi in en gooi er voor de vorm wat cola light bij. Mijn handen trillen, een valiumpje zou niet gek zijn. Even diep in en uit ademen. Denk zen, denk zonsondergang, denk aan je chakra's, laat ze allemaal even tot bedaren komen. Ik neem een flinke slok, vul Bacardi bij en ga terug naar de huiskamer.

Romeo heeft de film op pauze gezet. Als ik weer naast hem zit, zet hij hem aan.

Ik hoor muziek, bekende muziek. Het is het openingsnummer van *The Sound Of Music*. Wonderlijk.

Romeo leunt naar voren.

Nu zie ik Julie Andrews. De heuvels zijn levend. Springlevend met het geluid van muziek. Het zijn prachtige, uitgestrekte groene heuvels en Julie heeft haar kwaliteiten, maar hitsig is anders en de neger naast me is in geen velden of wegen te bekennen.

'Oeps,' zegt Romeo. Hij pakt de afstandsbediening.

Ik neem aan dat hij een stukje gaat doorspoelen, dat *The Sound of Music* er voor de grap voor is gezet om de pikante DVD van een onschuldig sausje te voorzien, dat we hierna de echte heuvels te zien krijgen. Venusheuvels, waarover mijn Romeo dapper dartelt.

Romeo zet de film stil en kijkt me schaapachtig aan. 'Verkeerde DVD,' zegt hij.

'Dat meen je niet.' Hoe komt hij in hemelsnaam aan *The Sound of Music?*

O, maar dat is zijn lievelingsfilm. Al jaren. Hij heeft altijd een kopie bij zich, om af te spelen voor het slapen gaan. Wordt de Love Service kalm van.

'Het spijt me, Julia, ik heb te haastig gepakt. Wat ik je wilde laten zien heb ik in Tivoli Almansor laten liggen, vrees ik.'

'Heb je de kamer opgezegd?'

Hij knikt.

'De schoonmaakster boft.' Ik heb pech. Of niet. Ik pak mijn glas en klok het halfleeg. 'Tja,' zeg ik, 'dan zit er niets anders op.'

'Wat bedoel je?'

'Een live optreden. Laat maar zien wat je in huis hebt, Romeo.' Ik gebaar dat hij moet opstaan.

‘*No way*,’ zegt hij verontwaardigd.

‘Zeker wel. Kijken, kijken en anders niks kopen. Heb je een muziekje nodig? Daar staat een rek vol cd’s, er zit vast wel wat tussen.’

Nog steeds onwillig staat hij op. ‘Dit doe ik dus normaal nooit, hè, dat je dat even weet.’

‘Ik maak normaal ook geen gebruik van een Love Service. Tot nu toe is het weinig spectaculair.’

Even denk ik dat ik hem heb beledigd. Het valt mee. Hij loopt naar de cd’s, zoekt er eentje uit en zet hem op. Het is *fado*, Portugese smartlapperij. Ik weet zeker dat er geschiktere muziek tussen zit, hij doet dit om me te pesten. Een striptease op fadomuziek, maak me gek.

Romeo gaat voor me staan. De eerste minuut doet hij helemaal niets, hij sluit zijn ogen, concentreert zich, dan begint hij langzaam te wiegen op de maat van de muziek. Eerst alleen zijn bovenlichaam, na enige aarzeling draaien zijn heupen ook mee, alsof hij het niet kan laten. Zijn ogen zijn nog steeds dicht. Ik neem snel een slok. Het is heerlijk om hem ongegeneerd van onder tot boven te kunnen bestuderen. En om de baas te zijn. Hij is van mij. Ik sta op het punt hem te kopen.

‘Dat hemd mag nu weleens uit, Romeo.’

Hij doet alsof hij me niet hoort, toch glijden zijn handen omhoog en maken het tweede knoopje open. Hij blijft bewegen, langzaam, sensueel, terwijl hij doorgaat naar het volgende knoopje. En het volgende. Ultratraag.

‘De rest in een keer,’ commandeer ik. ‘Onkosten worden vergoed.’

Zijn ogen gaan een stukje open. Hij kijkt me aan van onder zijn dikke, krullende wimpers. Hij weet precies wat hij teweegbrengt met die blik.

Ik houd mijn adem in.

Hij pakt zijn hemd en scheurt het open, zoals ik hem had opgedragen, de resterende knoopjes belanden met zachte tikjes op het marmer, zijn borstkas is deels zichtbaar, nog lang niet helemaal.

Ik wil opspringen en het hemd van zijn lijf trekken, maar ik beheers me. Het is zijn proefopdracht, hij moet zweten. Romeo maakt een kronkelende beweging met zijn schouders en het hemd glijdt op de grond.

Ineens is hij halfnaakt.

Hij is gespierder dan ik had verwacht. Zijn borstkas is breed, glad en matglanzend, waar zou hij zich vanmorgen mee hebben ingesmeerd? Mag ik dat morgenochtend doen? Zijn handen zijn nu bij zijn riem. Heilige moeder Maria, die gaat snel open, hij trekt hem met een ruk uit alle lussen.

'Doe je armen eens op je rug,' zegt hij.

'Pardon?'

'Ik vertrouw je niet. Je hebt nog geen cent betaald. Straks kun je je niet meer inhouden, straks maak je misbruik van me...'

Ik weet niet of hij een grapje maakt of dat het onderdeel van het spel is, ik weet alleen dat ik alles zal doen wat hij me vraagt. Zover heeft hij me, de rollen zijn alweer omgedraaid. Staat de fado nog op? Ik hoor het niet meer, ik hoor niets, hij is alles wat ik zie en hoor.

'Mag ik mijn glas eerst leegdrinken?'

Dat mag.

Hij bindt de riem stevig om mijn polsen. Pas als hij klaar is, besef ik dat ik me in een kwetsbare positie bevindt. Zijn volgende stap kan een prop in mijn mond zijn, hij kan me beroven, niemand weet dat hij hier is, Eddie niet, mijn Nederlandse buren al helemaal niet. Stella komt overmorgen pas weer. Dan kan mijn lichaam al koud zijn. Grenzen leer je pas kennen als je ze opzoekt. Misschien was het de grootste fout van mijn leven om in zee te gaan met de Love Service, misschien was het het beste wat ik ooit heb gedaan. Ik zit in de *twilight zone*, al mijn zintuigen staan op scherp, ik ben me hyperbewust van alles om me heen, ik hoor mezelf zwaar ademen, ik voel mijn hart bonzen, ik leef, de oude Julia herleeft.

Romeo heeft zijn schoenen uitgetrokken en een andere cd opgezet. De zomerhit van Elvis en Junkie XL, het begint ergens op te lijken. Mijn huurling neemt zijn positie weer in en begint te swingen. En ik moet geloven dat hij dit nooit eerder heeft gedaan? Hij draait, hij heupwiegt, The King is niet dood, hij knoopt zijn broek los, laat hem zakken en ontdoet zich er elegant van. Een hagelwitte slip komt tevoorschijn.

A little less conversation,

a little more action please.

Zal ik het nu gaan meemaken? Heeft hij condooms bij zich? Dat zal toch wel.

Come on come on.

I'm tired of talking.

Hij draait zich om. Zijn billen schemeren door zijn broek. Lekker kontje. Heel frustrerend dat mijn handen geen kant op kunnen.

Hij haakt zijn duimen achter de zijkanten van zijn slip. Tergend langzaam gaan zijn duimen omlaag. Het is niet zo dat ik volkomen verbijsterd ben door wat ik te zien krijg, het zijn twee welvingen in het midden gescheiden door een spleet, zoals bij iedereen. Maar het feit dat hij ze me toont, dat hij zich straks zal omdraaien, dat hij geheel naakt zal zijn, dat hij dat durft terwijl hij me nauwelijks kent, maakt dat mijn bewondering voor de Love Service met de minuut toeneemt, evenredig met mijn bereidheid tot het betalen van enorme bedragen.

Romeo's slip ligt op de grond. Hij stapt eruit. Een spiernaakte neger bevindt zich in mijn woonkamer met zijn rug naar me toe.

Satisfy me.

Hij doet het.

Tromgeroffel weerklinkt.

Hij maakt een pirouette, op zijn tenen, zijn armen draaien sierlijk mee. Hij heeft op ballet gezeten, dat kan niet anders. Zijn geslacht komt zo snel voorbij dat ik het niet goed kan zien. Romeo maakt nog een pirouette, een halve, iets langzamer, en eindigt met zijn gezicht naar zijn eenkoppige publiek, hij buigt met een korte hoofdknik, recht zijn rug en blijft staan, als een etalagepop.

Hij is fors geschapen, hij is niet stijf, maar ook niet helemaal slap, er loopt een dikke ader overheen. Hij is fantastisch, ze moeten er een mal van maken, hij moet in een catalogus.

'Bravo!' roep ik. Als ik had kunnen klappen, had ik het gedaan.

'Is dat voor de act of voor dit?' vraagt hij, terwijl hij zijn rechterhand nonchalant onder zijn geslacht plaatst en hem een beetje omhoog tilt.

Ik ben sprakeloos.

Hij grinnikt, stapt naar me toe, het object van mijn verlangen is nu redelijk dicht in de buurt van mijn mond. Geroutineerd geeft hij er een paar rukjes aan. 'Dit is wat je wilt kopen, toch? Het gaat je niet om mij, maar om mijn handelswaar. Kijk maar even of het je bevalt.'

Ik voldoe aan zijn verzoek. Zijn penis is nu volledig stijf, de totale lengte zal zeker twintig centimeter bedragen, als het niet meer is. Romeo is besneden, aan de top prijkt een grote, glanzende, velloze eikel. Onder de penis hangt een keurig gevulde balzak, het ziet het er allemaal gezond en goed functionerend uit. Er komt geen penetrante of onaangename geur vanaf, er is niks mis mee, helemaal niks. De conclusie is snel getrokken.

'Doe er maar een strikje om, ik neem hem,' zeg ik. 'Mag nu alsjeblieft die riem van mijn polsen?'

'Nog niet,' zegt Romeo. Hij brengt zijn geslacht nog iets dichter bij mijn mond. 'Likje?'

Hij kan het zo onschuldig vragen. Alsof hij mijn buurjongetje is dat zijn ijsje met me wil delen.

Ik steek mijn tong uit. Hij laat zijn eikel er even overheen glijden en trekt zich snel terug.

'Hé! Ik proefde amper wat.'

'Vooruit dan.'

Hij brengt zijn penis weer in de richting van mijn lippen, dit keer duwt hij hem verder en dieper, hij schuift hem naar binnen. 'Zuig maar even,' zegt hij toegeeflijk.

Ik doe het. Wie doet wie nu een plezier? Het maakt niet uit. Ik sluit mijn ogen en geniet van de warme massa in mijn mond.

Volgens mij is er nog nooit zo veel bloed naar mijn lippen gestroomd. En dat naast de Belgische vulling, ik mag wel uitkijken dat ze niet klappen.

'Zo. Dat is genoeg.'

Beheerst haalt Romeo zijn geslacht uit mijn mond. Dit is het verschil tussen de prof en de amateur. Hij pakt zijn slip van het marmer en trekt hem aan.

'Je gaat nu toch niet stoppen?' stotter ik.

'Meisje, ik ben amper begonnen.' Hij kleedt zich verder aan. Zo dadelijk is dat heerlijke lijf weer onder kleren verdwenen, dat kan niet, ik moet hem tegenhouden. Ik kom overeind, stuntelig, met mijn handen op mijn rug.

'Romeo...' Ik kijk smekend naar hem op. Zal ik hem zoenen? Hoe pak ik dat aan? Probeer zonder armen maar eens iemand met overtuiging te zoenen. Dat is lastig, zeker als hij twee koppen groter is. 'Maak me los. Ik wil je voelen.'

Romeo schraapt zijn keel. 'We zouden eerst het zakelijke gedeelte afhandelen, mevrouw de boekhouder.'

Verrek ja, dat wilde ik zonodig. Dat was net en dit is nu. Ik ga niet meer mierenneuken over een paar centen, desnoods prostitueer ik mezelf om hem te kunnen betalen. Dat zal ik hem maar niet aan zijn neus hangen, ik ben slim genoeg, ik heb vaker met dit bijltje gehakt. 'Geld speelt geen rol. Noem je prijs en ik betaal,' hoor ik mezelf met een hese stem zeggen. 'Mits het een redelijk bedrag is, natuurlijk,' murmel ik erachteraan.

'Wat vind jij redelijk, Julia? Je wilt dat ik minstens een maand blijf. Dat is lang.'

Romeo pakt mijn polsen en maakt de riem los. Hij is aangekleed, hij is Romeo van de Love Service, hij is niet de man die ik dacht dat hij was, de man in het restaurant die oprecht in me geïnteresseerd leek.

'Om te beginnen krijg je gratis kost en inwoning,' zeg ik. 'Daarnaast heb je vier andere klussen, die gewoon doorgaan. Wat krijg je daarvoor?'

Romeo heeft de riem door de lussen van zijn broek gehaald en gespt hem vast. 'Iedere klant heeft een eigen tarief, ik noem geen bedragen.'

'Toch zul je met een prijs moeten komen, jij bent de dienstverlener. Als ik je te duur vind, merk je het wel.'

Hij zucht. 'Euro's of dollars?'

'Euro's.'

'Zesduizend.'

Zesduizend euro voor een maand lang gegarandeerde elke-nacht-seks met een routinier. Het is een smak geld.

'Zesduizend, hmm?' herhaal ik, om tijd te rekken.

'Per week. De hele maand maakt dan—'

'*No way.*' Ik loop naar de keuken.

Romeo komt me achterna. 'Als ik mijn werkelijke uurtarief zou hanteren, kom ik veel hoger uit.'

'Je mag hanteren wat je wilt, ik ga geen zesduizend euro per week dokken. Dan doe ik liever iets aan de honger in Afrika. Dat zou ik sowieso moeten doen, maar het schiet er steeds bij in. Wil je wat drinken?'

Mijn geilheid is verdwenen. Dat komt door al dat gepraat over geld, dat maakt het toch minder. Ik vraag me af hoe mannen dat met hoeren doen.

Romeo lust nu ook wel een Bacardi cola.

Ik schenk er twee in. We proosten.

'Op de honger in Afrika,' zeg ik.

Romeo kijkt me bevreemd aan. 'Je bent een aparte vrouw, Julia.'

'Yep, dat ben ik.' Ik slik een boer weg. 'Een aparte vrouw in een apart huis. Ik woon hier helemaal alleen. Niemand weet dat ik hier ben. Ik had niet gedacht dat ik dit zou zeggen, Romeo, maar bij nader inzien ben ik misschien zo'n klant die niet alleen behoefte heeft aan seks, maar ook aan gezelschap. Ik zou met je willen praten, zoals in het restaurant. Ik zou willen dat je luistert en dat je me troost. Kan dat? Of is dat nog duurder?'

Romeo zet zijn glas op het aanrecht. Het is nog praktisch vol, het mijne is alweer meer dan half leeg. 'Hoe bedoel je:

niemand weet dat je hier bent?' vraagt hij.

'Nou, gewoon,' zeg ik schouderophalend. 'Mijn familie, ik heb me van ze losgemaakt, ik heb alle banden verbroken. Net als Merel.'

'Merel breekt alle banden', schreef Leni Saris. Ik verslond haar boeken toen ik jong was. Die zin is me altijd bijgebleven. Ergens moet ik hebben geweten dat ik ooit hetzelfde zou doen.

'Merel?' Romeo proeft de naam op zijn tong. 'Wie is Merel?'

'O, dat is iemand uit een boek. Zij is verliefd op de verloofde van haar zus, daarom vertrekt ze naar het buitenland. Later komt het weer goed, want hij is ook verliefd op haar.'

Met echte liefde kwam het bij Leni Saris altijd goed. Zelf is ze nooit getrouwd geweest, misschien dat ze er daarom in geloofde.

'Waarom heb je het gedaan?' vraagt Romeo.

'Dat doet er niet toe. Ik ben nu vrij, ik hoef aan niemand verantwoording af te leggen, nou ja, behalve aan Jimmy misschien. Wil je nog een Baco? Je drinkt niet erg door.'

'Nee, dank je. Wie is Jimmy?'

Ik schenk er voor mezelf wel eentje in. Het is nu toch een rare dag. 'Dat is mijn broer. Hij is dood. Dat is hij al lang, maar de laatste tijd is hij vaak om me heen. Ken je dat? Ben jij wel eens achtervolgd door een dode? Het lijkt misschien gezellig, maar uiteindelijk heb je er niks aan. Hij is er wel, maar ook weer niet, begrijp je? Soms denk ik dat ik het me allemaal verbeeld. Dat komt omdat ik alleen ben, dan krijg je dat. Besta jij echt? Ik zou je moeten aanraken om het zeker te weten, maar jou aanraken kost geld.'

Ik geef zo veel geld uit de laatste tijd, Paul zou een hartverzakking krijgen als hij wist hoeveel.

'Eddie bestaat wel, over zijn vrouw twijfel ik. Eddie is de beheerder van deze villa. Hij beweert dat hij een echtgenote heeft, Doris heet ze.'

Ik praat op fluistertoon verder. 'Ik heb haar nog nooit gezien. Terwijl ik hier al een maand of twee ben. Is dat verdacht of niet? Eddie is een geschikte vent, hij denkt dat ik een beroemde actrice ben, onthoud dat als je hem tegenkomt. Mijn schoonmaakster heet Stella, dankzij haar is het hier zo netjes. Verder hebben hier ooit twee Duitse dwergen gelogeerd, Wolfgang en Heinz...'

Romeo fronst zijn wenkbrauwen.

'...laat ook maar.'

Ze hebben de pet van Eddie, dat is waarom ik zeker denk te weten dat ze bestaan. Soms twijfel ik aan mijn geestelijke gezondheid. Met mijn uiterlijk zit het wel snor, van mijn innerlijk ben ik steeds minder zeker. Ben ik normaal, ben ik aardig, ben ik een goed mens? Is dat eigenlijk wel wat ik wil zijn: normaal, aardig en goed? Blijkbaar niet. Anders was ik nooit weggegaan. Anders had ik de banden niet zo ruw verbroken.

'Ik heb ze in de steek gelaten,' mompel ik, meer tegen mezelf dan tegen Romeo.

'Wie?'

'Mijn man en mijn kinderen. Ik heb ze verlaten...'

Sinds mijn vertrek heb ik dit nog nooit hardop gezegd, zelfs Lotus tast in het duister, Romeo heeft de primeur.

'...ze weten dat ik in Portugal ben, dat is alles, we hebben geen contact meer.'

Ik neem nog een slok.

'Ze belden zo vaak, ik werd er gek van. Het gaat goed met ze, hoor. Dat weet ik bijna zeker. Als het niet goed zou gaan, zou ik het horen. Ik ben bereikbaar, dat heb ik geregeld, ik heb de semafoon van een oud mannetje gekocht. Zal ik je hem laten zien?' Ik loop al naar de woonkamer om mijn tas te pakken en merk dat ik niet helemaal stevig op mijn benen sta.

'Dat hoeft niet, ik geloof je,' zegt Romeo.

Ik aarzel. Hij leunt tegen het aanrecht. Dat is een goed idee, dat ga ik ook doen. Als ik me omkeer en me naast hem wil opstellen, wankel ik weer. De drank heeft er stevig ingehakt, ik had natuurlijk al aardig wat wijn op.

'Hé daar, blijf je wel overeind!' Romeo grijpt me bij mijn middel. Hij is ineens heel dichtbij. Wat ruikt hij lekker. Wat hebben zijn handen een prettige, stevige grip. Zo zou ik uren kunnen blijven staan en dan het liefst met mijn hoofd tegen zijn borstkas. Mijn hoofd is nogal zwaar momenteel.

'Julia...' zegt Romeo.

Ik nestel me tegen hem aan. We moeten nu niet meer praten, vind ik, we moeten van deze intimiteit genieten.

'Julia,' zegt Romeo weer.

'Wat?'

Hij dwingt me hem aan te kijken. '*You've got issues.*'

Ik begin te lachen.

Het doet me denken aan een scène uit *Ally McBeal*. Daarin krijgt zij dat ook te horen. Ook van een negroïde man. Hij is de vriend van de huisgenote van Ally en ze staat 's nachts in hun kamer om te kijken hoe lief ze samen slapen. Redelijk ziekelijk, maar zo is Ally nu eenmaal. Ze hangt vlak boven zijn gezicht als de neger plotseling wakker wordt.

You've got issues. Het is niet goed te vertalen. Je hebt problemen. Je hebt onderwerpen. Je hebt last van dingen. Je hebt zorgen. Je hebt agendapunten. Je hebt toestanden. Toestanden waarmee je in je eentje worstelt, dag in, dag uit.

Romeo vindt het niet grappig. 'Ik meen het, je hebt issues,' zegt hij weer.

Ik prik met mijn vinger in zijn borstkas. 'Ik heb issues, jij hebt issues, iedereen heeft issues. Wat zijn jouw issues, Romeo, wil je ze met me delen?'

Hij zwijgt.

'Zie je wel. Jij hebt ze ook.' Ik pak mijn drankje van het aanrecht.

'Die zijn niet zo ernstig als de jouwe.' Zijn blik glijdt naar het glas in mijn hand.

Het irriteert me. Mijnheer de gigolo meent nu al iets te mogen denken van mijn drankgebruik. Ik sla de rest van de inhoud in een keer achterover. 'Je ziet het veel te zwaar. Ik heb een *time out* genomen, dat is alles. Zouden meer mensen moeten doen. Heel gezond. Maak je nog eens wat mee. Zonder mijn issues had ik jou nooit ontmoet. Vertel me nou eens eerlijk, Romeo: waarom kwam je bij me aan tafel zitten in het restaurant? Vond je me leuk of zag je alleen een potentiële klant in me?'

'Dat doet er niet toe.'

'Dit haat ik dus.' Ik zet het lege glas met een klap op het aanrecht. 'Ik ben eerlijk en jij haakt gelijk af. Jíj hebt een issue. Je kunt niet omgaan met echte mensen.'

'O, nee?' Romeo trekt me naar zich toe en drukt zijn lippen op de mijne. Hij overweldigt me, niet teder, niet à la Leni, zijn tong dringt mijn mond binnen, ik laat hem, zijn hand glijdt in mijn nek en knijpt er hard in.

Hij stopt net zo onverwacht als hij begon en duwt me van zich af. 'Dit,' zegt hij licht hijgend. 'Dit wilde ik al heel lang doen. Ik aarzelde. Jij bent geen gemiddelde klant, Julia, je bent gevaarlijk. Je bent een vrouw waar een man zich in kan verliezen, dat weet je donders goed. Als je me blijft aankijken zoals je nu doet is er geen weg terug, besef je dat? We kunnen binnen vijf minuten in bed belanden, we kunnen de sterren uit de hemel laten vallen, maar daarna? Daarna willen we meer en meer en meer. Dat kan niet.'

Ik voel aan mijn lippen. Hij heeft me gekust. Helemaal gratis.

'Begrijp je wat ik bedoel?' vraagt hij.

Zijn betoog is grotendeels aan me voorbij gegaan, alleen de laatste woorden zijn blijven hangen. 'Waarom kan het niet? Ik wil het, jij wilt het. Wat is het probleem?'

'Ik ben een gigolo, Julia. Ik kan geen intieme band met mijn klanten aangaan.'

'Dan ben ik toch geen klant? Dan ben ik gewoon je vriendinnetje. Of je one-night stand.'

Hij slaat zijn ogen neer.

'Ben je eigenlijk getrouwd?'

Er komt geen antwoord.

'*Hello? Hello?*' Ik klop een paar keer boven op zijn hoofd. '*Anybody home?*'

Hij begint te glimlachen. Hij snapt hem. We hebben dezelfde humor. We zijn een goed setje.

‘Wil je nog wat drinken?’ Ik grijp naar de fles. ‘Voor mij is het simpel, Romeo. Ik wil seks of drank. Om precies te zijn: veel seks of veel drank. Liefst het eerste en als dat er niet in zit, dan het laatste.’

‘Je hebt meer dan genoeg gehad.’ Hij pakt de Bacardi af. ‘Zal ik je naar bed brengen?’

‘Eerst nog een slokje.’ Ik pak de fles terug en zet hem aan mijn mond. Het loopt er een beetje naast, maar ik krijg toch nog wat naar binnen.

‘Je hebt echt issues,’ herhaalt Romeo.

Ik veeg mijn mond af. ‘Kom mee naar boven. Geef mama maar een hand, dan wijs ik je de weg.’ Het gaat anders. Romeo moet mij ondersteunen, want ik kan amper op mijn benen staan. ‘Retteket, Romeo en Julia gaan naar bed,’ giechel ik.

‘Jij gaat slapen,’ zegt Romeo nadrukkelijk.

‘Hallo! Jij bent een gigolo. Wij gaan seks hebben. Dat moet hoognodig gebeuren. Ik zal je morgen betalen, dat beloof ik. Weet je dat ik het nog nooit met een grote—’

‘We gaan het heus wel doen,’ onderbreekt hij me. ‘Maak je geen zorgen. We hebben alle tijd.’

We zijn bij de trap.

‘Ik blijf vlak achter je. Lukt het of zal ik je dragen?’ vraagt hij bezorgd.

‘Tuurlijk lukt het.’ Ik ga me niet laten kennen. Dat is één. Daar hebben we treetje twee. En nummertje drie.

‘Treetje vier geeft plezier. Treetje vijf is voor een oud wijf.’ Ik moet erg lachen om mezelf. ‘Treetje zes, zit er nog een druppel in de fles?’

‘Wat zeg je?’ vraagt Romeo.

‘Treetje zeven, mijn broer hield op met leven.’

Korte adempauze.

‘Treetje acht, het gebeurde in de nacht.’

Twee seconden rust.

‘Treetje negen, hij heeft zijn zin gekregen.’

Pas op de plaats.

'Treetje tien, niemand heeft het gezien.'

Er lopen tranen over mijn wangen. 'Treetje elf, hij wilde het zelf.' Ik draai me om naar Romeo. 'Hij wilde het zelf! Echt waar. Geloof je me?' Nu praat ik in de taal die hij verstaat.

'Over wie heb je het?'

'Over Jimmy, natuurlijk.'

We zijn boven.

'Waar moet ik zijn?'

Ik wijs hem de deur, hij brengt me naar binnen. Te laat herinner ik me dat ik Stella de afgelopen weken niet heb toegelaten in mijn slaapkamer. De gevolgen springen nogal in het oog. Mijn bed is onopgemaakt, het onderlaken zit vol vlekken en vegen, sommige lichtbruin, andere menstruatierood, er liggen flessen en vuile kleren op de grond, op het nachtkastje staat een verzameling vettige glazen en vlak bij het hoofdkussen ontwaar ik een wit propje, een inlegkruisje dat ik een paar nachten geleden slaapdronken uit mijn slip heb getrokken.

Romeo overziet de situatie in een oogopslag en zet me in een stoel. Zonder iets te zeggen begint hij het bed af te halen. Ik verberg mijn gezicht in mijn handen. Alles draait, ik voel me misselijk.

'Waar liggen de schone lakens?'

'In de kast,' antwoord ik zonder op te kijken. 'Je hoeft dit niet te doen, Romeo, overmorgen komt mijn schoonmaakster. Ga jij maar naar huis. Naar je hotel, bedoel ik. Het spijt me. Vergeef me. Vergeet alles wat ik heb gezegd. Je mag weg. Ik zal je goede referenties geven.'

Hij geeft geen antwoord. Ik hoor hem rommelen in de kamer. De Love Service mest mijn zwijnenstal uit.

'Heb je vuilniszakken in huis?'

Ik maak aanstalten om op te staan.

'Zitten blijven, waar zijn ze?'

'In de keuken, in de kast onder het aanrecht,' zeg ik zwakjes.

Romeo loopt de trap af, hij neemt gelijk de vuile glazen mee.

Ik schaam me. Waarom heb ik er niet aan gedacht om mijn

slaapkamer te fatsoeneren, ik wist toch dat hij zou komen? Ik had hem ook naar een andere kamer kunnen dirigeren, er zijn bedden genoeg in de villa.

Hij komt weer boven. Neuriënd verzamelt hij het afval en gooit het in de vuilniszak, hij vist een lege zak chips onder het bed vandaan en verschoont de lakens alsof het de normaalste zaak van de wereld is. 'Waar staat de wasmand?'

'In de badkamer. Twee deuren verder.'

Ik snap niet hoe Romeo zo opgewekt kan zijn.

'Kleed je maar uit!' roept hij vanuit de hal. 'Als dat lukt...'

Voorzichtig sta ik op. Het gaat. Het draaien is iets minder. Ik trek mijn kleren uit en wurm me in een zachtgeel hemdje.

Romeo stapt binnen. 'Goeie benen heb je. Train je veel?'

Ik bloos. Hij slaat het bed uitnodigend open.

'Kom je bij me liggen?' vraag ik.

Hij schudt zijn hoofd. 'Beter van niet.'

Teleurgesteld loop ik naar de badkamer, onderweg zoek ik een paar keer steun tegen de muur. Hij wil niet met me naar bed. Ik heb een villa, ik heb goede benen, ik heb geld, toch weigert hij dienst. Ik had niet zo veel moeten drinken, dat is het, mannen knappen af op dronken vrouwen. Ik doe een plas en poets mijn tanden. Zigzaggend door de hal vind ik mijn weg terug naar de slaapkamer.

Romeo zit op de stoel, hij heeft hem vlak bij mijn hoofdkussen geplaatst, het verbaast me niet eens, waarschijnlijk is hij ook een vrouwenfluisteraar.

Ik laat me op bed vallen, op mijn rug. Het draaien zou nu wel mogen ophouden. Ik doe mijn ogen dicht. De schone lakens ruiken heerlijk. Niet zo lekker als Romeo daarnet in de keuken, maar toch best fijn. Ik ben zo moe, ik kan binnen vijf minuten vertrokken zijn. Misschien is dat het beste voor iedereen.

'Julia,' fluistert Romeo.

'Hmm?'

'Wil je gelijk slapen of wil je nog praten?'

Ik doe een oog open.

'Je kunt alles aan me kwijt, Julia.'

Mijn andere oog gaat ook open, ik draai mijn gezicht naar hem toe. Al mijn geld, ja.

'Je bent in nood. Een mens in nood moet je helpen, dat heeft mijn moeder me geleerd.'

'Dat is heel...' Ik zoek naar het juiste woord. '...nobel van je. Dankjewel.'

'Ik meen het.' Om zijn woorden kracht bij te zetten buigt hij zich naar me toe en drukt een kus op mijn lippen. Zijn hand glijdt onder het laken, onder mijn hemd en kruipt omhoog. Zijn hand is bij mijn linkerborst, hij neemt een harde tepel tussen zijn vingers, intussen blijft hij me voortdurend aankijken om mijn reactie te registreren. Mijn mond gaat een stukje open, mijn heupen beginnen onrustig te draaien. Zijn hand laat mijn borst los, gaat omlaag, glijdt in mijn slip en voelt heel snel, heel kort, tussen mijn benen.

'Je bent nat,' stelt hij tevreden vast. Hij trekt zijn hand terug, brengt zijn vingers naar zijn mond en likt ze af. Hij staat op. 'Welterusten, Julia.'

Hoofdstuk 25

Een paar uur later word ik met een schok wakker. Romeo. Vlak nadat hij de deur van de slaapkamer achter zich had dichtgetrokken ben ik als een blok in slaap gevallen, te moe om na te denken over wat er is gebeurd, over wat er níet is gebeurd en over wat hij heeft gezegd: dat ik alles aan hem kwijt kon.

Ik knip een lamp aan en pak mijn horloge. Kwart over vier. Jimmy stierf om half vijf. Het is doodstil in huis. Dat was het toen ook. Romeo heeft alles overhoop gehaald. Hij ligt nu waarschijnlijk ergens te pitten, zich van geen kwaad bewust. Voor hem is het makkelijk, voor hem ben ik een klant – *just another day at the office*. Deze klant heeft een verhaal, hij wil het best aanhoren, hij stelt zich dienstbaar op, dat is zijn vak. Ik ben benieuwd wat Jimmy ervan zou vinden. Natuurlijk vertoont hij zich niet nu ik hem wat wil vragen. Ik besluit hem uit te dagen.

'Hé, geef nog eens een seintje,' zeg ik hardop.

Zodra ik de woorden uitspreek, voel ik kippenvel op mijn armen, eigenlijk wil ik geen seintje, eigenlijk ben ik bang. Het liefst zou ik willen dat Jimmy geen seintjes meer kan geven, dat hij niet meer op de achterbank van mijn auto kan verschijnen, dat we vrede kunnen sluiten, dat hij me kan vergeven en ik hem. Hij kan niet van me verlangen dat ik de rest van mijn leven zwijg. Ik ben zijn postume woordvoerder, ik ben geen kind meer, ik heb enige beslissingsbevoegdheid.

Als ik nu opsta en naar Romeo ga en hem alles vertel, kan hij me heus niet tegenhouden. Hoe zou hij dat moeten doen? Er is geen zuurstoffles die hij tegen de deur kan rollen. Zijn geest is echt niet sterk genoeg om me terug in bed te duwen.

Ik waag het erop, sta op en sluip naar de deur. Er gebeurt niets. Zie je wel. Te veel muizenissen, te veel angsten. Ik doe de deur open en glip de gang op. Nu moet ik Romeo zien te vinden. Zal ik naar hem op zoek gaan of eerst een drankje nemen? Ik voel het begin van een kater. Toch maar niet, besluit ik, Romeo is belangrijker dan een alcoholische versnapering. Hij zal me minder aantrekkelijk vinden als ik met een verse kegel kom aanzetten. Nadat ik een plas heb gedaan, doe ik het licht in de hal aan. De deur van een van de slaapkamers staat op een kier. Daar zal hij liggen.

Voorzichtig duw ik de deur verder open, ik wil hem niet laten schrikken. Hij ligt op zijn zij in een twijfelaar, met een gestreept laken over zich heen. Ik kom dichterbij. Ik strek mijn hand uit en trek het laken een stukje naar beneden. Romeo lijkt minder breed als hij ligt, bleker ook, hij is anders, kleiner, er klopt iets niet, dit is Romeo niet, dit is, o god... nee. Ik wil de kamer uitvluchten, maar ik sta vastgenageld aan de grond. De gestalte in het bed draait zich met een ruk om. De uitgeholde Jimmy kijkt me toornig aan. Hij is anders dan de vorige keren. Hij plaagt me niet, hij is boos.

– Wat was je van plan, Jules?

Ik moet gillen. Ik moet Romeo roepen. Als Romeo hier is, zal hij verdwijnen. Er komt geen geluid uit mijn keel.

– Het is nacht, het is bijna half vijf en je sluipt door het huis, op zoek naar iemand van het mannelijk geslacht. De geschiedenis herhaalt zich. Ik hoop dat die Romeo van jou beseft waar jij toe in staat bent. Jij denkt dat je alles ongestraft kunt doen: je gezin verlaten, je lichaam laten verbouwen, gigolo's inhuren, uit de school klappen tegen een wildvreemde. Je staat op het punt ons verbond te verpatsen aan een pornoacteur. En waarom, voor een paar goeie beurten? Zelfs Kaitlin zou het niet zo bont maken. Je stelt me ontzettend teleur.

– Het houdt een keer op, Jimmy. Ik kan niet meer.

– Verwacht van mij geen medelijden. Jij bent een winnaar, ik was de sukkel die het kortste strootje trok.

– Je weet hoe vreselijk ik dat vond. Ik heb alles gedaan wat ik kon, alles wat je vroeg, volgens mij heb je nooit begrepen hoe moeilijk dat voor mij was.

– Je had de zaken ook aan Hem kunnen overlaten.

– Als je zo begint, ben ik weg.

– Durf je niet, wedden?

Hij verwacht nog altijd van me te winnen.

– Pas maar op, ik durf alles.

– Dat zei je negentien jaar geleden ook.

– Klopt. En ik durfde het. Weet je nog?

Hij buigt zijn hoofd. Een tel later is het de jonge Jimmy, de gezonde Jimmy met de blozende appelwangen.

Er schiet een brok in mijn keel. Het is hartverscheurend om hem te zien. Alsof hij er echt nog is, alsof hij zo uit bed kan stappen en aan het leven kan deelnemen, beter nog: een eigen leven kan leiden, dat zou het summum zijn, dan zou ik rust hebben, maar dat gebeurt niet, nooit. Hij blijft negentien, bijna twintig. Hij wordt niet ouder, hij trouwt niet, hij krijgt geen buikje en ook geen kinderen, het is mijn broer niet vergund.

– Ons verbond is hierbij officieel opgeheven, zeg ik.

– Besef je wat je doet?

– Ik voel me niet langer verplicht. Jij hebt jouw keuzes gemaakt, ze waren soms onbegrijpelijk, ik maak de mijne.

– Je zult me niet meer zien, zegt hij dreigend. Nu vind je dat misschien een prettige gedachte, maar je gaat me missen, Jules.

– Dat risico neem ik.

Hoofdstuk 26

In het bed ligt een grote man, hij is in diepe rust. Voor de tweede keer trek ik het gestreepte laken een stukje omlaag. Romeo slaapt vast naakt. Zijn lichaam is prachtig, zijn gezicht volkomen ontspannen. Ik ga op mijn knieën naast het bed zitten en snuif zijn geur op. Heel in de verte ruikt hij naar Jim, mijn kleine Jim. Ik heb vaak naast hem gezeten, precies zo, om naar hem te kijken, aan hem te snuffelen en over zijn bezwete haartjes te strijken.

Mijn zoon wordt groter en ouder. Ik ben mijn moeder niet, mijn zoon leeft, ik mag van hem genieten. Ik doe het niet. Ik ben hier, hij is daar. Zijn moeder is al maanden verdwenen, zijn vader stopt hem elke avond in, Jim weet niet waarom.

Romeo wordt wakker. Ik verwacht dat hij elk moment 'you've got issues' zal zeggen, in plaats daarvan komt alleen mijn naam over zijn lippen. 'Julia.'

'Je had gelijk, ik heb hulp nodig.'

'Hoe laat is het?'

'Hoorde je wat ik zei? Je zei dat ik alles aan je kwijt kon. Dat wil ik.'

Hij pakt zijn mobiel van het nachtkastje.

'Hoe wil je het doen? Wordt het een grote sessie of zal ik het in stukjes vertellen?'

'Julia, alsjeblieft, het is half vijf.'

'Sorry, dit is belangrijk voor me.'

Romeo rekt zich uitgebreid uit. Zijn lichaam is goddelijk, hij weet het, het is onmogelijk het niet op te merken. 'Wat zit je daar raar op je knieën, kom bij me liggen.' Hij schuift een stukje op. Een paar uur geleden wilde hij me niet naast zich hebben, nu doet hij alsof het volkomen vanzelfsprekend is. Ik kruip bij hem in bed. Hij trekt me in zijn armen. 'Wat was er nou zo belangrijk dat het niet tot een fatsoenlijk tijdstip kon wachten?'

Ik voel zijn gespierde lichaam tegen het mijne. Volgens mij

heeft hij niet eens een onderbroek aan. Ik lig in bed met een kloon van Will Smith, ik moet me concentreren, ik moet hiervan genieten, zo vaak zal ik dit niet meemaken, laten we reëel blijven. Romeo haakt zijn vinger onder het bandje van mijn hemd en duwt het over mijn schouders. Mijn linkerborst raakt half ontbloot. Hij schuift het andere bandje ook opzij.

Het kanten randje van het hemd blijft op mijn tepels hangen, het is een wankel evenwicht. Romeo begraaft zijn gezicht in mijn decolleté. Hij kust me tussen mijn borsten en trekt het hemd naar beneden om mijn bovenlichaam aan een nadere inspectie te onderwerpen. Dankzij de borstlift hoeft hij niet al te diep af te dalen om te vinden wat hij zoekt.

'Romeo...'

De man heeft net besloten dat hij mijn linkertepel als eerste in zijn mond wil hebben. Hij geeft geen antwoord.

'Is dit werk of plezier voor je? Je mag eerlijk zijn. Ik kan me voorstellen dat je het als werk ziet, in feite is dat het ook, ik vraag me alleen af hoe jij dat ervaart.'

'Kun je nou eens even je kop houden?'

Ik ben met stomheid geslagen. Zo'n botterik heb ik nog nooit in bed gehad. Nu heb ik niet enorm veel bedgenoten versleten, als ik ze op twee handen tel, houd ik nog vingers over, een hand bijna, maar ze waren stuk voor stuk zachtaardig. Lief, teder, ijverig: de Nederlandse man zoals ik hem ken. Weinig gooi- en smijtwerk, het is alsof hij zich altijd enigszins inhoudt in en rond een naakte vrouw, zo is hij opgevoed, zo zijn onze manieren, eten doe je ook met mes en vork, je likt je bord niet af, al heb je reuze trek.

Romeo is een Amerikaan. Hij doet niet aan seks, hij levert een prestatie. Hij zal niet rusten voordat hij succes heeft en ook als hij succes heeft, zal hij niet rusten. Altijd op weg naar de volgende zege, medailles heb je nooit genoeg, net als Oscars en gele truien.

De handen van de meester glijden langs mijn lichaam. Hij boetseert, ik ben zijn stuk klei, hij kneed mijn zij, mijn heupen, mijn dijen, ze moeten er allemaal aan geloven.

Romeo legt me op mijn rug en doet mijn benen uit elkaar. Weer daalt hij af, hij trekt mijn slip niet uit, maar schuift het kruis opzij. Zijn vingers en zijn tong beginnen aan een gezamenlijke aanval. Na een halve minuut geef ik me over. Mijn knieën worden slap en vallen opzij. Mijn benen liggen ongegeneerd in de wijdst mogelijke spreidstand. Het maakt de hele toestand alleen maar geiler.

Hij schuift zijn handen onder mijn billen en trekt mijn onderbroek omlaag. Ik doe mijn benen weer bij elkaar, zodat hij hem uit kan doen. Het hemdje hangt nog ergens rond mijn taille. Romeo gaat verder waar hij was gebleven. Hij varieert nauwelijks, hij is zeer consistent in zijn tong- en vingerbewegingen, het is een precisiebombardement, uiterst vakmatig, als hij zo doorgaat, explodeer ik.

'Romeo, alsjeblieft.' Ik til zijn hoofd op en dwing hem tot stoppen. 'Het is veel te lekker, straks kom ik klaar.'

'Dat is wel de bedoeling,' zegt hij droog.

'Ik wil het niet.'

Hij kijkt verbaasd. Een klant die geen orgasme wil, dat soort nieuwerwetsigheden komt de Love Service zelden tegen.

'Straks, als we het echt doen, dan wil ik het,' leg ik uit.

Hij is zo mogelijk nog verbaasder. 'Het kan toch nu én straks?'

'Denk je?' Ik vraag me af hoe hij weet dat mijn lichaam daartoe in staat is. Eén piek vind ik al heel wat, zeker met een vreemde man, het vereist toch een zekere overgave. 'Ik ben niet zo van de multi-orgasmes. Als het is gebeurd, wil ik me omdraaien en slapen. Daarom zou ik het zonde vinden als ik nu al... snap je?'

'Je hebt echt issues,' zegt hij lachend. 'Je praat te veel en je denkt te veel na. Relax.'

Hij heeft gelijk. Ik moet het gewoon laten gaan. De man weet wat hij doet, het is zijn werk.

'Oké dan,' zeg ik, terwijl ik onhandig naar beneden gebaar. 'Ga maar door.'

Hoofdschuddend verdwijnt hij weer tussen mijn benen. Zijn

tong is als eerste ter plekke. Hij stelt zich dienstbaar op, dat moet ik hem nageven. Zijn vingers voegen zich bij zijn tong. Ze strelen, ze prikkelen, ze duwen, ze voelen, ze verspreiden het vocht en glijden in alle holtes die ze kunnen vinden, ze gaan erin, eruit, eroverheen, erlangs, tot de hele omgeving in vuur en vlam staat. Intussen blijft Romeo krachtig likken op een monotone, bijna bedachtzame manier. Even later zit ik alweer tegen de climax aan. Het is een kwestie van seconden, ik kan het laten gebeuren, ik kan in de vrije val duiken, maar ik houd het tegen.

'Kom eens hier jij,' zeg ik schor tegen Romeo.

Hij richt zich op en laat zich eindelijk in vol ornaat zien. Zijn geslacht lijkt groter dan na de striptease. Het is kolossaal, het is hard, het is een boomstam.

'Dit is het moment waarop ik normaal gesproken zou willen neuken,' zeg ik ernstig. 'Maar nu ik je zo zie... ik hoop dat het past.'

'Je staat op het punt daarachter te komen.' Hij tovert een condoom tevoorschijn en rolt het behendig over zijn penis. 'Op of onder?' vraagt hij zakelijk.

'Sorry?'

'Wil je op me of onder me?'

'Onder, graag.' Ik slik. Er is geen weg terug. Ik ga geneukt worden door een grote pik. De pik van Romeo.

'Benen open,' commandeert hij. 'Kijk me aan.' Zijn handen pakken mijn handen en drukken ze tegen het matras. 'Ben je er klaar voor?'

Hij wacht het antwoord niet af. Hij dringt naar binnen. Hij vult me. Hij stoot. Hij verandert van een uitdeler in een genieter. 'O god,' kreunt hij. 'O god, Julia!' Hij haalt hem eruit, helemaal, hij wil me nog een keer enteren, ik hef mijn heupen om hem te ontvangen.

'Neuk mijn hersens eruit,' moedig ik hem aan.

Hij stoot door, hard, diep, hij raakt mijn baarmoedermond. Ik kreun, nu van pijn, hij merkt het en excuseert zich.

Ik denk aan mijn echtgenoot. Dat is het laatste wat je moet

doen als je wordt genomen door een heerlijke neger. Voor het eerst tijdens ons huwelijk ga ik vreemd, echt vreemd, die zoen met De Jonge Portugees telt niet mee. Als ik terugkom en Paul vraagt me of ik hem trouw ben gebleven, kan ik geen 'ja' meer zeggen. Ik zal er wel iets aan toevoegen, dat ik hem al ontrouw was op het moment dat ik in de taxi stapte. Zonder een dringende reden te hebben liet ik mijn gezin in de steek, dat was de ontrouw. Dat er daarna een Romeo ten tonele verscheen en dat ik met hem in bed belandde, was een logisch uitvloeisel van de gang van zaken.

'Ga door,' zeg ik. 'Alsjeblieft, ga door. Laat me alles vergeten, behalve wat we aan het doen zijn, laat me voelen dat ik leef, laat de sterren uit de hemel vallen, laat me klaarkomen zoals ik nog nooit ben klaargekomen, laat het duren, laat het lekker zijn, zo lekker zijn dat Paul en God en iedereen het begrijpt en me vergeeft.'

We hijgen uit in elkaars armen. Na de eerste keer hebben we het nog een keer gedaan. Daarna volgde de derde keer, hoewel ik protest aantekende, maar Romeo liet zich niet wegsturen, hij wist zeker dat ik nogmaals zou kunnen pieken. Hij kreeg gelijk.

Zojuist heb ik de zone tussen mijn benen tot rampgebied verklaard. Er heeft een veldslag plaatsgevonden, we zullen de schade pas kunnen opnemen als de kruitdampen zijn opgetrokken, momenteel ben ik volslagen murw. Het is alsof ik alleen uit een gloeiende, warme, halfverdoofde, uiteengereten massa besta, waar de laatste soldaten de aftocht blazen, met hun gewonde makkers kermend op inderhaast geïmproviseerde brancards tussen zich in. De veldmaarschalk ligt voldaan naast me en neemt een trek van zijn sigaret.

'Ik wist niet dat jij rookte.'

'Alleen na seks,' verklaart Romeo.

'Hoe doe je dat op je werk?'

'Op de set geldt een rookverbod. Bovendien: dan is het werk, geen seks.'

Aha.

'Bedoel je... was dit dan geen werk voor je?' Ik maak me van hem los en ga rechtop zitten om hem goed aan te kunnen kijken.

'Waarom is dat zo belangrijk voor je?'

'Ik wil weten wat ik voor je beteken.'

Romeo stapt uit bed. Hij pakt een schoteltje van de vensterbank, laat de as van zijn sigaret erop vallen, zet het op het nachtkastje en kruipt terug onder het laken. 'Wat maakt het uit wat je voor me betekent? Typisch vrouwelijk om je daar druk over te maken. Wat heb jij aan mij, dat moet je je afvragen.'

'Nou, wat heb ik aan jou?'

Hij lacht en drukt zijn sigaret uit op het schoteltje. 'Volgens mij had jij een bepaalde frustratie en heb ik die zojuist verholpen.' Hij brengt zijn linkerhand omlaag en knijpt zacht in zijn naakte geslacht. De aanblik alleen al zorgt voor beroering in mijn verboden zone. De soldaten grijpen naar hun geweren, de gewonden kreunen en slaan hun handen voor hun ogen. Niet weer, in godsnaam, we zijn kapot.

'Misschien heb je het alleen maar erger gemaakt,' zeg ik zacht. 'Misschien neem ik vanaf nu met minder geen genoegen.'

'Jij wilde weten hoe het was. Nu weet je het. Anders zou je je de rest van je leven hebben afgevraagd wat je miste.'

Ik zal de rest van mijn leven weten wat ik mis, dat is het onbedoelde bijeffect van deze uitspatting. Al zou Paul voortaan drie keer per week naar de sportschool gaan – zoals hij zich elke oud en nieuw voorneemt – al zou hij zich een penisverlenging van twintig centimeter laten aanmeten, al zou hij meer variatie in ons liefdesspel aanbrengen, in plaats van het gebruikelijke kusje-kusje-vinger-vinger-penetreren-klaar, dan nog zou hij vergeleken met Romeo het onderspit delven.

Romeo heeft sexappeal, Romeo is zo'n man van wie je wee wordt, Romeo heeft charisma, ik weet niet of dat na vijftien jaar nog zo is, ik weet wel dat het nooit zover zal komen. Romeo is geen man met wie je vijftien jaar bent, Romeo is een passant, iemand die je mag lenen, je weet niet van wie, je weet niet wanneer je hem weer moet terugbrengen, waarschijnlijk is hij van de ene op de andere dag verdwenen om nooit meer iets van zich te laten horen, juist dat maakt hem nog aantrekkelijker.

Ja Paul, ik weet het, het is oneerlijk en je hebt het niet verdiend, maar dat zijn de feiten.

'Het wordt licht,' constateert mijn minnaar.

Als het licht is, is alles minder erg.

Leugens, allemaal leugens, sommige dingen zijn juist erger als het licht is. Sommige herinneringen zijn niet te verdragen. Je zou ze uit je hersens willen snijden, het lukt je niet, geen chirurg zal zich eraan wagen, geen mes is fijn of scherp genoeg. Het zijn geniepige gezwellen, ze verschansen zich in je brein, soms groot, soms slapend, soms klein en schijnbaar onschuldig, maar intussen o zo pijnlijk, ze maken je kapot, maar je gaat er niet aan dood. Ergo: je leeft. Wie leeft, is verplicht er wat van te maken. Gooi de gordijnen open. Een nieuwe dag begint.

'Gooi de gordijnen open,' zeg ik hardop. 'Een nieuwe dag begint.'

Isabel zei vroeger altijd grodijnen in plaats van gordijnen en marconi in plaats van macaroni. Ze was zo'n grietje waar je uren naar kon kijken. Ik bezit een foto die alles vertelt. Isabel bevindt zich midden in de kamer met haar dikke luierkont op de houten vloer, omringd door speelgoed, naast haar staat haar loopwagen, ze zwaait met een kleurige rammelaar, ze heeft kuiltjes in haar wangen, ze lacht naar de fotograaf. Ik zit achter haar, op de bank, in een wijd, vaalwit T-shirt met daaronder een verwassen joggingbroek en enorme tijgersloffen met gaten aan de onderkant. Mijn haren zijn ongekamd en kort – te kort, vond Paul – ik draag geen make-up, er staat een kop koffie in de vensterbank, niet op het bijzettafeltje, dat zou ze kunnen omtrekken. Mijn armen zijn over elkaar geslagen, mijn blik is gericht op het middelpunt van mijn leven, mijn gezicht straalt van trots en moedergeluk. De wereld kan ineenstorten, bommen mogen ontploffen, het is me om het even, zolang ons huis maar blijft staan. Isabel en ik, we redden het wel, wij zijn één. Stiekem denk ik dat ze alles voelt wat ik voel, dat ze alles weet wat ik weet, dat ze mijn gedachten kan lezen, dat ze me woordloos begrijpt. Paul, de fotograaf, mijn man, haar vader, valt buiten ons verbond. Ze is uit mij gekomen, het is de symbiose, hij zal het nooit begrijpen, daar kan hij niets aan doen.

Tien jaar later zijn Paul en ik van rol gewisseld. Ik ben de toeschouwer geworden, ik ben degene die de foto's maakt, ik voel me niet meer één, niet met Isabel, niet met Jim, ook niet met mijn man. Het is Paul die glimt op de digitale beelden, het is Paul die de kaarsjes aansteekt van de verjaardagstaart, Paul die jasjes aan- en uittrekt, Paul die vadert en moedert tegelijk. Hij heeft me op alle fronten verslagen. Ik was allang overbodig. Daarom kon ik weg.

'Wat zei je?'

'Niks.' Snel veeg ik een traan van mijn wang. 'Wil je wat eten, wil je slapen of wil je nog een keer eh...'

'Alsof jij daartoe in staat bent.'

Ik produceer een vage glimlach.

'Je ziet er moe uit,' zegt Romeo. 'Jij gaat slapen. Als je wakker wordt, praten we verder.' Hij duwt het laken van zich af en stapt uit bed.

'Ik wil niet meer praten, ik wil alleen nog maar seksen en eten en drinken en slapen. Is dat goed?' vraag ik.

Hij pakt een handdoek uit de kast. Het goddelijke lijf gaat straks onder de stralen van mijn douche staan.

'Vannacht wilde ik je alles vertellen. Nu twijfel ik.'

Romeo slaat de handdoek over zijn schouder. 'Waarom?'

'Misschien is het niet goed. Er zijn dingen die niemand weet. Over mijn broer, over mij.'

'De broer die je achtervolgt?'

Ik knik. 'Vannacht was hij er ook. Hij lag in jouw bed. Hij wil niet dat ik onze geheimen aan jou vertel.'

'Je praat met hem?' vraagt Romeo voorzichtig.

'Hij praat met mij. Hij geeft adviezen. Zo was hij ook toen hij nog leefde, Jimmy was heel uitgesproken. Voor hij overleed, heeft hij me nauwkeurige instructies gegeven. Over bepaalde dingen zal ik de rest van mijn leven moeten zwijgen.'

'Hoelang doe je dat al?'

'Negentien jaar.' Precies zolang als hij heeft geleefd. Jimmy regeert al negentien jaar vanuit zijn graf.

Romeo kijkt me vol ontzag aan. 'Maar dat is onmenselijk. Dat kun je niet verlangen van een meisje van... hoe oud was je?'

'Zeventien.'

'Dan nog. Ik weet niet waar het over gaat, Julia, maar ik weet zeker dat het je oplucht als je het uitspreekt.'

'Jimmy wordt boos als ik het hardop zeg. Het brengt vast ongeluk.'

Hij haalt iets uit zijn koffer en drukt het in mijn hand. Het is een oogmasker. Niet zo'n roodzwart geval dat je in het vliegtuig koopt, het is van leer en lijkt rechtstreeks afkomstig uit de *Wehkamp*-gids voor SM-ers.

'Doe dit op, dan slaap je beter. Volgens mij is het simpel. Wat je niet hardop mag zeggen, schrijf je op. Ik heb een laptop bij me, die mag je gebruiken.'

Hij moest eens weten hoeveel ik al over Jimmy heb geschreven. Dagboeken vol. Ik droomde nog altijd van een bestaan als schrijfster, ik wilde Nederlands studeren, Jimmy's verhaal zou mijn debuut worden. Volgens pa had ik te weinig talent en was er in de boekenwereld geen droog brood te verdienen, behalve als je Ludlum of Cartland heette. Ik kon beter bij hem op kantoor komen werken. Dat bood de zekerheid van een vast inkomen, dan bouwde ik een pensioen op, bovendien zat hij dringend om personeel verlegen.

Het probleem met pa was dat niemand het bij hem uithield. Hij wilde altijd alleen vrouwelijk personeel en kon daar vervolgens niet van afblijven. In den beginne kwam hij ermee weg, later niet meer, kreeg het een naam, werden er meldpunten voor opgericht, kreeg je processen aan de broek die je niet kon dichthouden. Sommige voorvallen kwamen naar buiten, de familie sprak er schande van, mijn moeder durfde zich nergens meer te vertonen.

Het eindigde ermee dat goeie ouwe Jules menig schoolvakantie op kantoor zat om de achterstallige administratie te doen. Als ze hard werkte, redde ze het best in zes weken en van haar bleef pa wel af, zo was de redenering. En inderdaad, pa was in geen velden of wegen te bekennen. Die was aan de boemel of op zijn boot, of aan de boemel op zijn boot. Jules bracht de zomer door achter zijn bureau om de berg papieren te ordenen die hij in een hoek had gesmeten. De enige die wel eens langskwam, was Patrick, de schat. Die bleef altijd hopen dat ik op een dag zou beseffen dat hij de ware voor me was.

'Kom op, schoonheid, iedereen ligt op het strand. Sluit de boel af en ga met me mee, je vader merkt er niks van als je een dagje vrij neemt, hij is er zelf niet eens.'

Ik wenste hem veel plezier, liet hem uit en ging door met factureren. Ik was zo verdomde loyaal ten opzichte van mijn familie, dat ben ik altijd geweest. Het klinkt misschien gek, maar het zou me moeite kosten om het niet te zijn. Als ik diep in mijn hart kijk, voel ik me meer verplicht aan pa, ma en Kaitlin – en Jimmy natuurlijk, altijd Jimmy – dan aan Paul, Isabel en Jim. Elk sliertje DNA in mijn lijf is geprogrammeerd in de overtuiging dat die vier het niet zouden redden zonder mij.

Die laatste drie wel, die zijn zonder mij waarschijnlijk zelfs beter af, laten we eerlijk zijn, in wezen ben ik gestoord, mijn cv past op een postzegel, ik werk al vanaf mijn achttiende op kantoor bij een alcoholist, aan een studie ben ik nooit toegekomen, mijn verhalen zijn niet gepubliceerd, ik heb nauwelijks iets meegemaakt behalve een wilde vakantie op Corsica en de dood van mijn broer.

Mijn echtgenoot heb ik geselecteerd op basis van zijn duurzaamheid en betrouwbaarheid, mijn huwelijk heeft te kampen met een ernstig gebrek aan passie, en dat geldt ook voor de rest van mijn leven. Wat kan ik mijn kinderen meegeven, wat kan ik ze vertellen over de wereld, in welk opzicht kan ik een lichtend voorbeeld zijn? Een voorbeeld van hoe het niet moet, dat ben ik. Dat voorbeeld heb ik zelf ook gehad en ziehier het treurige resultaat. Het enige wat ik mijn kinderen kan vertellen is dat ze het anders moeten aanpakken. Ze hoeven zich niet verplicht aan mij te voelen, we kunnen elkaar maar het beste met rust laten, ze moeten hun talenten ontplooien zonder de ballast van een ongelukkige moeder. Dat zal ik ze laten weten, binnenkort. Ooit.

'Iets opschrijven is net zo erg als het vertellen, Romeo, misschien nog wel erger.'

'Wat doet het ertoe? Vertel het, tik het, wat jij wilt. Laat het eruit. Maak jezelf vrij.'

Kijk hem nou staan, in zijn nakie. Geen enkele schaamte en praatjes voor tien.

'Doe dat ding voor je ogen.'

'Ja, mijnheer.'

De plotselinge duisternis is aangenaam. Ik adem diep in en uit en probeer me te ontspannen. Romeo buigt zich over me heen, ik ruik hem, hij ruikt nog naar seks.

'Hoe zeg je "*cloud*" in jouw taal?' vraagt hij.

Ik vertaal het.

'En "*girl*"?'

Nadat hij de woorden aan elkaar heeft geplakt en ik hem heb verbeterd, voel ik zijn warme mond op de mijne. Hij kust me, mijn lippen gaan uiteen, zijn wijsvinger glijdt langs mijn onderlip. 'Dat is wat jij bent,' fluistert hij, 'jij bent mijn wolkenmeisje.'

Op de kale vlakte die zich mijn hart noemt, vouwt een bloem haar blaadjes open. In mijn hoofd begint een kinderstem te zingen: 'Er is een roos ontsprongen uit ene zuivere stam. Zij heeft een bloem gebracht. Al in de koude winter. Temidden van de nacht.'

Zesendertig Kerstmissen heb ik moeten wachten, tientallen keren heb ik de boom op- en afgetuigd zonder een flauw benul te hebben en nu, hier, in de Algarve, in Casa da Criança, in de vingeroefening van Tomás Taveira, achter een SM-ooglapje, openbaart het zich. Dit moet het zijn. Dit is hoe mijn moeder God ziet. Ik zie God niet. Ik ruik hem wel. Hij ruikt naar seks. Hij heet Romeo. Ik houd van hem.

'Wat is je geboortenaam, Romeo?'

'Weet je zeker dat je dat wilt weten, Julia?'

'Ja.'

'Heel zeker?'

Als hij maar geen Jimmy heet.

Hij voelt me verstijven en aait me over mijn wang. 'Het is niet waar je bang voor bent. Het is... eh... ik hoop niet dat het tegenvalt. Ik heet Javis.'

Djeevis.

Javis?

Javis!

'Truste, Javis,' mompel ik. Op de tast zoek ik zijn hoofd, trek het naar me toe en kus hem terug.

'Welterusten, wolkenmeisje.'

'Mag ik je ook Romeo blijven noemen, Javis?'

'Jij mag alles.'

'Dag, Romeo.'

'Dag, Julia.'

Hoofdstuk 27

In de zomer dat mijn broer stierf, vielen de mussen van het dak. 'Dat zul je net zien,' zei Kaitlin. 'Het is juli, we zijn in Nederland, het is onvoorstelbaar mooi weer en nog kunnen we niet naar het strand, want we hebben een kankerpatiënt in huis.'

Kaitlin kon dat soort dingen tamelijk bot zeggen, maar iedereen vergaf het haar. Nou ja, Jimmy vergaf het haar, dat was het belangrijkste.

Hij zou het niet lang meer maken, onze broer. Hij was op een dag thuis gekomen, de kanker zat overal, er was geen houden meer aan.

'Weet je dat ik het door mijn lichaam voel gieren, mam?' hoorde ik hem tegen mijn moeder zeggen toen ik in de hal stond. Ik wilde dat ik het niet had gehoord. Ik vond het geen prettig idee dat zoiets kwaadaardigs door het lichaam van mijn broer gierde. Het hoorde daar niet, het moest weg. Door de kanker was er iets mis met zijn rode bloedlichaampjes. Die werden vanbinnenuit aangevallen, die konden niet doen wat ze moesten doen: zuurstof vervoeren naar vitale organen, daardoor werd hij steeds zieker en kreeg hij het zo benauwd.

Jimmy ging om de drie dagen in de oude Volkswagen van mijn moeder naar het ziekenhuis voor een bloedtransfusie. Daarna knapte hij weer even op. Jimmy begon te praten over euthanasie. Mijn moeder weigerde te luisteren. Jimmy zette zijn protume woordvoerder en Patrick in om haar te overtuigen.

'Het gaat niet meer, mam, hij is kapot. Hij is moe, zo moe. Hij leeft in een nachtmerrie, zo noemt hij het, hij wil dat het ophoudt,' zei ik.

We zaten aan de keukentafel. Kaitlin was in de huiskamer, Jimmy lag op de bank. Ze speelden Mens-Erger-Je-Niet. Kaitlin gooide ook voor Jimmy en verzette zijn pionnen.

'Dat klopt, mevrouw.' Patrick schoot me te hulp. 'Hij begrijpt dat het moeilijk voor u is, maar voor hem is het nog veel erger.

Hij kan bijna niets meer, het wordt alleen maar minder, als hij zelf uitmaakt wanneer het voorbij is, heeft hij het gevoel dat hij toch nog iets kan bepalen.'

Mijn moeder stond op en begon het aanrecht af te vegen, hoewel dat niet vuil was. 'Het hoort niet,' zei ze, zonder ons aan te kijken. 'Hij hoort daarover niet te beslissen. Ik ben erop tegen.'

'Hij wil het, mam. Patrick en ik gaan het voor hem regelen, of jij het er nou mee eens bent of niet.'

Ze bleef boenen, met haar rug naar ons toe, en zei niets. Patrick zei dat hij morgen zou terugkomen en ging naar huis.

Die avond bracht mijn vader de Toyota. Het was een sportief model in Jimmy's lievelingskleur. Pa had alleen aan mij verteld dat hij een auto voor Jimmy had gekocht, ik had geen idee hoe hij zou reageren. Bel maar gewoon aan, had ik gezegd, we zien wel waar het schip strandt.

Kaitlin verpestte de verrassing. Ze keek toevallig net uit het raam en zag pa de straat in komen rijden.

'Krijg nou wat!' riep ze. 'Die ouwe heeft een nieuwe auto gekocht. Hij parkeert hem pal voor de deur.'

'Wat doet hij hier?' vroeg Jimmy scherp aan ma. Ze hief haar handen, ze had geen idee. 'Weet jij hiervan?' beet hij mij toe.

Voordat ik iets kon zeggen, ging de bel.

'Je laat hem niet binnen, ma,' commandeerde Jimmy.

Ze stond op, pakte haar rozenkrans en liep naar de deur.

'Volgens mij wil hij je verrassen,' zei ik zacht tegen Jimmy.

'Waarmee?'

'De auto. Die is voor jou. Het is een Toyota, een sportmodel.'

Jimmy draaide zich om en ging met zijn rug naar me toe liggen. Ma praatte met pa bij de voordeur. Flarden van het gesprek drongen tot de woonkamer door.

'Ik mag toch wel even...'

'...echt niet...'

'Maar ik heb...'

'Ga nou... hij wil er niets...'

'Kan iemand... een lift...'

Ma antwoordde iets onverstaanbaars. De deur ging dicht. Ze kwam terug. 'Je hebt een auto van je vader gekregen,' zei ze tegen Jimmy's rug.

Hij reageerde niet.

Ze legde een sleutelbos op de salontafel.

'Het is wel een gave kar, Jimmy,' zei Kaitlin. 'Waarom bel je Patrick niet? Gaan we morgen met z'n allen naar het strand.'

Ik zag hoe pa de straat uitliep. Hij keek niet meer om, hij zwaaide niet naar ons, zoals hij vroeger deed, toen hij nog welkom was.

'Je hoeft geen medelijden met hem te hebben, Jules, hij heeft het er zelf naar gemaakt,' zei Jimmy, die behalve kanker ook een zesde zintuig had gekregen.

Tot mijn verbazing besloot Jimmy de volgende dag dat hij toch met ons naar het strand wilde. Patrick moest rijden. Hij had net zijn rijbewijs gehaald.

'Weet je zeker dat je mij die auto toevertrouwt?' vroeg hij tot drie keer toe.

'Al parkeer je hem tegen een boom,' zei Jimmy schokschouderend.

Patrick en ik hielpen Jimmy van de bank af en ondersteunden hem op weg naar buiten. Mijn moeder wilde dat hij een jas aan zou doen, en een pet op. Hij had zijn haren verloren door de chemo. Jimmy weigerde, mijn moeder zei dat ze zou bidden voor een behouden thuiskomst.

Jimmy begon te giechelen. 'Dat zou een goeie grap zijn. Dat je vanmiddag pa moet bellen: "Jimmy is dood. Hij heeft een autoongeluk gehad. Trouwens, de Toyota is totall loss." Ik vraag me af wat hij erger zou vinden.'

Toen hij uitgelachen en weer op adem was, konden we gaan. We brachten hem naar de auto.

Kaitlin kirde. 'Hij is geweldig. Wat vind jij, Jimmy?'

Hij zei niets, probeerde zijn reactie te verbergen, maar ik

meende te zien dat hij hem mooi vond. Dat heb ik later ook aan pa verteld, ik vond dat hij dat best mocht weten. Patrick en ik zetten Jimmy voorin, Kaitlin en ik stapten achterin. Mijn moeder kwam het huis uit rennen met Jimmy's zuurstoffles. We legden hem op de grond.

Vlak voor Halfweg werd Jimmy misselijk. We moesten stoppen op de vluchtstrook, Patrick hield Jimmy vast terwijl hij uit het portier hing om over te geven. Hij spuugde, hij vloekte. Sinds een paar dagen droeg hij luiers, omdat hij incontinent was geworden. Hij begon zijn leven steeds meer te haten. 'Keer maar om,' zei hij tegen Patrick, nadat die zijn mond had afgeveegd.

'Kom op Jimmy, hou vol, we zijn er bijna,' zei Kaitlin.

Ik porde haar in haar zij.

'We kunnen het toch proberen? Ik heb mijn nieuwe bikini bij me. Die gele met die witte bloemen, Jimmy.' Kaitlin had eerder die week een bikiniparade gehouden.

Jimmy ademde zwaar.

'Het is gewoon de lucht van de suikerfabriek, ik ben er ook misselijk van,' hield Kaitlin vol.

Patrick wierp haar een woedende blik toe.

Ik pakte de zuurstoffles en gaf Jimmy het kapje tussen de stoelen door. Hij nam het aan en inhaleerde.

Patrick reed met een slakkengangetje verder. 'Bij de eerstvolgende mogelijkheid, ga ik eraf,' zei hij.

Kaitlin zette haar zonnebril op en staarde uit het raam.

'Ik wil dat jullie de dokter regelen voor volgende week zaterdag,' zei Jimmy toen hij weer lucht had.

'En ma dan?' vroeg ik.

'Heeft ma kanker of heb ik kanker?'

We zwegen alle drie.

Bij de stoplichten van Halfweg sloeg Patrick linksaf, het dorp in.

'Wil je ergens iets drinken?' vroeg hij aan Jimmy.

'Naar huis,' zei hij. Hij had een slechte middag, hij maakte geen grapjes meer en als hij ze niet maakte, durfden wij dat ook niet te doen.

Patrick keerde en reed de snelweg weer op, richting Amsterdam. Na een paar minuten begon het ontzettend te stinken in de auto. Het was niet de suikerfabriek, het was Jimmy, die het in zijn broek had gedaan. Kaitlin pakte een zakdoek en hield die tegen haar neus. Ik moest kokhalzen en probeerde het uit alle macht tegen te houden door zachtjes in en uit te ademen door mijn mond.

'Weet je wat ik het leuke vind aan Kaitlin?' vroeg Jimmy aan niemand in het bijzonder. 'Zij is altijd alleen geïnteresseerd in Kaitlin. In haar eigen pleziertjes. Als Kaitlin naar het strand wil, wil ze naar het strand. Dat haar doodzieke broer er onderweg bijna in blijft, kan haar niet schelen.'

'Sorry, Jim,' zei Kaitlin door de zakdoek heen.

'Geen sorry zeggen, ik geniet ervan. Jij doet niet extra je best, je bent niet anders dan anders.' Hij hoestte. 'Het siert je. Als je wilt uitstappen en naar het strand wilt liften, doe dat dan vooral.'

'Ik heb geen zin meer.'

Jimmy begon weer te giechelen. 'Dat bedoel ik. Als ze nog wel zin had gehad, was ze uitgestapt. Dat is ons Kaatje.'

Kaitlin haatte het als hij haar Kaatje noemde.

Ik vond het niet zo leuk wat Jimmy zei. Ma, Patrick en ik deden wel extra ons best. Zelfs pa deed dat, op zijn manier. Was dat ineens niet goed? Soms begreep ik Jimmy niet, al was ik zijn protume woordvoerder.

'Wat gebeurt er eigenlijk met de Toyota straks?' vroeg Kaitlin.

'Straks?' piepte Jimmy. 'Wil je dat even preciseren, lieve zus? Wanneer wil je de sleutels, na mijn crematie of ervoor?'

Ik barstte in tranen uit.

'Jezus, zo bedoelde ik het niet,' mompelde Kaitlin.

Een paar dagen later maakten Jimmy en Patrick nog een ritje in de Toyota. Jimmy had maanden geleden geld geleend van een medestudent en vond dat hij dat persoonlijk moest teruggeven.

Het was een bedrag van niks, je kon er niet eens een slof sigaretten van kopen. Patrick zei dat hij het wel zou afgeven, maar Jimmy wilde per se mee.

'Waarom rijden jullie niet even langs pa?' probeerde ik. 'Dat zou hij fantastisch vinden.'

'Slecht idee, Jules,' zei Jimmy.

Toen ze weg waren, belde ik mijn vader om te vertellen dat Jimmy opnieuw met de Toyota op pad was.

'Vindt hij hem mooi?' vroeg pa.

'Hij zou er het liefst in slapen, zo geweldig vindt hij hem. Hij vroeg of ik je wilde bedanken,' loog ik.

'Ik wist het, ik wist het wel,' zei mijn vader verheugd.

De student woonde in een flat. Hij was niet thuis. Patrick vertelde me later dat hij daar blij om was geweest, anders had hij Jimmy ongetwijfeld de lift in moeten hijsen. Nadat Patrick het geld in de brievenbus had gegooid, waren ze alsnog naar het strand gereden. Jimmy stapte niet uit, hij was te moe. Vanaf de boulevard keek hij minutenlang naar de golven. Patrick durfde niets te zeggen. 'De rest van mijn leven zal ik aan je broer denken als ik de zee zie, Julia.'

'Kreeg je nog een opdracht mee?' vroeg ik. Het leek me typisch een moment waarop Jimmy dat zou doen.

Patrick knikte verlegen.

'Wat dan?'

'Niks bijzonders.'

Na het weekeinde reed mijn moeder met Jimmy in de Toyota naar het ziekenhuis voor een bloedtransfusie. Het zou zijn laatste bloedtransfusie worden en zijn laatste rit in de Toyota.

'Het gaat niet lang meer duren. Overmorgen komt de dokter. Voor de euthanasie.'

Het was donderdagmiddag. Jimmy lag te slapen in zijn kamer. Ik belde stiekem met mijn vader.

'Wil hij nog steeds niet met me praten?'

'Het spijt me.'

Pa zuchtte. 'Ik ga hem een brief schrijven. Die gooi ik vanavond in de bus. Wil jij die aan hem geven?'

'Ik zal mijn best doen. Hij is erg koppig.'

'Dat is hij altijd al geweest. Dat heeft hij van je moeder.'

De hele avond liep ik heen en weer naar de brievenbus. Mijn moeder werd er nerveus van.

'Wat is er, verwacht je iets belangrijks?'

Ik schudde mijn hoofd.

'Heeft het met de dokter te maken, heeft hij het vervroegd?' Mijn moeder vertikte het om het eu-woord uit te spreken, ze wilde er nog steeds niets van weten en bad op volle kracht om het te voorkomen. Haar rozenkrans draaide overuren.

'Ik hoor je heus wel, mam,' mompelde Jimmy. We voelden ons alle drie betrapt. Hij lag op de bank, zwaar ademend, met zijn ogen dicht. Hij was steeds minder vaak bij, hij leek van ons weg te drijven, we dachten dat hij de zaterdag niet zou halen.

Ik schraapte mijn keel. 'De dokter komt overmorgen. Om klokslag negen uur 's ochtends. Jimmy wil dat je iets leuks aantrekt, mam. Jimmy wil dat we allemaal iets leuks aantrekken.'

'Klopt,' klonk het vanaf de bank.

Ik liep opnieuw naar de brievenbus.

'Heb je een lover?' vroeg Kaitlin pesterig. 'Durft-ie het huis niet binnen te komen, denkt-ie dat kanker besmettelijk is?'

Jimmy begon rochelende geluiden te maken. Als je hem niet zou kennen zou je je lam schrikken, je zou er niet uit opmaken dat hij lachte. Kanker is niet besmettelijk, sick jokes zijn dat wel.

Donderdagavond kwam er geen brief. Het stelde me teleur. Het maakte me pissig. Jimmy heeft gelijk, dacht ik, die ouwe is onze energie niet waard. Stel dat zijn zoon vannacht overlijdt, dan is hij mooi te laat. Wat een eikel.

Mijn vader had geluk. Jimmy werd de volgende ochtend gewoon wakker. Ik stond erbij, ik zat vanaf half zeven bij zijn bed, zoals ik daar elke dag zat. Ik moest de eerste zijn.

Toen hij zijn ogen opensloeg, glimlachte hij. 'Morgen ga ik dood,' waren zijn eerste woorden.

Hij zei het opgewekt, het was geen grap, het was duidelijk dat hij het meende.

'We kunnen het uitstellen, weet je. We kunnen het over het weekeinde heen tillen. Of over je verjaardag.' Ik probeerde het toch, ik dacht aan ma, ik dacht aan de brief van pa die misschien nog zou komen en ik dacht aan mezelf. Ik wilde mijn broer nog niet missen, vandaag niet, morgen niet, nooit niet.

Hij pakte mijn hand. 'Zelfs als ik er niet meer ben, zal ik er altijd zijn, Jules. Je kunt me oproepen.' Hij bezat amper de kracht om mijn hand stevig beet te houden. Zijn lichaamsfuncties holden achteruit, hij zag minder, hij proefde minder, alleen zijn gehoor werkte nog goed, dat leek zelfs beter.

'Ma heeft allemaal lekkere dingen in huis gehaald. Ze wil vijfsterrenmaaltijden voor je koken. Oma wil nog een keer langskomen en Patrick...'

'Van oma heb ik al afscheid genomen. Patrick komt vanmiddag gedag zeggen. Vanavond eten we met z'n vieren.'

De generaal liet mijn hand los en pakte zijn kapje.

Patrick kwam die middag langs. Ik had hem nog nooit zo ernstig zien kijken. Hij ging rechtstreeks naar de kamer van Jimmy en bleef daar zeker een uur. Toen hij wegging, had hij roodomrande ogen. Hij knikte naar me en vertrok, ik zou hem pas weer zien toen Jimmy dood was.

Achteraf denk ik dat Patrick een betere man voor me was geweest dan Paul. Ik denk dat hij na Jimmy de enige persoon op de wereld is die me echt begrijpt. Hij aanbad me. Juist daarom liet ik hem links liggen. Ik dacht dat liefde mysterieus en onbereikbaar moest zijn, ik geloofde in de sprookjes van Leni Saris. Later, veel later, toen ik daar niet meer in geloofde, was het te laat. Ik zag Patrick niet meer, ik had gehoord dat hij samenwoonde, dat hij een meisje zwanger had gemaakt. Het was een ongelukje geweest, maar ze zouden het toch proberen. Ik bedoel dit niet cynisch, ongelukjes kunnen soms heel goed uitpakken, mensen zouden meer in ongelukjes moeten geloven. Meer dan in liefde, wat dat ook moge zijn.

Vrijdagmiddag om tien over vijf viel er een envelop in de bus, ik had de hoop al opgegeven, ik moest de neiging bedwingen om hem gelijk te verscheuren.

'D'r is een brief voor je, van pa,' zei ik achteloos tegen Jimmy. 'Zal ik hem weggooien?'

Hij ging moeizaam op zijn zij liggen. 'Lees voor,' zei hij.

Ik deed het. Het was op zich geen slechte tekst, ik had pa tijdens ons laatste telefoongesprek een beetje op weg geholpen, daarna had hij er echt iets van gemaakt. Hij schreef dat hij trots was op zijn zoon, dat hij hem dapper vond, dat hij het liefst bij hem zou zijn om hem tijdens zijn laatste momenten te steunen, maar dat hij Jimmy's wens zou respecteren, als hij dat niet wilde. Ondanks hun verschillen, had hij zich geen andere zoon kunnen wensen. Dag Jim, dag jongen van me. Tot weerziens, tot ooit.

'Hij snapt er nog steeds niets van,' oordeelde Jimmy.

'Je hebt het hem nooit uitgelegd.'

'Moet ik hem uitleggen hoe hij zich heeft misdragen? Hij zou zich moeten excuseren, hij zou door het stof moeten gaan. Weet je nog, toen mama in Londen was?'

Ik wist het nog.

Mijn moeder ging een lang weekeinde met een vriendin naar Londen. Mijn ouders waren nog niet gescheiden, ze bevonden zich in een periode van gewapende vrede. Ik denk dat ik een jaar of acht was, Kaitlin negen en Jimmy elf. Mijn vader nam ons mee naar het verjaardagsfeest van een tante. Ze woonde op de bovenste verdieping van een flat.

We gingen op de fiets. Tijdens het feest dronk pa witte wijn. Hij sloeg het ene glas na het andere achterover, hoe vaak Jimmy ook zei dat hij genoeg had gehad. Aan het eind van de avond kon hij amper op zijn benen staan.

Een vrouw met dikke lippen bood aan ons thuis te brengen. Pa zei dat ze ook een soort tante van ons was, maar we hadden haar nog nooit gezien. In de lift ging pa onderuit. Jimmy en de vrouw moesten hem overeind sjorren, Kaitlin wendde zich af en deed alsof ze niet bij ons hoorde. Pa stonk ontzettend naar drank, hij sprak met een dubbele tong.

'Mondje dicht tegen mama, meisjes,' lalde hij. 'En jij ook, jongeman.' Eenmaal op de fiets werd het alleen maar erger. Hij slingerde over de weg, de tante zat bij hem achterop, het was levensgevaarlijk.

'Pas op, papa, pas op! Pap! Er zit een auto achter je, pas nou op!' Ik hoor Jimmy nog schreeuwen.

De tante bleef logeren. Pa en zij maakten zo veel herrie dat we bang werden en met zijn drieën onder Jimmy's bed kropen. Daar vielen we in slaap. De volgende ochtend belde Jimmy mijn moeder in haar hotel in Londen. Of ze alsjeblieft thuis wilde komen. Dat wilde ze niet, het was voor het eerst dat ze zichzelf op een uitje in het buitenland had getrakteerd. Ze vroeg aan Jimmy wat er zo dringend was dat ze op de boot moest stappen. Hij dacht even na en antwoordde dat het niet meer hoefde.

'Vanaf dat weekeinde had hij voorgoed afgedaan. Begrijp je dat, Jules? Ik voelde me beter dan hij, ik kon hem niet meer serieus nemen. Elke seconde dat ik met die man bezig was, was er één te veel. Ook nu, juíst nu ik ziek ben. Hij is de laatste aan wie ik energie wil besteden. Ik heb nog maar zo weinig.'

Jimmy kon de dingen zo stellig zeggen dat je hem ogenblikkelijk geloofde en je pas later, veel later, ging denken dat er in zijn betogen misschien hiaten of kieren zaten, dat het geen absolute waarheden waren. Geen enkel betoog is waterdicht, maar dat weet je nog niet als je zeventien bent.

'Twee dingen,' zei Jimmy. 'Ten eerste verbrand je deze brief, meteen, ik wil hem nooit meer zien. Ten tweede kom je vannacht om half vijf naar mijn kamer.' Hij hapte naar adem.

'Waarom?'

'Dat hoor je vannacht. Nu wil ik nog een stukje kersentaart.'

Ik ging naar de keuken en zei tegen mijn moeder dat Jimmy nog wat taart lustte. Je kon mijn moeder geen groter plezier doen dan om iets te eten te vragen. Ik geloof dat het bereiden en uitserveren van maaltijden voor haar het summum van moederschap betekenden. Toen ze dat niet meer hoefde, toen we ons eigen eten konden klaarmaken, leek ze niet goed te weten wat ze nog met ons aan moest. Dat was een positief aspect aan Jimmy's ziekte: we aten alle drie bijna elke dag thuis.

Hoofdstuk 28

We zitten samen bij het zwembad. Romeo ligt op een handdoek en doet buikspieroefeningen. Hij heeft alleen een boxershort aan. Ik heb een slipje aan, verder ben ik naakt. Mijn benen bungelen in het water, ik heb Romeo's laptop op schoot. Met mijn linkerhand houd ik het scherm vast, met mijn rechterwijsvinger scrol ik door het document dat ik 'Jimmy' heb genoemd. Als Paul me zo zou zien, zou hij gek worden. Hij zou zijn laptop nooit meer aan me uitlenen.

Vandaag is een goede dag. Ik heb nog geen valium genomen, ook geen drank. Ik werd wakker doordat Romeo bij me naar binnen drong. Ik lag op mijn buik. Hij tilde mijn billen op en schoof hem er in een keer in. Het was een nieuwe ervaring, wakker geneukt worden. Het beviel me wel.

'Ik wil het overal met je doen,' fluisterde hij in mijn haar. 'In de keuken. Op het aanrecht. Op de trap. In het zwembad.'

Hij zei niets over geld. Ik begon er ook niet over.

Romeo nam me van achteren en vingerde me voorlangs. Hij deed het zo lekker en ik was zo ontspannen dat ik klaarkwam voor ik er erg in had. Romeo gaf me geen tijd om na te genieten, hij trok me uit bed en zette me tegen de muur van de slaapkamer. Hij had het zo uitgekiend dat we onszelf in de spiegel op de kastdeur konden zien. 'Kijk hoe ik je neem,' beval hij.

Ik keek.

Ik zag mezelf tegen de muur staan, met blossen op mijn wangen en verwarde haren. Ik zag hoe een gespierde man met een enorme penis me optilde. Ik zag hoe ik mijn armen om zijn nek sloeg, mijn benen om zijn heupen, hoe ik me op zijn geslacht liet zakken. Ik zag hoe ik op en neer ging, hoe ik verhit raakte, hoe hij verhit raakte, hoe we steeds heftiger bewogen, ik zag onze monden openzakken en onze ogen steeds verder dichtgaan, ik hoorde mijn kreten, ik hoorde zijn kreten. Ik hoorde hoe hij piekte en terwijl ik dat hoorde, doordat ik dat hoorde, piekte ik ook.

Romeo ging douchen. Ik wilde nog even in bed kruipen, maar ik moest mee. We stonden er amper onder of hij duwde de top van zijn eikel tegen mijn clitoris. Waar haalde deze man al die erecties vandaan? Hij duwde, hij draaide, hij stootte zachtjes, het duurde niet lang of ik werd weer nat.

'Ik wil je,' zei hij.

Ik opende mijn benen. Ik was weerloos, hij was welkom, hij mocht alles.

Romeo stapte onder de douche vandaan om een condoom te pakken.

Ik leunde tegen de wand van de cabine. Nog nooit van mijn leven had ik zulke goede seks gehad. Het was oerseks, al het voorgaande was kinderspel.

Mijn minnaar kwam terug. Het condoom zat er al om. Hij nam me tegen de douchewand. Het water werd koud, de boiler was leeg geraakt, we merkten het amper op. We gingen door tot we verzadigd waren.

Romeo droogde me af. Ik trok een witte linnen jurk aan. Hij gaf me zijn laptop en dirigeerde me naar het terras. 'Ik ga boodschappen doen, jij gaat schrijven.'

Ik deed wat hij zei, ik zou alles hebben gedaan wat hij zei, omdat ik wist dat hij me als beloning weer zou neuken.

Romeo verdween. Ik ging onder de parasol zitten, klapte de laptop open en begon te typen. Ik was volledig in mijn tekst verdiept toen hij terugkwam met koffie, vers geperst sinaasappelsap en roereieren met spek. Hij zette de laptop weg en dekte de tafel. We aten samen het lekkerste ontbijt dat ik in Casa da Criança had gegeten. Terwijl we de laatste happen naar binnen werkten, keken we elkaar aan.

'Nee, hè?' zei ik.

Hij lachte.

'Nee, Romeo. Echt niet. Dit wordt te dol.'

Zijn T-shirt verdween over zijn hoofd. Hoeveel keer hadden we het al gedaan? Dit zou de vierde keer worden. Ik had het nog nooit vier keer achter elkaar gedaan met een man.

Romeo streelde mijn borsten met de rug van zijn hand. Ik liet hem begaan. Hij tilde de jurk over mijn hoofd en legde het kussen van de ligstoel op de grond. Seconden later lag ik op mijn rug en deed mijn benen uit elkaar. Hij drong bij me naar binnen. We raakten beter op elkaar ingespeeld, het ging steeds makkelijker, Romeo wist precies wat hij moest doen om me te brengen waar ik wilde zijn. Het was zo opwindend, verslavend gewoon, hoe zou ik het ooit nog met Paul kunnen doen zonder te gapen?

Minuten later lagen we voldaan naast elkaar.

'We zijn ziek,' vond ik.

'Welnee.'

'Echt wel.'

'Ik zal je iets laten zien.' Romeo ging naar binnen om een boek te pakken dat hij had meegenomen. Het was een fotoboek van een Japanner. Hij had stelletjes gefotografeerd die aan het vrijen waren of op het punt stonden om dat te doen. Je zag ze in bed, in een steeg, in een hotel, in de auto, ze werden door de fotograaf betrapt met hun broek half naar beneden, in grote haast, in onmogelijke posities, het stel in de auto keek verstoord achterom, ze waren net bezig om een goed standje te vinden.

'Mooi, hè?' zei Romeo haast vertederd. 'Ze willen allemaal maar een ding. De drang is zo groot dat ze de risico's voor lief nemen: het risico om betrapt te worden, om een ziekte op te lopen, om zwanger te raken.'

Romeo leeft van die drang. Hij neemt geen risico's, hij doet altijd een condoom om. Hij zou het met me mogen doen zonder bescherming, maar hij probeert het niet eens. Romeo beheerst zijn driften. Ik vraag me af of dat betekent dat hij niet verliefd op me kan worden.

'Lees eens wat voor,' zegt Romeo.

Ik vertaal een paar stukjes over de Toyota, de rit naar Halfweg, over Patrick en Kaitlin en over pa.

'Was het moeilijk om op te schrijven?'

'Het ging wel. Je kunt het alleen nooit echt goed weergeven, niet precies zoals je het hebt beleefd.'

'Ik krijg wel een aardige indruk,' zegt hij. 'Kaitlin lijkt me een bijzondere dame.'

Natuurlijk. Kaitlin fascineert mannen altijd, zelfs al hebben ze haar nog nooit ontmoet, zelfs al krijgen ze slechts summiere informatie over haar.

'Heb jij broers of zussen?' vraag ik om hem af te leiden, het irriteert me dat hij in Kaitlin is geïnteresseerd.

'In elk geval een halfzus, ze is twaalf jaar ouder dan ik, ze is het eerste kind van mijn moeder, ik noem haar tante. Mijn vader schijnt meer kinderen op de wereld te hebben gezet, maar dat weet ik niet zeker, ik heb geen contact met hem.'

'Net als Jimmy,' zeg ik snel.

'Hij heeft mij verstoten, ik hem niet. Hij heeft mijn moeder verlaten toen ze zwanger was.'

'Heb je hem nooit gezocht?'

'Hij wil niet gevonden worden.' In Romeo's stem klinkt geen enkele emotie door.

Ik sla het document op en klap de laptop dicht. 'Het lijkt me raar om je vader niet te kennen.'

'Ik weet niet beter,' zegt hij.

Ik trek mijn benen uit het water.

Romeo steekt zijn zonnebril in zijn haar en kijkt me vorsend aan. 'Wanneer heb jij die operaties laten doen?'

'Hoe bedoel je?' vraag ik betrapt.

'Ik herken de littekens. Je hebt liposuctie gehad en er is iets met je borsten gebeurd.'

'Nou en?'

'Was dat nodig?'

'Voor mij wel. En voor jou ook, want je hebt me voor de operaties gezien en dat is je niet eens bijgebleven.'

Hij zet zijn zonnebril weer op en kijkt van me weg, naar het weidse landzicht. 'Dat was in Faro,' zegt hij op een toon alsof dat alles verklaart.

Er is iets met hem gebeurd in Faro. Iets waarover hij het duidelijk niet wil hebben. Het heeft met een vrouw te maken, dat kan niet missen.

'Weet jij wat liefde is, Romeo?'

Hij denkt na, zonder zich verbaasd te tonen over de vraag. Na enige tijd knikt hij langzaam.

'Wat is het?'

Hij pakt mijn hand en trekt me overeind. 'Kijk me aan, dan zie je het,' zegt hij.

Bedoelt hij wat ik hoop dat hij bedoelt? Mijn hart begint te bonzen. Met trillende handen pak ik de zonnebril van zijn gezicht. Zijn blik is zacht, zo zacht, hij smoort me. Ik heb pijn. Pijn in mijn buik, pijn in mijn borst, ik wist niet dat het zo'n pijn zou doen.

– Dat wist je wel, fluistert Jimmy, dat heb je altijd geweten. Pijn is het basisgevoel.

Romeo gaat me kussen. Als hij me niet kust, ga ik hem kussen, maar voor het zover is wil ik het zeker weten, voor eens en voor altijd, dit is het moment van de waarheid.

'Ik hoef je niet te betalen, dit is helemaal geen werk voor je. Je doet dit voor mij, omdat je...'

Iets voor me voelt, wil ik zeggen. Hij legt zijn vinger op mijn lippen.

'Stil, wolkenmeisje.'

Ik wil het horen, ik wil het uit zijn mond horen, maar zijn kussen leggen me het zwijgen op. 'Romeo...' zeg ik even later. 'Vertel me alsjeblieft dat ik gelijk heb.'

'Liefde is vertrouwen, Julia. Luister niet naar mij, luister naar niemand, luister alleen naar je hart.'

'Mijn hart schreeuwt jouw naam sinds vannacht, heel hard, het is... het voelt zo groot, het beangstigt me.'

'Je hoeft niet bang te zijn. Ik blijf bij je.'

'Voor altijd?'

Hij glimlacht. 'Voor zolang je me nodig hebt.'

'Dat ís voor altijd.'

'Je moet weer aan het werk.' Hij wijst naar de laptop.

Ik wil mijn mond openen om nog wat te vragen, maar iets weerhoudt me. Een struik ritselt. Het waait terwijl het windstil is. Er glijdt een schaduw over het terras.
– Het is goed, Jules, je hebt mijn permissie. Schrijf. Doe het maar. De tijd is gekomen.

Hoofdstuk 29

Zoals altijd, heb ik precies gedaan wat hij zei. Om kwart over vier begon mijn wekkerradio te spelen. Snel gaf ik er een tik op, niemand mocht me horen. Onder mijn bed lag een zaklamp klaar. Ik ging rechtop zitten en rekte me uit. Elke ochtend om half zeven zat ik bij Jimmy's bed, ik begreep niet waarom ik vandaag zo vroeg moest komen. De dokter was besteld voor negen uur. Nog vier uur en drie kwartier, dan zou het gebeuren, dan zou Jimmy een zwaar slaapmiddel krijgen en daarna, als hij buiten bewustzijn was, zou er iets anders volgen, iets dodelijks. Ik wilde er niet aan denken.

Net als mijn moeder hoopte ik dat het anders zou gaan, dat hij zich zou bedenken, dat hij zou genezen of dat hij vredig in zijn slaap zou sterven. Misschien was het al gebeurd, het was zo stil in huis, het zou kunnen, wie weet had hij een voorgevoel gehad en moest ik daarom komen. Het was elke ochtend eng om te kijken of hij nog leefde, maar dan werd het tenminste al een beetje licht, nu was het stikdonker.

Ik pakte mijn zaklamp en knipte hem aan. Daarna sloop ik op blote voeten naar zijn kamer. De deur was dicht. Zo zacht mogelijk duwde ik hem een stukje open. Meteen hoorde ik zijn ademhaling, die was niet te missen, godzijdank, alles was normaal. Ik deed de deur verder open, ging naar binnen en scheen met de zaklantaarn over zijn bed. Hij lag roerloos, op zijn rug. Wat was hij toch mager geworden, wat zag hij bleek, hij leek steeds minder op mijn broer.

'Je bent twaalf minuten te vroeg.'

Van schrik liet ik de zaklantaarn uit mijn handen vallen, hij had het gezegd zonder zijn ogen te openen. Het lampje flikkerde nog even en ging toen uit.

'Sorry hoor, ik had mijn wekker om kwart over gezet, ik wilde niet te laat zijn.'

Op de tast zocht ik naar het licht naast zijn bed en knipte het aan.

Jimmy gebaarde naar zijn zuurstoffles, hij had één zin uitgesproken en had het al benauwd. Ik begreep hem wel, ik zou in zijn plaats waarschijnlijk ook om de dokter smeken. Dit was niet te doen.

'Hoe zie ik eruit?' vroeg hij nadat hij had geïnhaleerd.

'Gewoon. Net als gisteren.' Eigenlijk iets slechter, maar dat wilde ik niet zeggen. Men moet een patiënt nooit ontmoedigen.

'Zie ik er vredig uit?'

'Ik denk het wel. Hoezo?'

'We gaan mama's gebed verhoren, Jules.'

Mama's gebed, wat was mama's laatste gebed? Ze bad zich een slag in de rondte deze dagen, ik hield het allemaal niet meer bij. Jimmy zag mijn verwarring.

'Ze bidt dat ik ga voordat de dokter komt,' zei hij geduldig. Dat lukt dus niet meer, wilde ik zeggen, maar op hetzelfde moment begon het me te dagen.

'Nee,' zei ik.

Hij knikte slechts.

Gedecideerd schudde ik mijn hoofd. 'Hier doe ik niet aan mee, ik ga naar bed, ik ben om half zeven terug. Welterusten.' Ik wilde me omdraaien, zijn ogen werden groot in de donkere, diepe kassen. Ze gloeiden, ze dwongen me tot stilstaan.

'Jij blijft,' sprak hij hijgend. 'En je doet precies wat ik zeg.' De generaal was klaar voor de strijd. Zijn laatste strijd, de allerlaatste.

Ik beet op mijn lip. Mijn broer zou doodgaan. Nu, of over een paar uur, zijn lot was bezegeld, de teerling was geworpen. Wij mochten blijven leven, wij zouden alle dingen doen die hij graag had willen doen. Nou ja, bijna alle dingen.

In het eerste jaar van zijn studie had Jimmy ons verteld dat hij lijken wilde gaan wassen in een mortuarium. Het leek hem leerzaam, het voelde nuttig en het was een goede bijverdienste naast zijn studiebeurs. Kaitlin en ik griezelden van het idee. 'Ze zijn toch al dood, wat kan me gebeuren?' zei Jimmy stoer. Mijn moeder, die haar zoon zelden of nooit tegensprak, reageerde met zo veel afschuw dat hij zijn plan liet schieten en ergens achter een bar ging werken.

Nu, bijna twee jaar later, wilde Jimmy dat ik ervoor zou zorgen dat hij alsnog in een mortuarium zou belanden. Mocht ik weigeren? Hij zou het egoïstisch vinden, hij was mijn bloed, hij vond dat hij een beroep op me mocht doen, op wie zou hij het anders moeten doen? Op een vreemde? Een dokter, een witte jas? De witte jassen hadden hem niet kunnen genezen en zij, uitgerekend zij, zouden hem de laatste gunst mogen verlenen? Dat zou onrechtvaardig zijn. De toestand was al onrechtvaardig genoeg, ik was zijn protume woordvoerder, hij hoefde me zijn argumenten niet te geven, ik begreep het zo wel. Het had geen zin hem iets te weigeren, ik moest er voor hem zijn, punt uit.

Ik gaf me gewonnen en salueerde. 'Zeg het maar.'

Jimmy glimlachte tevreden. Hij wees naar het kussen dat aan zijn voeteneinde lag. Het was een groot gifgroen fluwelen kussen, met in het midden een paars hart dat er tamelijk slordig op was geborduurd. Aan de vier hoekeinden hingen goudkleurige kwasten. Kaitlin had het ooit gemaakt, voor moederdag of vaderdag, ik wist het niet meer, we hadden het al jaren in huis, het was een rafelig en afzichtelijk ding, maar we waren eraan gewend geraakt.

'Je drukt het op mijn gezicht. Stevig. Vijftien minuten lang. Kijk op de klok.'

Ik knikte en slikte iets weg. Ik moest nu dapper zijn. Hij was het ook.

Jimmy pakte het kapje en inhaleerde. 'Je legt het kussen terug. Het ergste is voorbij. Je kijkt goed naar mijn gezicht. Als het niet vredig is, maak het dan vredig. Mondhoeken kun je omhoog duwen.'

Er gleden tranen uit mijn ogen, ik kon er niets aan doen.

'Niet verdrietig zijn, Jules. Dat ben ik ook niet. Ik ben blij. Ik houd van je. Omdat je dit voor me doet. Omdat je mijn zus bent. Dit is ons geheim. En dat blijft het. *Capisce?*'

Ik glimlachte door mijn tranen heen. Don Jim. Ik zou hem zo missen.

'Ik neem vanaf nu geen zuurstof meer,' hijgde hij. 'Dat maakt het makkelijker. Voor jou. Hebben we een deal?'

Ik knikte.

'Beloof het.'

'Ik beloof het. Ik zweer het. Ik zal doen wat je wilt.'

'En... je zult het...' Hij kon bijna niet meer uit zijn woorden komen. Ik reikte hem de zuurstof aan, maar hij duwde het kapje weg. '...aan niemand...'

'Ik zal het aan niemand vertellen,' beloofde ik. 'Erewoord.'

Hij maakte een gebaar. Ik pakte het kussen. 'Ben je niet bang?' vroeg ik. 'Wil je dat ik nog iets voor je doe?'

Naast zijn bed lag een dichtbundel, opengeslagen. Jimmy was erg *into* poëzie sinds zijn ziekte. 'Het troost me,' had hij uitgelegd. Hij had sowieso spirituele neigingen. Niet zoals mijn moeder, hij aanbad geen God of andere opperwezens, hij was meer bezig met de zin van het leven, reïncarnatie, leven na de dood en dat soort dingen. Daarover praatte hij met Patrick. Urenlang konden ze het erover hebben. Ik wist niet of ze eruit kwamen, bij dat soort onderwerpen kom je er nooit echt uit, geloof ik, dat houdt de discussie levendig.

Jimmy zag me kijken en aarzelde.

'Zal ik wat voorlezen?' Uitstel van executie, voor hem en voor mij.

Tot mijn verbazing knikte hij.

Ik pakte de bundel. Sirkka Turkka had hem geschreven, dat zou wel een pseudoniem zijn, geen normaal mens heet zo. Ik begon te lezen waar Jimmy met potlood een streepje had gezet.

> Bereid ook jij je voor, kleine struik,
> die met zwarte vlammen aan mijn raam likt.
> Maak je klaar en wees bereid.
> Want de dood is teder
> als hij komt.
> Hij drukt je aan zijn borst.
> Zonder woorden verklaart
> hij het wiegenlied van je jeugd,

dat hij je brengt vanachter je gebogen gestalte,
van jaren, decennia her.
Hij legt het geschenk in je kinderhand, het geschenk
waar je met wazige blik naar blijft kijken.
Hij schenkt je dat lied dat je al vergeten dacht te zijn.
Zijn schouders en borst zijn met bloemen bedekt.
Hij is hol, opdat hij de mens helemaal kan nemen.
Hij pakt je bij de randen vast.
Hij spreidt je uit:
hij probeert je te begrijpen.
En dan heeft hij je begrepen.
Hij spijkert je ogen open,
je mond, waaruit
het geraas van het leven ontsnapt.
En jij kijkt, niet meer naar mij,
maar door mij heen, achter mij,
naar je eigen dood.
En naar de witte bloemen
die in bloei staan
rondom het piepkleine huis.

Potverdomme, het leek wel of Sirkka het speciaal voor deze gelegenheid had geschreven. Beangstigend gewoon. Jimmy had zijn ogen dicht gedaan. Zijn borstkas ging regelmatig op en neer. Het gedicht leek hem rustig te hebben gemaakt.

'Hij probeert je te begrijpen. En dan heeft hij je begrepen,' herhaalde ik bezwerend. 'Maak je klaar en wees bereid. Want de dood is teder.' Mijn stem trilde niet meer. Sirkka's woorden hadden me voorbereid op wat me te doen stond. Ik haalde diep adem. 'Dag, Jimmy. Goede reis.'

Hij reageerde niet, hij was waarschijnlijk al onderweg. Ik legde het kussen over zijn hoofd, met het hart aan de bovenkant. Ik wist niet goed hoe ik moest drukken, dus ging ik maar over het kussen heen liggen, met mijn borsten tegen het paarse hart. Jimmy's armen lagen langs zijn lichaam. Hij spande zijn vuisten aan. Ik keek naar de klok. De eerste minuut was ingegaan.

Ik probeerde uit alle macht niet te denken aan wat ik aan het doen was. Ik moest me op iets anders concentreren, iets wat me zou afleiden, iets onschuldigs, iets gezelligs. Kersentaart, er was nog een stukje, misschien mocht ik het hebben van mama. Kaitlins nieuwe bikini. De ogen van Patrick. Pa, die zoals gewoonlijk van niets wist. De Toyota, die voor de deur stond, waarin Jimmy nooit meer zou rijden. Hohoho, dit ging de verkeerde kant op. Iets onschuldigs, iets gezelligs. Televisie. Kwam er vanavond nog iets leuks? Ik keek al weken niet meer. *Sesamstraat*, daar had ik zin in. *Sesamstraat*, met Grover.

Het blauwe monster maakte me altijd aan het lachen. Als hij in de supermarkt in de rij voor de kassa staat en iedereen steeds laat voorgaan, zodat hij zelf nooit aan de beurt komt. Een kaal mannetje zegt dat hij een zuurfeestje heeft en dat hij daarom eerst moet. Op het laatst zegt Grover dat hij ook maar naar het zuurfeestje gaat. Alle kassa's zijn dicht, hij kan zijn boodschappen niet meer afrekenen. Dat was grappig, dat zou Jimmy—

Ineens begonnen de armen van Jimmy te maaien, wild en onbeheerst. Zou hij spijt hebben? Automatisch drukte ik wat minder hard. De armen bleven bewegen, Jimmy zelf bewoog nu ook mee, hij draaide heen en weer in zijn bed. Er waren nog geen twee minuten voorbij, wat nu? Ik haalde mijn gewicht van het kussen en trok het van zijn gezicht. We keken elkaar aan, allebei geschrokken, ik waarschijnlijk meer dan hij, zijn huid schemerde blauwgrijs.

'Wil je niet meer?' vroeg ik. 'Moet ik ophouden?'

Hij schudde zijn hoofd. Zijn adem gierde, zoals ik vermoedde dat de kanker gierde.

'Je begon ineens zo te bewegen… ik dacht…'

Praten lukte niet, hij pakte een papiertje en een potlood. Sorry, schreef hij. Ging vanzelf. Ga door. Niet op letten.

Ik begon te giechelen, ik kon het niet helpen. Hij grijnsde ook en wees daarna zorgelijk naar het papiertje.

‘Ik zal het straks verbranden. Jezus, Jimmy, wat een toestand, ik zat net aan *Sesamstraat* te denken.’

Jimmy staarde me niet-begrijpend aan.

‘Laat maar.’

Hij pakte het zuurstofkapje en nam toch nog een teugje. ‘Weet je nog...’ hij pauzeerde ‘...wat mijn laatste woorden waren?’

Ik schudde mijn hoofd, ik had geen idee.

‘Ik ook niet.’ Weer lachte hij, hij stikte er bijna in.

‘Oeps,’ zei ik.

We lachten nu allebei, hij geluidloos, ik met tranen over mijn wangen. Het was half huilen, half lachen, dat was het eigenlijk.

‘Is er nog iets wat je wilt zeggen?’ vroeg ik tenslotte.

Hij dacht diep na. ‘Sinte sinte Maarten. De koeien hebben staarten.’

Daar kon ik niet om lachen, hij wel, hij proestte het uit. Ik pakte het kussen weer op. De tijd begon te dringen. Straks stond ma of Kaitlin ineens in de kamer, dat konden we er niet bij hebben.

Jimmy schraapte zijn keel. ‘Wat is het leven? Het is de flits van een vuurvliegje in de nacht. Het is de adem van een buffel in de winter. Het is de kleine schaduw die over het gras glijdt en zichzelf in de zonsondergang verliest.’

Ongelooflijk, en dat in een keer. Ik knikte, ik zou het proberen te onthouden.

Hij deed zijn ogen dicht, ik legde het kussen over zijn gezicht, het moest nu snel voorbij zijn. Ik drukte uit volle kracht, harder dan eerst, ik wilde niet dat hij weer zou gaan bewegen. Dat gebeurde toch, na een paar minuten begonnen zijn armen te maaien. Zijn benen trappelden ook. Het was een strijd, begreep ik, zijn doodstrijd. Ik negeerde het. Het was niet makkelijk, maar niemand had gezegd dat het makkelijk zou zijn. De kracht van zijn slagen zou vanzelf minder worden, alles wordt uiteindelijk vanzelf minder, dat is het leven. En inderdaad: eerst verslapten zijn benen, daarna zijn armen, na enige tijd ging er af en toe een lichte schok door zijn lichaam heen, dat was alles. Ik kreeg het idee dat ik niet meer zo heel hard hoefde te drukken, toch bleef ik het doen.

Op een zeker moment, lang voordat de vijftien minuten voorbij waren, hielden de bewegingen op. Ik bleef naar de klok kijken, onophoudelijk, ik telde de seconden weg. Voor de zekerheid wachtte ik twintig volle minuten, dat had Jimmy vast niet erg gevonden. Nadat de tijd was verstreken, haalde ik het kussen met afgewende ogen weg. Er zat een natte plek aan de achterkant van het groene fluweel.

Ik wilde niet naar zijn gezicht kijken, ik moest mezelf dwingen, ik had het beloofd. Ik hield mijn adem in. Doe het snel, Julia, doe het zakelijk, denk aan mama, denk aan Kaitlin, denk desnoods aan pa, je doet het voor hen.

Ik had verwacht Jimmy te zullen zien, maar ik keek naar de dood. Hij grijnsde me toe als een valse hond. De dood was niet teder geweest, Sirkka Turkka had gelogen. Grimmig wiste ik zijn sporen weg, die macht had ik, omdat ik leefde, ik was sterker, oneindig sterker, daarin had de dood zich vergist, ik had mijn broer hoogstpersoonlijk naar de hemel kunnen dragen.

Ik schoof het kussen onder Jimmy's bed, nam het laatste briefje weg, legde zijn armen en benen in een fatsoenlijke positie, trok het laken over hem heen tot aan zijn kin en raapte de kapotte zaklantaarn van de vloer. Daarna, zonder nog iets tegen hem te zeggen, zonder nog naar hem te kijken, sloop ik zijn kamer uit.

In de gang sprong de zaklamp ineens weer aan, het licht was fel, feller dan het ooit had geschenen. Jimmy begeleidde me tot aan de deur. Zodra ik mijn kamer binnenstapte, floepte de lamp weer uit, zonder dat ik het knopje aanraakte.

Later heb ik gedacht, gehoopt, dat ik alles had gedroomd, maar aan de achterkant van het kussen van Kaitlin, dat mijn moeder de volgende ochtend terugvond onder Jimmy's bed, zaten witte kringen die er nooit meer uitgingen. Ze vielen mijn moeder niet op, sinds Jimmy's dood viel mijn moeder steeds minder op. Ik ging op bed liggen, klaarwakker, ik staarde naar het plafond totdat het ochtend werd en het toneelspel zou beginnen.

Hoofdstuk 30

Het is bizar om van de ene op de andere dag samen te wonen. Ik moet eraan denken om de wc-deur dicht te doen, 's ochtends na het douchen smeer ik snel wat lippenstift op, ik droeg binnenshuis al tijden geen make-up meer.

Ik was langzaam aan het verwilderen, nog even en ik was een Jane Goodall geworden, met lange grijze haren, ik had binnen nu en twee weken een paar chimpansees geadopteerd, er had zich als vanzelf een roedel zwerfhonden om me heen verzameld, ik zou langzaam maar zeker van de mensheid zijn vervreemd en de rest van mijn leven in harmonie met de natuur en de schepping van Taveira hebben gesleten. Het had zomaar kunnen gebeuren, als Romeo er niet was geweest.

We rijden in zijn Maserati naar Monchique. Het weer is prachtig, het weer is bijna altijd prachtig in de Algarve, het maakt dat je dingen vergeet, dat gewichtige zaken onbelangrijk lijken. Morgen, denk je, morgen kan het ook, en anders overmorgen of de dag erna. De zon kan een mens verblinden, net als de liefde.

Ik wil alleen nog maar Romeo, elke dag, elke nacht, ik eet hem op, ik drink hem op, ik noteer een piek per seconde. Ik heb alles opgeschreven en het hem daarna voorgelezen. Hij heeft mijn ware aard gezien, hij kent mijn grootste geheim en hij heeft me niet verstoten, niets daarvan, hij heeft me in zijn armen genomen, me getroost, mijn tranen afgeveegd en gezegd dat hij het begrijpt, dat ieder mens het zou begrijpen, dat alles goed zal komen, dat hij weet wat hem te doen staat, dat ik hem moet vertrouwen. Hij heeft meer dingen gezegd, ik heb ze maar half gehoord, ik was zo blij als een kind dat hij niet wegging, ik heb scherp op zijn gezicht gelet toen ik vertelde wat ik met Jimmy heb gedaan. Ik zag geen walging, daarvoor was ik het meest bang, geen afkeer, eerder medelijden.

'Dus dit was de wolk die om je heen hing,' zei hij na een lange stilte. 'Hoe heb je het volgehouden? Je hebt je hele leven geacteerd.'

Ik legde de laptop op het nachtkastje. We lagen in bed, de deuren naar het balkon stonden wijd open. De typische zoete geur van de Algarvese nacht drong de slaapkamer binnen. Het was onbewolkt, aan de hemel flonkerden ontelbare sterren, de krekels maakten kabaal. Ik wees Romeo op het steelpannetje, dat kon je vanuit een bepaald punt in bed precies zien. Ik wilde zijn geliefde zijn, ik wilde alles vergeten en alleen nog maar doen wat geliefden doen: elkaar het steelpannetje wijzen, elkaar lekkere hapjes voeren, elkaar zoete woordjes toefluisteren, elkaar beminnen.

'Wil je erover praten?' vroeg Romeo met een knik naar het nachtkastje.

Ik schudde van nee. 'Het is goed zo. Ik ben het nu kwijt, het is klaar, over.' Ik had het nog niet gezegd of ik begon te huilen. Het voorlezen van de tekst had er meer in gehakt dan ik had gedacht.

Romeo gaf me een zakdoek. Hij was een man die altijd alles paraat had: condooms, zakdoeken, visitekaartjes en niet te vergeten: een formidabel geslacht. 'Morgen neem ik je mee naar de bergen,' zei hij.

Ik kroop tegen hem aan en liet mijn hand in zijn onderbroek glijden.

'Het wordt morgen achtendertig graden. Kunnen we niet beter de hele dag in bed blijven, met de airco aan?' Ik bevoelde Romeo's grootste pluspunt. Het was warm, het werd hard, het zou zich straks een weg bij me naar binnen banen, als een voetzoeker, als een stuk vuurwerk met een gloeiende kop. Romeo vond dat ik moest slapen, ik verleidde hem toch: een keer in bed en een keer op het balkon in de maneschijn, onder het steelpannetje.

's Ochtends, voor we naar Monchique vertrokken, sloeg Romeo terug. Ik stond bij het aanrecht en liet de eieren net schrikken toen hij mijn rokje omhoog tilde, mijn slip omlaag trok en me zonder omhaal penetreerde. Na het ontbijt liep ik wijdbeens en grinnikend naar zijn auto. We wilden net wegrijden toen Eddie er op een holletje aankwam. Ik stapte uit, Romeo bleef zitten.

'Alles goed, love?' vroeg hij bezorgd. 'We hoorden niets meer van je en er stond een vreemde auto op het terrein.'

'Alles oké, Eddie,' verzekerde ik hem. 'Dit is Romeo, een vriend van me.'

Eddie staarde nieuwsgierig naar de met goud behangen man achter het stuur, die minzaam naar hem knikte. 'Is het ook een acteur?' fluisterde hij. 'Heb je me nog nodig? Je hoeft maar te bellen, hoor.'

'Het is inderdaad een Amerikaanse collega,' antwoordde ik glimlachend. 'Maar hij is niet aan het werk. Hij heeft vakantie.'

'Aha,' zei Eddie.

Nu kwam Stella ook aangereden op haar scooter, alleen Lotus en de dwergen ontbraken. Ze parkeerde en staarde verbaasd naar mij, Eddie en de Maserati.

'*Bom dia*, Stella,' zei ik. 'Wil je vandaag extra aandacht besteden aan de master bedroom? Het is daar nogal een eh... zooitje. De beddenlakens graag ook verschonen.' Ik gaf Eddie een vette knipoog.

Stella zette haar helm af en knikte.

Ik keek van Eddie naar Stella naar Romeo en begon te gloeien. Mijn leven was fijn, ik voelde me thuis, ik voelde me veilig, ik kende nieuwe mensen, lieve mensen die bezorgd om me waren. Ik had nooit gedacht dat het in zo'n korte tijd zou lukken, maar het was gebeurd. Ik had een nieuw bestaan opgebouwd.

'Eddie, wat betekent Casa da Criança eigenlijk?' Ik wilde hem dat al tijden vragen, maar ik vergat het steeds.

'Weet je dat dan niet?' De beheerder aarzelde even. 'Tomás Taveira heeft de naam bedacht. In een interview heeft hij verteld dat tijdens zijn creatieve uitingen het kind in hem naar boven komt.'

'Volgens mij kan Tomás het kind in hem voortaan beter laten zitten waar het zit,' zei ik lachend. Ik had de door Taveira ontworpen jachthaven van Albufeira inmiddels mogen aanschouwen. Minstens zo monsterlijk als Casa da Criança, alleen veel groter. En dat noemen ze dan een trekpleister.

Eddie bleef ernstig kijken. 'Ik weet niet of het pijnlijk voor je is. Casa da Criança betekent het Huis van het Kind.'

'Waar gaan we naartoe?' vraag ik Romeo.

'Naar Fóia, dat is de hoogste top van de Algarve.'

'Wat jij wilt, schat.' Ik leg mijn hand bezitterig op zijn been. Ik rijd met de mooiste man van de wereld in een vette wagen door de Algarve. Wat kan me gebeuren?

Romeo zet de radio aan.

'Is er iets bijzonders te beleven op de Fóia?'

'Wacht maar af.'

De Fóia ligt op negenhonderdtwee meter hoogte, het omringende landschap is kaal en dor. Het waait flink, ik had een vestje moeten meenemen. Er is een gebouwtje op de top waar je iets kunt drinken en souvenirs kunt kopen. Je moet wel enorme dorst hebben, want voor je lol ga je er niet zitten. De troosteloosheid wordt versterkt door de aanwezigheid van een enorme verzameling schotels en televisiemasten. Er lopen verschillende toeristen rond op de top. Ze maken foto's van elkaar.

'Mooi uitzicht. Heel bijzonder. Zullen we weer teruggaan?' Ik ben in de auto blijven zitten.

Romeo stapt uit. 'Ik heb je hier niet voor het uitzicht naartoe gebracht.'

'Wat wil je dan? Iets ondeugends? Stoute jongen.'

Hij opent mijn portier. 'Kun je even serieus zijn?'

'Liever niet.' Ik stap nu ook uit. Ik moet wel.

'Ik heb nagedacht,' zegt Romeo.

'O jee.' Ik voel een slecht-nieuwsgesprek opkomen. Als Romeo me dumpt, stort ik mezelf van de berg.

'De geschiedenis met je broer...' begint hij.

'Vergeet het.' Ik maak een wegwerpgebaar. 'Dat is over en uit, ik ben eroverheen, ik heb nergens last van.'

Romeo maakt de achterbak open en haalt er iets uit. Het is de laptop. 'Ik had je verhaal willen uitprinten, maar ik heb geen printer. De wolk hangt nog steeds om je heen, je bent nu op de vlucht, je vlucht in alcohol, in seks...'

'...in liefde,' corrigeer ik hem. Ik houd van je, wil ik zeggen, ik zwak het af om wat minder wanhopig te lijken. 'Ik ben gek op je.'

'Je hebt een gezin, Julia. Je hebt een man en kinderen. Dat kun je niet negeren.'

'Waarom niet? Dat doe ik al maanden.'

We lopen naar het uitkijkpunt. Het is een betonnen plateau, er staat niet eens een bankje.

'Ik weet waarom je bent weggegaan,' zegt Romeo. 'Je verantwoordelijkheidsgevoel voor het gezin waarin je bent opgegroeid is zo groot dat je je eigen gezin er niet bij kunt hebben. En dan nog het geheim dat je met je meedraagt...'

'Wat maakt het allemaal uit, Romeo?' Ik word kwaad. Ik ben in geen tijden in zo'n goed humeur geweest, ik dacht dat we een romantisch uitje zouden maken, maar in plaats daarvan begint hij te zeveren over mijn familie en verpest hij mijn dag. 'We zijn nu hier, we zijn samen. Vergeet de rest.'

'Dat kan ik niet.'

'Vanochtend bij het aanrecht had je er anders geen moeite mee.'

'Vanmorgen hadden we seks,' zegt hij koud.

Ik was het bijna vergeten. Hij is pornoacteur, hij kan presteren op commando, er hoeft geen enkel gevoel bij te zitten, hij doet alsof en ik ben erin getrapt.

Romeo klapt de laptop open en weer dicht. 'Ben je van plan ooit terug naar huis te gaan?'

Het is de vraag die al tijden in mijn achterhoofd sluimert en die ik steeds heb weten te negeren. Natuurlijk, in principe zal ik weer naar huis gaan, dat is de bedoeling, ik zal niet eeuwig wegblijven, er zal op zeker moment sprake zijn van een gezinshereniging, ik ben er alleen nog niet aan toe. Als ik terugga is dat voorgoed, ik kan moeilijk een week later weer vertrekken, dat kan ik de kinderen niet aandoen, Paul zal het ook niet pikken. Als ik terugga, moet ik aan de bak: boodschappen doen, koken, schoonmaken, wasjes draaien, de kinderen halen en brengen, oftewel: me aan het huishouden wijden, bij mijn moeder langs en naar kantoor.

Er komt een gezin bij ons op het plateau staan. Zo te zien zijn het Portugezen: man, vrouw en een dochtertje. Het meisje is een jaar of vier, ze draagt een lichtblauw rokje en een wit T-shirt, haar donkere haar zit in een staart.

Romeo gooit het over een andere boeg. 'Hoe heten je kinderen?'

Ik zet mijn zonnebril op en doe alsof ik van het uitzicht geniet.

'Hoeveel kinderen heb je?'

Nou goed, dat mag hij wel weten. 'Ik heb een dochter en een zoon.'

'Zijn ze gezond?'

'Ik denk het wel.' Hoe lang is het geleden dat ik ze zag? Meer dan twee maanden, ik houd het niet precies bij. Op een of andere manier ben ik onthecht geraakt, ik had geen idee dat het zo zou werken, maar het is wel zo gegaan.

De vader maakt een paar foto's van zijn dochter en zijn vrouw. Als hij klaar is, stapt hij op ons af. Romeo heeft de laptop nog onder zijn arm, de man steekt de camera naar mij uit met een vragend gezicht.

Ik pak het toestel aan, wat moet ik anders? Ja, ik snap het, het is simpel, dat is het display, dat is de knop waarop ik moet drukken, *compreendo*, kan niet missen. Ik steek mijn zonnebril in mijn haar.

Het hele gezin gaat met de rug naar het uitzicht staan. Al het moois is voor de kijker. De moeder tilt haar dochtertje op, de man slaat zijn arm om zijn vrouw heen. Hij is trots, zij blij, het dochtertje legt haar hoofd in de nek van haar moeder.

Ik leg het beeld vast. De eeuwige toeschouwer, dat ben ik.

De moeder zet het kind weer op de grond. Ik geef de man zijn camera terug. Hij bedankt me. *De nada*, het was niets, ik zet mijn zonnebril snel weer op, hij hoeft niet te zien hoe moeilijk het was. Het gezin vertrekt.

'Zullen wij ook gaan, ik heb het koud,' zeg ik tegen Romeo.

'Heb je foto's van je kinderen bij je?'

Ik schud mijn hoofd.

'In de villa?'

'Nee.' Ik heb ze opgegeten in Hotel Eva. Weer een geheim. Mijn leven hangt aan elkaar van de geheimen, slecht ben ik, door en door slecht, het is maar goed dat het Portugese gezin niet beseft welk monster dat onschuldige kiekje van hen heeft gemaakt, het is een wonder dat ik nog vrij rondloop.

Romeo fronst. 'Soms begrijp ik niets van je.'

'Ik begrijp niet waarom jij me zonodig wilt begrijpen.'

'Dat is mijn opdracht,' antwoordt hij.

Nobele Romeo. Hij ziet het als zijn schone taak om mij te doorgronden, het zal hem nooit lukken, doorgaans raakt een mens dankzij dat soort fratsen alleen maar verder van huis.

'Wat wilde je nou met die laptop?' vraag ik. Hij lijkt niet van plan te vertrekken.

'Ik had twee dingen bedacht. Je zou hier de waarheid over je broer kunnen uitschreeuwen...'

'Uitschreeuwen? Als in: hardop?'

'Zeker, dat kan heel bevrijdend zijn. Maar als je het te gênant vindt...' Hij veegt een stofje van zijn schouder.

'Welnee, hoe kom je erbij? Ik ben het eigenlijk al jaren van plan, ik ben alleen nog nooit een geschikte berg tegengekomen, maar deze is precies wat ik zoek. Ik zou zeggen: pak jij vast de megafoon, ik haal een borstel door mijn haar en dan gaan we los.'

Hij is geen seconde van zijn stuk gebracht. 'Omdat ik al vermoedde dat je zo zou reageren, heb ik een alternatief. Pak mijn laptop en gooi hem met alle kracht die je hebt kapot vanaf de Fóia.'

Deze man is geen uitgenaste, deze man is volslagen knetter. 'Ik mag jouw laptop tegen de wand van deze berg knallen?'

Hij knikt ijverig. 'Al je woorden, al je geheimen zitten erin, zo raak je ze kwijt.'

'Beste Romeo, ik vind het heel lief van je, echt, ik ben geroerd, maar ik ga geen laptops kapotsmijten die gloednieuw zijn en het nog prima doen. Begrijp je dat? Ik ben Hollands. Ik ben zuinig!'

Romeo pakt mijn hand. 'Goed, heel goed. Zie je wel. Je kunt het. Kom...'

Hij trekt me met zich mee. Naast het betonnen plateau ligt een berg die bestaat uit enorme, gladde keien. Als je die beklimt kom je op het hoogste punt van de top, het scheelt een paar meter met het plateau. Hand in hand klauteren we omhoog. We zijn de enigen die zich op de keien wagen.

'Maak je geen zorgen, ik sleep je erdoorheen,' zegt Romeo als we boven zijn. 'Roep me na: "Ik heet Julia!"'

'Ik heet Julia,' laat ik niemandsland besmuikt weten.

'Dat kan harder.'

'Ik heet Julia!'

'Heel goed,' prijst Romeo. 'Nu deze: "Mijn broer is dood!"'

'Mijn broer is dood!' Verbeeld ik het me of hoor ik een echo?

'Was dat moeilijk?' vraagt Romeo.

Het viel wel mee.

'De volgende wordt een lastige: "Ik heb hem vermoord!"'

Met een ruk draai ik me naar hem toe. 'Het was geen moord, hoor je me? Hij heeft me erom gevraagd, het was euthanasie.'

'Heb je dat kussen op zijn gezicht gedrukt of niet?'

'Op zijn verzoek,' herhaal ik koppig.

'Heb je het gedaan of niet?'

'Het was geen moord. Dood op verzoek is geen moord!' schreeuw ik tegen de Algarve. 'Geef me die laptop.'

Hij doet wat ik zeg.

Ik til de laptop boven mijn hoofd. 'Hierin staat de waarheid en niets dan de waarheid. Die mag de wereld hebben!' Ik werp het apparaat van me af, het landt twee meter lager op een stukje zand tussen de keien, de laptop is niet eens stuk. Wat een fiasco, dit slaat nergens op, ik moet naar beneden klimmen voor een tweede poging.

'Doe voorzichtig,' zegt Romeo. Hij houdt me niet tegen. Natuurlijk struikel ik toch, ik glijd uit en schaaf mijn armen. Op mijn kont beweeg ik me omlaag naar de laptop. Ik pak hem, sta op en gooi hem weg, met meer kracht dit keer, hij stuitert tegen de bergwand, lager en lager en landt ergens in de diepte. Ik kan er niet meer bij. Niemand kan erbij. Tevreden klauter ik terug.

Romeo komt me tegemoet, reikt me de hand en trekt me het laatste stukje omhoog. Hijgend sta ik naast hem. Ik klop het zand uit mijn kleren.

Het Portugese gezin staat aan de voet van de berg keien. Ze gaan ook een poging wagen. De man en de vrouw zoeken de weg omhoog, het dochtertje tussen hen in.

'Je bent er bijna,' zegt Romeo haastig. 'Zeg me na: "Ik heb hem vermoord!"'

Ineens kan het me niet meer schelen. 'Ik heb hem vermoord!' schreeuw ik in de richting van de laptop.

'Ik heb mijn broer vermoord!' Romeo gooit er nog een schepje bovenop.

'Ik heb Jimmy vermoord! Jimmy is mijn broer. Ik heb hem gesmoord met een kussen.'

De Portugezen zijn gestopt met klimmen, ze kijken aarzelend omhoog en komen niet dichterbij.

'Ik heb voor God gespeeld!' roep ik. Zachter, aarzelend ga ik verder. 'Misschien had Hij mijn moeders gebed willen verhoren die nacht, maar heeft Hij die kans niet gekregen, door mij. Misschien had Hij Jimmy nog kunnen genezen, je weet het niet, maar door mij...' Mijn stem breekt. Ik breek. Ik breek op de Fóia, Romeo vangt me op. Hij neemt me in zijn armen, hij streelt door mijn haar.

'Goed zo. Dit is wat je denkt. Dit is waar je altijd bang voor bent geweest. Je denkt dat je God hebt *overruled*. Dat je de duivel bent.'

Mijn lichaam schokt.

De Portugese man is bovengekomen. Hij loopt voorzichtig naar ons toe. 'Alles in orde?' vraagt hij.

'Jawel hoor,' zeggen Romeo en ik in koor.

'Hij weet nog niet dat ik de duivel ben.' Ik lach door mijn tranen heen. We dalen de keien weer af, we passeren de moeder en het kind die bijna boven zijn. De moeder glimlacht me bemoedigend toe, alsof ze begrijpt wat ik doormaak. Weer beneden slaat Romeo zijn arm om me heen en begeleidt me naar zijn auto. Hij doet het portier voor me open. Ik ga zitten. Hij slaat het portier dicht, loopt naar de andere kant en neemt plaats achter het stuur.

'Je bent de duivel niet. Je was een jong meisje, dat naar haar broer luisterde. Als God andere plannen had gehad, dan zouden die zijn uitgevoerd.'

'Heb jij een lijntje met boven?' Ik bedoel het niet eens spottend.

Hij start de auto. 'Ik geloof dat dingen met een reden gebeuren. Jij denkt dat je broer je achtervolgt, maar het is je geweten.'

'Waarom?'

'Schuldgevoel, angst. Je hebt iets gedaan dat groter was dan je aankon. Dat wreekt zich.'

Romeo keert de wagen en rijdt weg. Na een paar honderd meter vraag ik of hij de auto alsjeblieft wil stoppen. Hij parkeert hem in de berm.

'Mag ik je mobiel lenen?'

Hij knikt, haalt het toestel uit zijn binnenzak en geeft het aan me.

'Ik bel even naar huis,' verklaar ik. Het moet. Het moet nu. Ik kan niet langer wachten, ik wil de stemmen van mijn kinderen horen. Ik toets het nummer in. Hij gaat over. Er wordt opgenomen.

'Met Isabel de Groot.'

Even kan ik geen woord uitbrengen. Mijn dochter. Ik heb mijn dochter aan de lijn. 'Dag Isabel, met mama,' zeg ik dan.

'Mam, ben jij het? Jim, kom hier! Het is mama, ik heb mama aan de telefoon!'

'Hoe is het met je?'

'Jim! Hoor je me? Hij komt eraan, mam. Niet ophangen.'

'Ik hang niet op. Wat was je aan het doen?'

'O, niks. Waar ben je? Kom je naar huis?'

Ze stelt dezelfde vraag als Romeo. Op die vraag moet ik een serieus antwoord zien te formuleren, maar ik heb het nog niet paraat.

'Ik ben nog in Portugal… waar is papa?'

'Die is even weg. Ik pas op Jim.' Er klinkt gerommel. 'Het is mama, ze is nog in Portugal,' hoor ik Isabel zeggen. En tegen mij: 'Hier heb je hem, mam.'

'Hallo!' zegt Jim.

'Dag schat, met mama.'

'Hallo mam.' Zijn stem lijkt op die van Isabel, maar is hoger en ijler.

'Hoe is het met je?'

'Goed.'

'Hoe gaat het op school?' Ik kan niets anders bedenken.

'Goed.'

'Mooi. Je moet wel je best doen op school, dat weet je wel, hè?'

'Ja, mam,' zegt hij.

'Is je zus lief voor je?'

'Ja.'

'Het spijt me dat ik niet op je verjaardagsfeest was, Jim. Als ik terugkom, krijg je je cadeau.'

Hij zegt niets, waarschijnlijk knikt hij. Isabel mengt zich in het gesprek. 'Vertel het mama,' hoor ik haar tegen Jim zeggen. 'Je hebt mama nu aan de lijn, zeg het dan, over 's nachts…'

'Wat is er, wat moet je vertellen?' vraag ik.

'Ik heb nare dromen,' zegt hij zacht.

'Hoe komt dat?'

'Omdat jij me geen nachtkusje geeft. Als ik geen nachtkusje van je krijg, heb ik nare dromen, mama.' Hij begint te huilen.

'Jongen toch.' Ik weet niet wat ik moet zeggen, ik weet alleen dat ik op alle fronten heb gefaald. Jim geeft de hoorn weer aan zijn zus.

'Geeft papa hem geen nachtkusje?' vraag ik Isabel.

'Jawel, maar hij wil ze alleen van jou. Hij is 's nachts vaak verdrietig, papa weet dat niet, ik wel, dan ga ik hem troosten. Ik heb het je geschreven...' Ik ben niet meer op het postkantoor geweest.

'Die brief is denk ik zoekgeraakt, Isabel. Portugal is een raar land wat dat betreft.'

'Wanneer kom je naar huis?'

Ik kijk opzij, naar Romeo. Als ik naar huis ga, verlies ik hem. Als ik hier blijf, heeft mijn zoon elke nacht nare dromen. 'Zo snel mogelijk. Hoe gaat het met jullie hut?' Ik ben blij dat ik me iets actueels van thuis herinner.

'We hebben hem net verplaatst, want ze gaan steeds verder met bouwen.'

'Doen jullie wel voorzichtig?'

'Ja, mam.'

'Doe je de groeten aan papa?'

'Ja.'

'Dan ga ik nu ophangen. Tot gauw, meisje.'

Ik geef Romeo zijn mobiel terug. Gelukkig vraagt hij niets. We rijden zwijgend naar huis. Het Portugese landschap trekt aan me voorbij. De oranje aarde, de grillig gevormde amandelbomen, de witte huizen, de stoffige wegen, het is onlosmakelijk verbonden met vrijheid, met zorgeloosheid en bovenal met Romeo. Ik ken hem nog maar zo kort, ik wil hem niet kwijt, ik wil nog even genieten, nog heel even, een week, tien dagen, misschien iets meer, dat moet toch kunnen, ik zal de rest van mijn leven braaf zijn, zo ontzettend braaf, op het godsvruchtige af.

Mijn moeder heeft me een keer het bidprentje van haar oma laten zien, mijn overgrootmoeder. Dat was pas een godsvruchtige vrouw, bij haar vergeleken is mijn moeder een atheïst. Mijn overgrootmoeder baarde zestien kinderen, ging elke zondag trouw naar de kerk, bleef tot haar dood diep gelovig en stierf in het volste vertrouwen dat ze bij de hemelpoort zou worden opgewacht door de Heer, haar overleden echtgenoot en twee van haar jonggestorven zonen.

Volgens mijn moeder was haar oma een schat van een vrouw, in en in goed, lief voor al haar kinderen, ook voor haar kleinkinderen. Dat soort vrouwen worden niet meer gemaakt tegenwoordig, ze worden hooguit geïmporteerd.

Stiekem zou ik best willen dat ik het in me had: de overgave, het docicle. Het moet heerlijk zijn om blind te kunnen vertrouwen op de Heer, om jezelf geen ingewikkelde levensvragen te hoeven stellen, om alles uit Zijn naam te doen, om altijd het goede te doen, vanuit een zuiver geweten, en daarin bevrediging te vinden. Diep vanbinnen weet ik natuurlijk donders goed dat ik fout zit, daarvoor heb ik de Heer niet nodig, daarvoor heb ik niemand nodig, dat kan ik zelf wel bedenken, ik ben niet achterlijk, dode broer of geen dode broer, snurkende echtgenoot of geen snurkende echtgenoot, ik moet wat ik heb gedaan ongedaan maken.

We rijden net het terrein van Casa de Criança op als de mobiel van Romeo gaat. Hij heeft een ringtone van *The Sound of Music*, de idioot. Hij vist het toestel uit zijn binnenzak.

'Hello?'

'...'

'Ja, die is hier.'

'...'

'Dat gaat je niks aan.'

'...'

'Als je op deze toon blijft praten, krijg je haar zeker niet te spreken.'

'...'

'Moment.'

Romeo legt zijn hand over het toestel. 'Het is voor jou.'

Hij heeft me gevonden. Ik heb mezelf verraden. Isabel heeft verteld dat ik heb gebeld, Romeo's nummer stond nog in de display, het was simpel. Ga ik hem te woord staan? Heb ik een keuze? Ik steek mijn hand uit, Romeo geeft me het toestel. Ik stap de auto uit en loop naar de vijgenbomen. De vijgen zijn donkerpaars, van sommige zijn de velletjes een beetje gebarsten, die zijn rijp, ik eet er elke dag een paar, ze zijn verrukkelijk, ik heb er zelfs jam van gemaakt, Romeo was diep onder de indruk.

Ik druk de mobiel tegen mijn oor. 'Hallo, Paul.'

'Wie was die vent?'

De toon is gezet.

'Wat is er Paul, waarom bel je?'

'Jíj hebt gebeld. Je hebt tegen de kinderen gezegd dat je naar huis komt.'

'Dat is mijn bedoeling, ja.' Ik voel aan een paar vijgen, tot ik er eentje tegenkom die zacht genoeg is.

'En dat overleg je niet eerst even met mij?'

Ik pluk de vrucht. Romeo is ook uit de auto gestapt. Hij gaat op het terras zitten, slaat de krant open die nog op tafel ligt en begint te lezen.

'Jij was er niet. De kinderen vroegen wanneer ik zou komen.' Gedachteloos neem ik een hap van de vijg.

'Ik hoop niet dat je een groots welkomstfeest verwacht.'

De verbinding is uitstekend. Ik hoor Paul alsof hij naast me staat, maar hij klinkt verder weg dan de vijfentwintighonderd kilometer die hij van me is verwijderd. We hebben geen enkele connectie.

'Ik verwacht niets,' zeg ik met volle mond.

'Zit je te eten?' vraagt hij met onverholen afschuw. 'Zit je godverdomme te eten, terwijl ik voor het eerst sinds maanden met je praat?'

'Ik sta. Het is een vijg. Die hangen hier aan de bomen. Je zou ze moeten... je zou ze heerlijk vinden.'

'En die nieuwe vent van je, zal ik die ook heerlijk vinden?'

'Ik begrijp dat je kwaad bent, maar—'

'Waarom heb je niet gereageerd op mijn brief?'

'Je brief?' Ik moet echt hoognodig naar het postkantoor.

'Laat ook maar. Ik snap niet waarom ik nog de moeite neem

om je te bellen. Ga maar gewoon door waar je mee bezig bent, stoor je niet aan mij.'

'Paul...' begin ik. Ik moet iets liefs tegen hem zeggen. Dat ik van hem houd, dat ik hem mis. Dat zou gepast zijn. Ik krijg het niet over mijn lippen. Mijn hart is bij de man die op mijn terras de krant zit te lezen. Ik kan geen twee heren dienen, ik kan niet doen alsof.

Mijn gevoel voor Paul is verdrongen, weggespoeld door de golf van emoties die Romeo bij me teweeg heeft gebracht. Mijn lijf is voor hem, mijn liefde is voor hem, alles in me hunkert naar hem, naar versmelting, naar eenwording, naar altijd samen zijn. Het is het oudste liedje van de wereld, het oudste verhaal, het is een zeepbel, een fata morgana, maar het is zoet, zo zoet, zoeter dan de vijgen, zoeter dan mijn moeders kersentaart.

Ik houd heus nog wel van Paul, dat kan niet anders, het zal ook wel weer terugkomen, straks, als ik weer thuis ben. Dan zal ik alles weer goed doen. Het zal mijn bidprentje opsieren. Het zal me menselijk maken. Dat ik na een korte dwaling mijn weg weer vond. De juiste weg. De enige weg. 'Het spijt me. Ik kom snel thuis.'

Ik verbreek de verbinding, pluk nog een vijg en voer hem aan Romeo.

Hoofdstuk 31

De geest was willig, het vlees zwak. Voordat ik me ertoe kon zetten een vlucht te boeken, gingen er zeventien dagen voorbij. Zeventien zoete, zalige, zorgeloze dagen. Ik had Romeo verteld dat ik zou teruggaan naar mijn gezin. Dat ik weer een goede moeder zou zijn, dat hij zich niet bezwaard hoefde te voelen.

Daarna had ik gelogen. Ik zei dat Paul en de kinderen op vakantie gingen en een kleine maand weg zouden blijven. Dat we nog een paar weken samen konden doorbrengen, als hij dat wilde. Terwijl ik dat zei, dreven we samen op het luchtbed in het zwembad. Hij lag op zijn rug, ik op zijn buik. Mijn heupen maakten trage, roterende bewegingen tegen zijn natte zwembroek. De spetters op zijn brede borstkas glommen in de zon als diamanten. Zijn gouden Rolex was waterproof.

Het is jammer dat ik niet echt een beroemde actrice ben. We zouden een hot item zijn, hij en ik. Ik fantaseerde dat iemand ons zou spotten, dat diegene ons zou fotograferen, en dat we op de voorpagina van een roddelblad zouden belanden: 'Julia's hete zomerromance met Amerikaanse pornoster.'

Een week later zouden we weer in het nieuws zijn, nu omdat we allebei dezelfde tatoeage hadden laten zetten op de binnenkant van onze enkel, een teken uit de Hindoe-cultuur, dat stond voor eeuwige zielsverbondenheid of iets dergelijks. De paparazzi zouden foto's maken van mijn buikje en de komst van een liefdesbaby vermoeden. Getuigen, dat was het enige wat aan mijn geluk ontbrak. Zonder getuigen bestonden we niet.

Ik vertelde Romeo dat ik een digitale camera wilde kopen, dat ik een herinnering aan ons samen wilde maken. Hij schudde resoluut zijn hoofd, zijn mond werd een smalle streep. Geen foto's. Er viel niet over te onderhandelen.

'Waarom niet?' vroeg ik.

Ik kreeg geen antwoord.

Hij had vast ergens een vrouw en kinderen zitten, vermoedde

ik, hij was bang dat ik hem ermee zou chanteren. Je kunt verschillende identiteiten hebben, maar je hebt maar één lichaam met maar één gezicht.

Het was te warm om me druk te maken over zijn gebrek aan vertrouwen, de tijd was te kort, dus ik liet het gaan. Ik was ontspannen sinds ik mijn besluit had genomen, sinds zeker was dat ik weer een goede moeder zou worden. Het enige wat ik niet meer wilde, was praten. Thuis zou ik nog genoeg moeten uitleggen, dus ik liet Romeo beloven geen vragen meer te stellen, niet over vroeger, niet over de toekomst, ik wilde het alleen hebben over het nu, over de kleine, dagelijkse dingen. Hoe wil je je eieren: gebakken of gekookt? Zullen we een potje Triviant spelen of wil je lezen? Het water is op, ga jij even naar de supermarkt? De dagen die ons nog restten wilde ik zonder wanklank beleven. Onze relatie zou een zachte dood sterven, dat was zeker, op zich kon ik daarmee leven. De afbakening, de beperking gaf me rust.

Romeo had nog een paar klanten af te werken, dat was bekend, dat had hij aangekondigd. De eerste keer dat hij wegging, moest ik diep ademhalen en tot tien tellen, maar ik kon het verkroppen. Ik maakte geen ruzie, ik probeerde hem niet tegen te houden, ik ging niet nukkig doen. Wel pakte ik een zwarte stift.

'Steek je voet eens uit.'

Hij deed het. Ik kon zo gauw geen authentiek Hindoe-teken bedenken, dus tekende ik het yin yang-symbool op de binnenkant van zijn rechterenkel. Op mijn eigen enkel deed ik hetzelfde.

'Zolang dit erop zit, hoor je bij mij,' legde ik uit.

Romeo vond het goed. 'Over drie uur ben ik terug,' beloofde hij.

Ik kuste hem en zwaaide hem uit. Zodra hij uit zicht was, schoot ik mijn kleren aan en bracht een bezoek aan de kapper. Blondes have more fun, maar ook meer zorgen: mijn uitgroei moest nodig worden bijgewerkt.

Romeo kwam stipt op tijd terug van zijn afspraak, sprong

onder de douche en sleurde me daarna in bed, alsof hij wilde wegwissen wat er was gebeurd. Zijn yin yang-teken was een beetje vervaagd, hij vroeg ik of het wilde bijkleuren. Dat deed ik vanaf dat moment elke dag, zowel bij hem als bij mij.

'We zouden een goed team kunnen zijn,' zei Romeo op dag vijf.

'Ik ken niemand zoals jij,' zei hij op dag twaalf.

'Ik zal je missen, straks,' zei hij op dag zeventien.

Hoofdstuk 32

Op dag achttien word ik wakker, strek mijn arm uit en verwacht Romeo's warme lijf te voelen. Het is er niet. Ik doe mijn ogen open. Mijn minnaar staat in zijn onderbroek in de kamer, zijn koffer ligt geopend op de vloer. De televisie is aan, hij kijkt met een half oog naar Sky News, het geluid staat zacht.

'Ik moet weg,' zegt hij. Hij legde een stapeltje overhemden in de koffer.

'Naar een klant?' vraag ik tegen beter weten in.

'Naar Amerika.'

Ik kijk naar zijn rechterenkel. Het teken is weg. Zijn huid ziet een beetje rood op de plek waar het heeft gezeten.

'Mijn man en kinderen zijn nog niet terug van hun vakantie,' lieg ik. 'We kunnen...'

'Ik ga, Julia.'

Hij duwt me uit het paradijs. Ik wil nog niet, het is te vroeg. Ik spring uit bed en omhels hem. 'Kom nog even in bed.'

Hij schudt van nee.

'Alsjeblieft.'

Hij duwt me voorzichtig van zich af, hij kijkt op een vreemde manier naar me, alsof ik iemand anders ben, iemand met een ziekte, iemand om medelijden mee te hebben. 'Je wist dat dit zou gebeuren, Julia.' Hij pakt een T-shirt en trekt het over zijn hoofd.

'Je teken is van je enkel,' zeg ik beschuldigend.

Hij gaat door met pakken.

'Is dit het? Ga je gewoon weg, laat je me in de steek? Waarom heb je niks gezegd? We hebben het nog gedaan vannacht, terwijl jij wist—'

'Ik wilde je er niet mee belasten.'

Mijn gezicht wordt warm. Het klinkt als een smoes. Dat kan niet. Zo is Romeo niet. 'Belast me! Laat me voelen hoe het voelt. Alsjeblieft. Laat me iets voelen, ga niet zo weg. Niet zo, niet zo koud.'

Romeo fronst. Ik durf hem weer aan te raken. Ik omhels hem, mijn handen verdwijnen onder zijn T-shirt, strelen zijn borst. Zijn tepels reageren. Als zij reageren, zal de rest ook reageren, ik weet het zeker. Ik maak een kreungeluidje.

'Ga op je buik liggen,' zegt Romeo. Hij geeft me een zet in de richting van het bed. Zijn barse toon is verontrustend, toch doe ik wat hij zegt. 'Je wilt toch weten hoe het voelt?'

Hij trekt mijn billen omhoog, rukt mijn slip eraf, penetreert me, hij doet ruw, hij trekt aan mijn haar totdat ik op handen en knieën zit. Dit is de verkrachting waarom ik heb gevraagd, mijn mond vormt het woord 'nee', Romeo vat het op als een aanmoediging. Hij stoot diep, te diep, te hard, ik kreun luider, de tranen springen in mijn ogen. Hij houdt zich niet in, integendeel. Ik draai mijn van pijn vertrokken gezicht naar hem toe. Kan het alsjeblieft iets zachter wil ik vragen, maar dan zie ik dat hij nog steeds half naar de televisie kijkt. Hij ziet dat ik het zie en lacht triomfantelijk. 'Weet je nu genoeg?' vraagt hij. 'Heb je nu iets geleerd? Vertel me wat je hebt geleerd.'

'Hou op, het doet zeer...' zeg ik huilend.

Hij trekt zich terug, ik haal opgelucht adem, het was een misverstand, een dom misverstand, er zijn vrouwen die zoiets misschien prettig vinden, hij dacht blijkbaar dat ik zo'n vrouw was, dat is alles, ik zal hem uitleggen dat hij zich vergist.

Net als ik dat wil doen, duwt hij zijn eikel tegen de nauwere opening. Ik protesteer, ik probeer weg te kruipen, hij heeft mijn heupen stevig vast, hij is sterker, hij houdt me tegen. In één harde, explosieve stoot dringt hij naar binnen, een hevige pijnscheut volgt, het wordt zwart voor mijn ogen.

'Ik heet geen Romeo. Ook geen Javis. Je moet niet alles geloven, Julia, sprookjesprinsen bestaan niet.'

Hij beukt drie, vier keer, ik schreeuw het uit van pijn totdat hij zijn zaad over mijn billen stort. Als hij klaar is, geeft hij me een zet. Ik val op mijn zij en krimp snikkend ineen, mijn handen grijpen automatisch naar mijn achterste.

'Dit maakt het afscheid een stuk makkelijker. Waar of niet, wolkenmeisje?'

Ik hoor dat hij zijn broek aantrekt en dichtritst, dat hij de laatste spullen in zijn koffer stopt, dat hij de koffer dichtmaakt. Hij zegt niets meer, hij loopt de kamer uit en trekt de deur achter zich dicht, hij laat de televisie aan. Mijn rechterhand houd ik tegen het bezeerde gebied, mijn linkerhand wil ik voor mijn mond slaan.

Dan zie ik dat er bloed aan kleeft.

Hoofdstuk 33

Voor de laatste keer sluit ik Casa da Criança af. Ik doe de luiken dicht, zet het alarm aan. Mijn spullen zijn gepakt. Na Romeo's vertrek ben ik lang in bed blijven liggen, ik ben alleen even opgestaan om een glas water en valium te halen. Zo moet Marilyn Monroe zich gevoeld hebben tijdens haar laatste nacht. Zo stelde ik het me altijd voor, dat ze tussen zijden lakens lag, met een telefoon en een pot slaappillen, vaag geurend naar Chanel 5. Bobby Kennedy was net weg of wilde niet komen, John F. nam allang niet meer op, de huishoudster sliep in haar eigen vleugel. Logisch dat ze naar pillen greep. Soms heb je pillen nodig om te overleven, soms om te sterven.

Uren gleden voorbij, soms meende ik dat ik Romeo hoorde terugkomen, ik vroeg me af wat ik dan zou doen. Ruziemaken, hem uitschelden en hem dan weer terugnemen? Smeken om nog een dag, nog een week, nog een maand? Ik zou ertoe in staat zijn, ik wist het, ik was onderdaniger dan ik ooit had gedacht, hij had me vernederd en ik zou mezelf vernederen om me opnieuw te laten vernederen. Ik zou blijven bedelen om liefde, zoals mijn kinderen bij mij bedelden om liefde, terwijl ik het niet waard ben.

Als ik geen nachtkusje van je krijg, heb ik nare dromen.

Ik had meteen terug moeten gaan toen Jim dat zei, ik had moeten luisteren. Hopelijk kunnen ze me het vergeven, Isabel en Jim. Ik dank de hemel dat ze bestaan en ik mis ze, ik mis ze zo, wat heb ik ze aangedaan en waarom? Ik moet het goedmaken, ik moet alles goedmaken, ik moet cadeaus kopen, grote cadeaus, ik moet ze vertellen dat ik het nooit meer zal doen, ik moet voor ze door het stof, ik zal zeggen dat ik het begrijp als ze me haten, dat ze me mogen haten, dat ik hun haat en hun afkeer zal verdragen, als ik maar bij ze mag zijn, als ze me maar niet verstoten.

Ik hoor bij hen. Het is zo duidelijk, we hebben dezelfde naam, we zijn familie, ik wist alleen niet meer wat dat betekende, ik was het kwijt, mijn kompas was in de war, dat zal ik zeggen, maar nu wijst de naald weer in de juiste richting, nu weet ik het weer, alles wat weg was is terug. Hou vol, lieve Jim, hou nog even vol, nog een nachtje, misschien twee, mama komt naar huis.

Ik gooi mijn spullen in de achterbak van de Opel. Ik heb nog geen vlucht geboekt, ik ga eerst langs Eddie, dan langs een reisbureau. Ik hoop dat ik vandaag kan vertrekken, en als dat niet lukt blijf ik gewoon een nachtje in Faro. Elk hotel is goed, behalve Eva.

Eddie is verbaasd als ik de sleutel kom brengen. De huurperiode is niet voorbij, ik heb nog een paar dagen tegoed.

'Mijn man heeft gebeld. Als ik niet snel thuiskom, komt hij me halen,' zeg ik. 'Hij kan geen dag meer zonder me.'

Hij knikt begrijpend. 'Dat klinkt goed, Julia. En jullie... eh... kwestie, is die al uit de wereld?'

Wat was onze kwestie ook alweer? O ja, de kinderkwestie.

'Hij zei dat me alles zou geven wat ik wilde, als ik maar snel terugkwam.'

Hij begint te glimmen. 'Dan zal je grootste wens vast in vervulling gaan.'

Ik knik haastig, ik wil het kort houden, straks begint hij over Romeo, hij is er nieuwsgierig genoeg voor. 'Doe de groeten aan Doris, wil je? En nogmaals sorry van je pet.'

Hij snuift. 'We hadden het kunnen weten, Julia. Ze zijn niet te vertrouwen. Je geeft ze een plek om te slapen, je fêteert ze, je werkt met ze en wat is je dank? *Bloody bastards*.'

'Waar zijn je honden, Eddie?' vraag ik om hem af te leiden.

'Doris is met ze naar de dierenarts.' Zou de vrouw van Eddie dan toch bestaan? Het lijkt er wel op.

'Zijn ze ziek?' De laatste keer dat ik ze zag, waren ze kwijlend en hysterisch als altijd.

'Vlooien. Een plaag, ze zaten onder. En we zouden juist naar een tentoonstelling gaan.'

'O. Wat een pech. Sterkte d'r mee. Nu ben ik echt weg.

Bedankt voor alles.' Ik werp hem een kushandje toe en stap in mijn auto.

Het reisbureau is een klein, snikheet kantoortje. Ik kan niet gelijk worden geholpen en neem plaats op een plastic kuipstoeltje. Voor me zit een bejaard, kwiek ogend echtpaar. Aanvankelijk bekijk ik de man en de vrouw met enige vertedering. Hij maakt drukke gebaren en voert het woord, zij zit naast hem, haar tas klemvast op schoot, en knikt ijverig bij alles wat hij zegt.

Het meisje achter de balie trekt de ene folder na de andere uit de kast, ze pakt de atlas erbij, de stapel papieren op de balie groeit, er wordt gebladerd, druk overlegd, het meisje maakt aantekeningen, de man haalt een agenda uit zijn tas, er worden data doorgenomen, het meisje zoekt iets op in haar computer, het kan niet anders of dit stel is de reis van hun leven aan het boeken en zal daarvoor uitgebreid de tijd nemen, desnoods de hele middag. Intussen word ik straal genegeerd.

Na een half uur naar het gemurmel te hebben geluisterd – mijn vertedering is in rook opgelost, de irritatie spuit mijn oren uit – hou ik het niet meer vol. 'Sorry, spreek je Engels?' vraag ik aan het meisje.

Ze kijken alle drie verstoord op, alsof ze nu pas beseffen dat er zich nog een levend wezen in deze ruimte bevindt.

'Ik heb een enkele reis naar Amsterdam nodig. Dat is alles. Een vliegticket van Faro naar Amsterdam. Kun je dat regelen?'

De man zegt iets in het Portugees, het klinkt heel verontwaardigd. Zijn vrouw kijkt boos naar me.

'Ik spreek geen Engels,' zegt het meisje in het Engels.

Alsof het afgesproken werk is, keren ze zich alle drie weer van me af en gaan verder met waar ze mee bezig waren.

Ik zit bevroren in mijn kuipstoel. Ik kan opstaan en vertrekken, ik kan mijn verlies nemen en wachten tot ik aan de beurt ben, en ik kan stennis maken, dat zijn zo'n beetje de opties die ik tot mijn beschikking heb. Was Romeo maar hier, met hem zou het allemaal anders lopen, hij zou het meisje met een vingerknip in het gareel hebben.

'Luister,' probeer ik weer. 'Ik moet dringend naar huis. Mijn zoontje heeft me nodig. Hij is ziek. Kun je me helpen?'

'U moet wachten,' zegt het meisje streng.

Het echtpaar gunt me zelfs geen blik meer. Ik besluit naar Tivoli Almansor te gaan. In de internethoek kan ik online een vlucht boeken. Stom dat ik daar niet eerder aan heb gedacht.

De Opel brengt me naar Tivoli Almansor, ik moet niet vergeten te tanken, het benzinelampje waarschuwt me al een tijdje. Ik zet mijn zonnebril op en loop zo arrogant mogelijk naar de hoek waar de computers staan. Eentje is bezet door een zwetende, roodverbrande vrouw met een strooien hoed op. De ander is vrij, maar je moet een password intoetsen. Ik vraag het aan de man achter de receptie.

'Bent u een gast van ons hotel?'

Ik knik ongeduldig. Ja natuurlijk, wat dacht hij dan?

Het wonder geschiedt. De man komt achter zijn desk vandaan en toetst het password voor me in. Ik surf naar de website van Transavia. Er is nog plek op een vlucht die om zeven uur vanavond vertrekt. Mooi, doe mij maar een stoel. De site vraagt om mijn creditcard. Ik pak mijn portemonnee uit mijn tas. Wat voelt-ie dun en licht aan.

Dat is vreemd, dat kan niet, ik heb eergisteren nog gepind. Haastig maak ik hem open, ik zie het meteen. Leeg. Al mijn geld is eruit, in de vakjes zit niks. Onder mijn oksels begint het te prikken. Mijn wangen kleuren rood. Hij heeft me beroofd, hij heeft me eerst verkracht en toen beroofd. Nee, waarschijnlijk was het omgekeerd. Hij heeft me beroofd terwijl ik sliep, en me daarna verkracht. Hij loopt nu ergens rond met mijn geld, mijn creditcards, mijn Airmiles-pas, mijn AH-bonuspas, mijn Makropas, mijn Wegenwachtkaart en mijn Douglas-card.

Ik keer de portemonnee binnenstebuiten. Er zit geen papiertje in, geen briefje, niets. Ik kan wel janken, maar daar heb ik geen tijd voor, ik moet iets doen, heel snel, voordat die hufter al mijn rekeningen heeft geplunderd.

Ik loop naar de man achter de balie, vertel wat er is gebeurd en vraag of ik even mag bellen. Ik moet mijn passen blokkeren, er is haast bij. De man vraagt naar mijn kamernummer.

Het spijt me,' zeg ik. 'Ik heb hier geen kamer. Dat was een leugen. Ik heb hier een keer gegeten, dat wel.' Mijn T-shirt plakt aan mijn rug.

Blijkbaar zie ik er erg aangeslagen uit. Hij reikt me zonder iets te zeggen een telefoon aan. Dan pas realiseer ik me dat de nummers om passen te blokkeren in mijn mobiel stonden. Paul durf ik niet te bellen, Kaitlins nummer ken ik niet uit mijn hoofd, pa en ma wil ik niet lastig vallen, verdomme, wat moet ik? Ik pak mijn agenda uit mijn tas. Ergens achterin heb ik nog wat nummers van bekenden staan.

Patrick.

Zijn naam springt er meteen uit. Er staat een nummer achter, een gewoon telefoonnummer, blijkbaar heb ik dat ooit genoteerd. Ik weet het al, het was die keer dat hij me een geboortekaartje stuurde van zijn eerste kind.

Ik draai het nummer. Een vrouw neemt op. Ze klinkt vriendelijk. Het is prettig om een Nederlandse stem te horen.

'Dag, met Julia de Groot. Ik ben op zoek naar Patrick.'

'Hij is op zijn werk.'

'Ik bel vanuit het buitenland, het is nogal dringend. Heb je zijn 06-nummer?'

'Mag ik vragen waarover het gaat?' Ze klinkt een tikje argwanend.

'Ik ben de zus van Jimmy.'

De vrouw is even stil. Ik weet zeker dat ze weet wie Jimmy is. Ik weet zeker dat ze me nu zijn nummer gaat geven. Dat doet ze ook. Ik bel Patrick, hij neemt op.

'Hoi Patrick, met Julia.'

'Julia?'

'Sorry dat ik je stoor. Ik heb hulp nodig, jij bent de enige die ik durf te bellen. Ik ben in Portugal, ik ben beroofd, van mijn geld, van mijn passen, ik moet ze blokkeren, maar ik heb de nummers niet en—'

'Rustig, een ding tegelijk, alsjeblieft. Je bent in Portugal. Alleen?'

'Ja.'

'En je bent beroofd? Door een man?'

'Door iemand die ik vertrouwde.'

'Juist.' Hij constateert het, hij veroordeelt me niet, hij begint niet over Paul. Hij vuurt alleen zakelijke vragen op me af: van welke banken waren de passen, wat zijn de rekeningnummers, heb ik een reisverzekering afgesloten, wat is mijn precieze adres in Amsterdam? 'Goed,' zegt hij als hij alles heeft genoteerd. 'Maak je geen zorgen, ik ga het in orde maken, verder nog iets?'

'Ik wil naar huis,' zeg ik timide. 'Ik kan geen vlucht boeken. En ik heb een huurauto, al heel lang, die ik moet afrekenen.'

'Waar ben je nu precies?'

'Bij de receptie van een hotel. Ik mocht hier even bellen.'

De man achter de balie begint ongeduldig te worden, ik trek mijn schouders met een verontschuldigend gebaar omhoog.

'Geef me de naam en het nummer van het hotel en ga naar de politie om aangifte te doen. Kom daarna terug naar het hotel. Je hoort van me.'

'Patrick, je bent een schat. Ik weet niet hoe ik je moet bedanken.'

'Daar vinden we wel wat op, schoonheid.' Zo noemde hij me vroeger ook. Hij aanbad me. Als Patrick naar me keek, voelde ik me altijd mooi.

Het complete politiekorps is aan het lunchen. Pas na anderhalf uur verschijnt er iemand achter de balie om me te helpen. De agent komt net onder zijn moeders rokken vandaan, een groentje met de traditionele olijfkleurige huid, donker, golvend haar en lichtbruine ogen. Terwijl ik begin te praten kijkt hij me verwachtingsvol aan, zijn pen fier in de aanslag, het zou me niets verbazen als ik zijn eerste aangifte ben. Een beroofde toerist, daar kun je weinig aan verknallen. Door de achterdeur van het kantoor wandelt een gezette man binnen. Hij gaat aan een bureau zitten en bladert door een dossier. Dat zal zijn baas wel zijn. Het groentje luistert beleefd naar mijn relaas.

Na een paar minuten verschijnt een frons op zijn rimpelloze voorhoofd. In gebrekkig Engels probeert hij de informatie op een rijtje te zetten. 'U bent beroofd door een Amerikaan? Hij logeerde in uw villa? Hij heeft een negroïde uiterlijk? U hebt geen foto van hem? Zijn achternaam weet u niet? Zijn voornaam eigenlijk ook niet? Hij noemt zich Romeo? Mogelijk heet hij Javis?'

Ik grabbel in mijn tas en wil Romeo's visitekaartje overhandigen. Het is verdwenen. De agent legt zijn pen neer. 'Het spijt me dat ik niet zo veel kan vertellen,' zeg ik. 'Wat ik nog wel weet, is dat hij in Tivoli Almansor verbleef totdat hij bij mij kwam wonen. Tenminste, dat zei hij. Hij reed in een zwarte Maserati. En een paar maanden geleden heeft hij in Hotel Eva in Faro gezeten. Dat weet ik zeker. Zal ik de datum geven?'

De jongen knikt, pakt zijn pen en noteert pro forma wat ik zeg. De Portugese *hermandad* zal deze zaak geen topprioriteit geven. Sinds ik heb besloten dat ik naar huis ga, zit alles tegen. Ik zou herboren terug moeten komen, energiek, vol goede moed, stralend, onweerstaanbaar. Ik zou de frisse wind moeten zijn, ik zou de zon weer moeten laten schijnen in de harten van mijn gezin.

'Hij heeft me trouwens ook verkracht,' laat ik weten.

De ogen van het groentje worden schoteltjes. Zijn collega slaat het dossier dicht en kijkt voor het eerst mijn kant op. De jongen recht zijn rug. 'Wanneer?' vraagt hij.

'Vanochtend. Daarna ging hij weg. Ik denk dat hij me vannacht heeft beroofd, terwijl ik sliep.'

'Hoe laat precies?'

'De verkrachting? Ik denk om een uur of negen.'

Hij schrijft als een bezetene. Zijn gezette collega komt naast hem staan. 'Waarom hebt u niet gelijk gebeld?'

'Ik wist niet zeker of het een verkrachting was. Het begon gewoon als seks, maar toen...'

De pen blijft in de lucht hangen. De collega plaatst zijn handen op het bureau en leunt naar voren.

'...toen deed hij wat ik eigenlijk niet wilde. Van achteren. Anale seks.'

Ze hangen aan mijn lippen. Ze hebben er een beeld bij.

'*Todo lá dentro?*' vraagt de gezette.

Het groentje verbijt een glimlach, ik kijk het tweetal niet-begrijpend aan.

'Of hij helemaal naar binnen ging,' vertaalt de jonge agent met twinkelende oogjes. Ik snap niet wat hij daar zo grappig aan vindt.

'De man is een beroemde pornoacteur. De seks was goed, erg goed. Maar zoals vanochtend wilde ik het niet. Hij dwong me.' Terwijl ik het zeg, bedenk ik dat er een manier is om Romeo op te sporen. 'Als u toevallig Amerikaanse porno-DVD's op het bureau hebt, kan ik hem misschien aanwijzen. Ik zou hem zeker herkennen.'

De jongen en de man schudden gelijktijdig van nee.

'De enige pornotapes die we hier hebben, zijn van Tomás Taveira,' zegt de gezette man. Hij glimlacht nu ook.

'Taveira? Maar dat is een architect.'

'Jazeker. Met een bijzondere hobby. Anale seks. To-do lá dentro,' herhaalt hij langgerekt. Hij geeft het groentje een knipoog en maakt een obsceen gebaar.

Ik geloof niet dat ik hier het fijne van wil weten en ik voel me ineens een stuk minder veilig.

'We kunnen u wel onderzoeken,' zegt de oudere man dan. 'Hebt u zich al gedoucht?'

Even snap ik hem niet. Hij ziet het en verklaart zich nader.

'Hij heeft misschien spermaresten achtergelaten...'

Dit gaat helemaal de verkeerde kant uit. Ik moet alleen een aangifte hebben voor de verzekering, waarom ben ik in godsnaam over die verkrachting begonnen, straks steekt die dikke een wattenstaafje in mijn achterste.

'Laat maar zitten,' zeg ik. 'Ik kan toch niets bewijzen. Doet u alleen maar de beroving.'

De dikke druipt teleurgesteld af. Het groentje vraagt of ik het zeker weet, ik bevestig het, hij voltooit de aangifte, laat me die ondertekenen en geeft een kopie mee.

Op de terugweg naar het hotel begint de auto uit het niets vaart te minderen. Ik geef gas. Het helpt niet. De benzine is op, ik ben te lang doorgereden, dat is me nog nooit overkomen. De motor slaat af, de Opel hobbelt nog een stukje door, ik kan hem nog net de berm insturen. Ik trek de handrem aan en leg mijn hoofd op het stuur.

Na enige tijd hoor ik iemand achter me stoppen. Heel even denk ik dat het Romeo is, ik til mijn hoofd op, zie een zwarte auto, het is alleen geen Maserati, het is een Audi. De bestuurder stapt uit en loopt mijn kant uit. Hij is lang, draagt een net pak en is helemaal kaal, hij is vast een advocaat of een makelaar. Ik doe mijn raam open. Wie hij ook is, hij mag me redden.

Amsterdam, 9 maart 200x

Julia,

Sinds je weg bent, heb ik veel nagedacht. Ik begrijp dat het gezinsleven je niet altijd brengt wat je zoekt. Ik weet dat ik soms te veel van je vraag. Ik ben bereid te veranderen, om aan onze relatie te werken, ook aan onze seksuele relatie. Laten we samen een nieuwe start te maken. Kom alsjeblieft naar huis.

Je man,

Paul

Deel vier

Paul

Hoofdstuk 34

Patrick is kaal geworden. De inhammen bij zijn slapen maken hem oud, maar zijn gezicht is nog even vriendelijk als vroeger. Hij neemt mijn tas van me over.

'Goede vlucht gehad?'

Hij stond op Schiphol, zoals beloofd. Ik herkende hem eerst niet. In mijn herinnering was Patrick negentien en mager, in de aankomsthal ontwaarde ik een middelbare man met een horecaspoiler die op Patricks vader leek. Hij stak aarzelend zijn hand op toen ik naar hem lachte. 'Wil je gelijk naar huis of eerst iets drinken?' vraagt hij.

'Hoe laat is het?'

Hij kijkt op zijn horloge. 'Kwart over twee.'

Over een uur komen de kinderen uit school. Het kan net. We lopen naar het bruine café van Schiphol Plaza. Een biertje voor Patrick, Spa voor mij.

'Je ziet er goed uit,' zegt Patrick. 'Ik herkende je eerst niet. Je haar is anders.'

Ik kijk om me heen. Het is raar om ineens weer in Nederland te zijn.

Patrick zoekt mijn blik. 'Alles goed, Julia?'

'Sorry?'

'Hoe gaat het met je?'

'Goed hoor,' antwoord ik.

'Ik wilde het je niet door de telefoon vertellen maar je creditcards zijn gebruikt, en flink ook. Er zijn sieraden mee gekocht en nog wat andere zaken.'

'Voor hoeveel?'

'Het maakt niet uit, je hebt de diefstal bijtijds gemeld. Je hoeft alleen het eigen risico te betalen.'

'Voor hoeveel, Patrick?'

'Iets meer dan zesduizend euro.' De Love Service heeft zijn kosten op de Stichting voor het Behoud en de Redding van het Gezin verhaald.

Ik trek mijn tas naar me toe, haal er een fles wijn uit en geef hem aan Patrick. 'Monte Vehlo, een van de beste rode wijnen uit de Alentejo.'

'Bedankt.'

'Je hebt me enorm geholpen. Je krijgt alles van me terug, dat beloof ik.'

Hij maakt een afwerend gebaar. 'Het heeft geen haast.'

'Als jij er niet was geweest, had ik niet naar huis gekund.' Ik had zelfs geen cadeautjes voor mijn kinderen kunnen kopen. Die zijn ook iets kleiner uitgevallen dan de bedoeling was, maar goed.

'Hoelang ben je weggeweest?'

'Iets van drie maanden.' Ik word onrustig. Het is leuk om Patrick te zien, maar eigenlijk is het net als vroeger, hij verveelt me snel. Hij is te aardig, hij prikkelt me niet, ik heb de juiste keuze gemaakt, het was nooit wat geworden tussen ons. 'Zullen we gaan?' stel ik voor.

Hij glimlacht. 'Je bent me alweer zat.'

'Hoe kom je daar nou bij?' Ik laat me terugzakken op mijn stoel.

'Zo is het altijd geweest, zo zal het altijd zijn.'

'Dat klinkt wel heel fatalistisch.'

'Ik vind het niet erg. Ik weet dat je aan me denkt en me zult bellen als je me nodig hebt. Dat is genoeg.'

'Waarom doe je dit?'

'Omdat ik het aan je broer heb beloofd. En omdat ik van je houd.' Hij zegt het alsof het de normaalste zaak van de wereld is.

'Is dit hoe liefde moet zijn: onvoorwaardelijk en onbaatzuchtig?'

'In theorie wel, in de praktijk verwachten we er meestal meer van.'

Ik sta op en kus hem op zijn mond. 'Als ik tachtig ben, zul je me dan nog steeds schoonheid noemen?'

Hij bloost. 'Natuurlijk, schoonheid.'

We zijn er bijna. De rit duurde lang, op de A10 was een vrachtwagen gekanteld. Portugese vrachtwagens kantelen zelden of nooit, ik heb er geen verklaring voor.

'Zet me maar af op de hoek. Ik loop het laatste stuk wel.'

Patrick stuurt zijn wagen naar de kant.

'Nogmaals bedankt. Ik bel je van de week over het geld.' Ik maak het portier open. 'Je bent een goed mens,' zeg ik tegen Patrick. 'Hij zou trots op je zijn.'

Hij legt zijn hand op mijn knie. 'Je was zijn heldin, Julia. Hij had het voortdurend over je. Je was zo dapper, je hebt zo veel voor hem gedaan. Het moet heel moeilijk voor je zijn geweest.'

Misschien heeft Jimmy hem verteld wat hij van plan was, misschien weet hij het, het is heel goed mogelijk. Ik ben daar altijd een beetje bang voor geweest, daarom heb ik Patrick gemeden na de begrafenis. Nu is alles anders.

Ik stap uit. Patrick haalt mijn tas uit de kofferbak en reikt hem aan. We nemen afscheid. Ik loop onze straat in. Na de bocht zie ik de bouwplek, hier ergens moet de hut van de kinderen zijn. De contouren van de nieuwe woningen zijn al zichtbaar, ramen en daken ontbreken nog. Langzaam loop ik door. Nog een meter of twintig, dan ben ik bij onze voordeur. Ik heb geen sleutel, hopelijk is er iemand thuis.

De voortuin staat vol onkruid. De collectant van de Hartstichting is net geweest, er zit een sticker op de bel. Ik druk erop. De deur gaat open. Daar staat mijn dochter. Ze leunt tegen de deurpost, ze kijk me vriendelijk aan, ze heeft geen idee wie ik ben. Wat is ze gegroeid, ik zie vrouwelijke vormen die er eerst niet waren. Ze is nog mooier geworden.

'Isabel,' zeg ik. 'Ik ben het, mama.' Ik doe mijn zonnebril af en zet mijn tas op de grond.

'Mam!' gilt ze. 'Wat is er met je gebeurd? Wat is je haar raar! Ik wist niet dat je zou komen. Waarom heb je niet gebeld?'

Ze vliegt me in mijn armen. Ik druk haar stevig tegen me aan. Ze ruikt anders, ze ruikt ouder. 'Schat, wat heb ik jou gemist,' zeg ik uit de grond van mijn hart. 'Waar is Jim?'

'Bij de hut. Zal ik hem halen?'

'Ik ga met je mee.' Stijf gearmd lopen we naar de bouwplaats. Ze wijst me de hut, achter de struiken. Als we vlakbij zijn, zie ik Jim. Hij is alleen. Hij zit op de grond, in kleermakerszit, naast hem ligt een springtouw. Hij heeft een oude lichtblauwe jas van Isabel aan.

'Sst,' gebaar ik tegen Isabel.

We sluipen nog dichterbij.

Hij hoort ons niet aankomen, hij staart voor zich uit. Ik bestudeer zijn gezicht. Het is veranderd, de ronde onschuld is ervan afgeveegd, dit jongetje heeft het zwaar gehad. Ik bijt op mijn lip.

Isabel trekt aan mijn arm, een tak breekt onder mijn voet, Jim schrikt van het geluid.

'Mama is terug!' Isabel kan zich niet meer inhouden. 'Ze is thuis gekomen. Ik had het je toch gezegd?'

Zijn ogen schieten van haar naar mij. Hij verroert zich niet. Ik buk en treed de hut binnen.

'Dag Jim.'

'Hallo, mam.'

'Hoe is het?'

'Goed, hoor.' Hij kijkt langs me heen.

'Wij komen zo,' zeg ik tegen Isabel. 'Ga jij maar vast naar huis en zet theewater op.'

Als ze weg is, laat ik me naast mijn zoon op de grond zakken. 'Ik wil je graag een kus geven, maar ik durf het niet zo goed. Ik denk dat je boos op me bent.'

Jim zwijgt.

'Klopt dat? Ben je boos op me, Jim?'

Geen antwoord. Ik heb het verbruid, hij praat nooit meer tegen me. Koppigheid zit in de familie.

'Ik ben heel lang weggeweest. Ik heb te weinig van me laten horen. Op je verjaardag was ik er niet, daarmee heb ik je verdriet gedaan, dat weet ik. Ik kan het proberen uit te leggen, maar daar schiet je nu niks mee op. Misschien dat je op een dag begrijpt dat grote mensen ook niet altijd alles goed doen.'

Hij pakt het springtouw en draait het einde om zijn pols.

'Het spijt me ontzettend, Jim, ik hoop dat je het me kan vergeven.'

Hij schuift iets dichter naar me toe en bindt met zijn vrije hand het andere eind van het touw om mijn pols. Zo zitten we een tijdje naast elkaar zonder iets te zeggen. 'Is de muur weg?' vraagt hij dan.

'Wat?'

'De muur om je hart. Is die weg?'

'Ja,' antwoord ik. 'Die is verdwenen.'

We drinken thee. Isabel praat honderduit, Jim is nog steeds stilletjes. Ze hebben allebei een huisdier gekregen; Jim een hamster, Isabel een parkiet. Ze heten Frummel en Tweetie. Als ik de nieuwe dieren bewonder, bijt Frummel in mijn wijsvinger. Een dikke druppel bloedt welt op, Isabel brengt me een pleister.

Ik geef ze hun cadeautjes. Even voor half zes horen we de sleutel in het slot gaan. Paul komt thuis. Ik sta op en trek mijn kleren recht.

Jim rent naar de deur. 'Papa, mama is terug!'

Ze stappen samen de keuken binnen. Ineens sta ik oog in oog met mijn echtgenoot. Hij heeft een leren jack aan dat ik niet ken. Hij is afgevallen.

Paul loopt langs me heen en gooit een aangebroken pakje sigaretten op tafel. 'Hallo,' zegt hij nonchalant.

'Rook je weer?' vraag ik ongelovig. Hij was gestopt na de geboorte van Isabel. Als je eenmaal kinderen hebt, kun je het niet maken om te roken, vond hij.

Isabel krijgt een kus op haar voorhoofd. 'Ook een kopje thee, pap?'

'Nee, dank je.' Hij pakt een halfvolle fles wijn van het aanrecht en wil de rubberen stop eraf trekken.

'Wacht, ik heb iets voor je.' Ik haal een tweede fles Monte Vehlo tevoorschijn. 'Komt uit de Alentejo. Heel lekker.'

Paul bestudeert het etiket. De kurkentrekker ligt waar hij altijd lag. Ik reik hem aan. 'Pak even een glas voor mama en mij,' zegt Paul tegen Isabel.

'Ik heb nog thee,' protesteer ik.

'Kom op, je bent weer thuis. Het is feest.' Hij scheurt de huls van de fles los.

Ik kan niet inschatten of hij zijn opmerking cynisch bedoelt.

'Eigenlijk zouden we champagne moeten drinken,' vindt Isabel. 'Jullie echte en wij kinderchampagne. Net als met oud en nieuw, weet je nog, mam? Dat doen we altijd. Toch?'

Ik knik haar geruststellend toe.

'Hoelang blijf je?' vraagt Jim. Hij denkt blijkbaar dat ik elk moment weer kan vertrekken. Dat ik alleen maar even gedag kom zeggen.

Paul mengt zich in het gesprek. 'Niemand heeft nog gezegd dat ze mag blijven, jongens. Ik weet niet of ik dat rare mens wel weer in huis wil hebben. Het was net zo lekker rustig.' Hij schenkt twee glazen wijn in en geeft er een aan mij. 'Proost.' Hij neemt twee grote slokken en steekt een sigaret op. Isabel zet een asbak voor hem neer. 'Heb je het hok van Frummel verschoond?' vraagt Paul aan Jim.

Hij kijkt schuldbewust.

'Dat zou je vandaag doen.'

'Sorry, pap.' Jim schuift zijn stoel naar achteren.

'En hoe zit het met jouw huiswerk, jongedame?'

'Daar wilde ik net aan beginnen,' zegt Isabel lachend. Ze vertrekt naar boven. De rolverdeling is helder, ze zijn perfect op elkaar ingespeeld. Ik voel me een indringer in mijn eigen gezin.

'Het gaat goed met ze. Je hebt het geweldig gedaan,' complimenteer ik Paul.

Hij maakt zijn sigaret uit. 'Jim is erg verdrietig geweest.' Nu de kinderen weg zijn, is de plagerige ondertoon uit zijn stem verdwenen. 'Toen je niets van je liet horen op zijn verjaardag raakte hij ervan overtuigd dat je dood was, maar dat wij het hem niet wilden vertellen. Hij begon in bed te plassen, hij maakte ruzie op school, zijn juf heeft me apart genomen omdat hij niet te handhaven was.

Op haar aanraden heb ik jou opgepiept, zodat hij je stem even kon horen, maar je belde niet terug. Dat maakte het nog erger.'

Ontzet schud ik mijn hoofd. 'Mijn semafoon is niet één keer afgegaan, ik zweer het je. Heb je het goede nummer gedraaid?' Ik haal het apparaatje uit mijn handtas. Het display is zwart, normaal staat daar een rood cijfertje. Vreemd. Ik druk op het knopje. Er gebeurt niets. 'Piep me nog eens op, wil je?'

'Het maakt nu niet meer uit.'

'Alsjeblieft. Ik wil het weten. Ik had hem altijd bij me, echt.'

Zuchtend pakt Paul zijn mobiel en doet wat ik vraag. De semafoon blijft stil.

'Hoe kan dat nou?'

'Wat doet het ertoe? De batterij zal wel op zijn.' Paul schenkt zichzelf nog wat wijn in, mijn glas is nog onaangeroerd.

De batterij. Aan die mogelijkheid heb ik geen moment gedacht, rund dat ik ben. Ik maak de semafoon open, rommel in een laatje en vervang de batterij. Er klinkt een piepje en in het display verschijnt een rode nul.

'Je was dus al die tijd onbereikbaar,' concludeert Paul. Het valt niet te ontkennen.

'Het spijt me,' zeg ik deemoedig.

'Je hoeft je niet te verontschuldigen. Als er iets mis was gegaan, had jij ermee moeten leven.'

Het is goed afgelopen, er heeft zich niets fataals voorgedaan, die mogelijkheid lijkt Paul altijd uit te sluiten als het om kansberekening gaat. Ik verander van onderwerp. 'Heb je mijn moeder nog gesproken?'

'Helaas wel.'

'En?'

'Ze vroeg zich af waaraan ze het had verdiend dat ze opnieuw een kind kwijt was. Je vader heeft een paar keer gebeld om te vragen wanneer je weer op kantoor komt. Hij woont tegenwoordig samen met een Thaise vrouw, hij heeft haar tijdens een vakantie ontmoet.'

Ik begin te lachen.

Paul kijkt verstoord. 'Mae-Duna is heel aardig. We zien elkaar geregeld, zeker sinds de beroerte.'

'Beroerte?'

'Heeft Kaitlin het je niet verteld? Ze zei dat ze contact met je had, dat ze je zou inlichten. Je vader heeft een beroerte gehad.'

'Ik weet van niets,' zeg ik ijzig. Typisch Kaitlin om zoiets te beloven. 'Hoe is het met hem?'

'Hij had uitvalsverschijnselen aan zijn linkerzijde, maar die zijn nagenoeg verdwenen.'

'En zijn vriendin… eh…'

'Mae-Duna. Ze kan geweldig koken. Isabel en Jim zijn dol op haar.'

'Hoe oud is ze?'

'Mae is nog jong,' zegt Paul snel. Dit is de derde keer dat hij haar naam noemt. 'Ik geloof dat ze een jaar of achtentwintig is. Ze spreekt goed Engels. Je zou haar en Jim eens moeten horen praten samen. Heel grappig. En nog leerzaam ook. Voor Jim, bedoel ik.' Hij schuift ongemakkelijk heen en weer op zijn stoel.

Tussen de regels door lees ik dat mijn lot een ironische wending heeft genomen. 'Wat vindt mijn vader ervan?'

'Waarvan?' Paul bloost.

Ik weet niet hoe het me lukt om zo kalm te blijven. 'Dat zijn schoonzoon het met zijn vriendin doet? Je hoeft het niet te ontkennen, Paul, het ligt er nogal dik bovenop. Wees maar niet bang, ik word niet kwaad—'

'Jij wordt niet kwaad? Zullen we even bij het begin beginnen? Ik wist niet waar je was, ik had geen idee of je nog zou terugkomen, ik kon je niet bereiken. Toen klopte Mae bij ons aan…'

Vierde keer. Ik neem een slok wijn, mijn eerste. Ik was het niet van plan, ik had me voorgenomen een half jaar geen alcohol te drinken.

'…ze woonde net in een vreemd land, ze kende niemand, je vader was met spoed in het ziekenhuis opgenomen. We vonden steun bij elkaar, dat is waar…'

De mobiel van Paul trilt. Een sms'je. Hij leest het bericht en glimlacht.

'Is het van haar?' Ik krijg geen antwoord. Hij legt zijn telefoon weg.

'We waren nergens opuit, Julia. We hadden dit geen van beiden verwacht. Je vader is nog niet op de hoogte. Mae wil het hem pas vertellen als hij volledig is hersteld.'

Ik geloof dat ik een migraine-aanval voel opkomen.

Jim stapt de keuken binnen en deelt mee dat Frummel weer een schone kooi heeft.

'Goed zo, jongen,' zegt Paul. 'Je mag op mijn slaapkamer televisie kijken.'

Zijn kinderen, zijn slaapkamer, zijn nieuwe vriendin. Ik ben volledig buitenspel gezet.

'Mag ik bij jullie blijven?' vraagt Jim verlangend.

Ik aai hem over zijn bol. 'Papa en ik willen even rustig praten, schat. We hebben elkaar zolang niet gezien.'

'Komt Mae nog vanavond?' Isabel steekt haar hoofd om de deur.

Paul werpt haar een boze blik toe.

'Stoor je vooral niet aan mij.' Ik doe mijn armen in de lucht en geef me over. Misschien moet ik maar een hotel boeken voor vannacht. Of nog beter: een enkele reis naar Faro.

'Ze zou me Thaise soep leren koken,' verklaart Isabel.

Paul grijpt in. 'Mama is nu hier, dus dat gaat niet door. Ik zal Mae straks even bellen. Volgens mij is er nog genoeg rijst over van gisteren. Dek jij de tafel, Isabel? Jim, jij ruimt af na het eten, daarna is het douchen, uitkleden en naar bed. Zonder ruzie en zonder gezeur.'

Jim klimt op mijn schoot. Ik geef hem een kus. Hij klemt zich aan me vast alsof hij me nooit meer wil loslaten. 'Ga je nu niet meer weg, mama?'

Zorgvuldig formuleer ik een antwoord. Ik wil hem niet ongerust maken, maar kan ook nog niet te veel beloven. Mijn toekomst hangt van Paul af. En van ene Mae-Duna. 'Voorlopig blijf ik in de buurt, lieverd. Vanavond zal ik je in bed stoppen, dat beloof ik.'

'En morgen?'

Hoofdstuk 35

Paul hangt op de bank, met zijn benen op de salontafel. Hij heeft een sigaret opgestoken. Het blijft raar om hem te zien roken. De kinderen liggen in bed. Jims ogen straalden toen ik hem zijn nachtkusjes gaf. Hij kreeg er honderd, eentje voor elke nacht dat ik er niet was geweest en nog een paar extra.

'Is er paracetamol in huis?'

Hij knikt. Het doosje ligt op de vertrouwde plek. Ik neem er twee in, loop terug naar de woonkamer en ga in de leunstoel zitten.

'Ook wat port?' Paul houdt de fles omhoog. Ik bedank. 'Dat moet een lieve duit gekost hebben,' merkt hij op, 'dat nieuwe lichaam van je. Ik hoop dat het je wat heeft opgeleverd.'

Het is voor het eerst dat hij er iets over zegt.

'Ik ben er blij mee, als je dat bedoelt.'

'Je bent vast niet de enige.'

Mijn vingertoppen masseren mijn bonkende slapen. 'Krijg ik dit de hele avond, Paul? Dan ga ik naar bed. In de logeerkamer of in een hotel. Je zegt het maar.'

'Dacht je werkelijk dat je hier kon komen binnenwalsen en doen alsof er niets is gebeurd?'

'Ik dacht helemaal niets, Paul, ik—'

'Laat me godverdomme uitpraten! Ik heb je een brief gestuurd waarin ik je heb gesmeekt om naar huis te komen.'

Was ik nu toch maar naar het postkantoor gegaan. Het komt door Romeo, door de verkrachting, maar dat kan ik Paul niet vertellen. Er is zo veel dat ik hem niet kan vertellen. Je moet mensen niet te veel belasten met de waarheid.

'Heb je een kopie?' Paul bewaart altijd kopieën van zijn correspondentie.

'Hoezo?'

'Ik was niet meer in Lagoa, ik heb een rondreis gemaakt,' lieg ik. 'Laat me hem lezen, alsjeblieft.'

Hij moet de brief hebben geschreven op een moment dat hij nog in een goede afloop geloofde. Het is nog steeds niet te laat. Misschien beseft hij dat als hij zijn eigen woorden terugleest.

'Waarom is dit ineens zo belangrijk voor je? Je weet al bijna drie weken dat ik je een brief heb gestuurd, ik heb het je door de telefoon verteld. Heeft dit met Mae-Duna te maken? Vind je me nu ineens weer aantrekkelijk, omdat iemand anders me wil?'

Ik zal het niet gauw toegeven, maar hij heeft gelijk. Ik ben voor mijn kinderen naar huis gekomen, niet voor hem. Ik had geen idee hoe het verder moest met Paul, ik wilde het rustig aankijken, Mae-Duna heeft de boel op scherp gezet. 'Ik vind dat we ons huwelijk nog een kans moeten geven. Dat zijn we aan onszelf en aan onze kinderen verplicht.'

Hij trekt zijn benen van de bank en gaat rechtop zitten. 'Ik was bereid te veranderen, ik was bereid te werken aan onze seksuele relatie. Ik had begrip voor je situatie. Dat stond in de brief. Mijn begrip is verdampt, Julia, ik begrijp niet wat je heeft bezield om zolang weg te blijven.'

'Ik had dingen uit te zoeken. Het had met Jimmy te maken, het had met mezelf te maken...'

'...en met het formaat van mijn geslacht,' memoreert Paul. 'Is je missie geslaagd? Heb je een echte man gevonden? Was het lekker?' Hij neemt een haal van zijn sigaret en blaast de rook in kringetjes uit. 'Mae-Duna maakt me heel gelukkig. Weet je waarom? Ze neemt me zoals ik ben. Ze is dol op me. Ze klaagt nergens over.'

Die Thaise sloerie heeft mijn vent ingepalmd. En hij is er met open ogen ingetrapt.

'Vind je het gek? Ze is ontsnapt uit Thailand dankzij mijn vader. Elke volgende Westerse man is een stap voorwaarts. Je bent die stap, Paul, jij bent de vooruitgang. Ze is carrière aan het maken.'

Hij blijft onbewogen. 'Je bent jaloers. Jaloers en vals.'

'Ik ben reëel. Die schrijver van jou, die Houellebecq, zou het roerend met me eens zijn. Het is allemaal economie, het is de wet van vraag en aanbod. Jouw geld en jouw status in ruil voor haar dienstbaarheid en haar achtentwintigjarige lichaam. Zelfs mijn vader mocht aan haar zitten, wat zeg ik, waarschijnlijk mag hij dat nog steeds. Klaagt ze daar wel eens over?'

'Ben je klaar?' Driftig drukt hij zijn sigaret uit. 'Ik ga dit niet met jou bespreken. Je weet niet wat je zegt, je kent haar niet eens.'

'Ik ben je vrouw, Paul, al vijftien jaar. Boven liggen twee kinderen te slapen, onze kinderen, we zijn een gezin. Ik ben weggegaan, dat weet ik. Ik ben je niet trouw geweest, dat klopt. Maar ik ben teruggekomen. Net als jij ben ik bereid om aan onze relatie te werken—'

'Geloof je er werkelijk in, Julia? Wees nou eens heel eerlijk. Verlang je naar me? Ik merk er niets van.'

Het is net als bij Jim, ik moet mijn woorden op een goudschaaltje wegen. 'Hartstocht wordt op den duur toch altijd minder?' vraag ik voorzichtig.

'Ik verlang nog steeds naar jou,' bekent Paul. 'Misschien omdat ik je nooit helemaal heb bezeten. Jij bent zo'n vrouw die geen enkele man ooit volledig zal bezitten.'

Behalve Romeo, denk ik. Aan hem onderwierp ik me. Maar goed, hoe gezond was dat?

'Laten we praktisch blijven,' zeg ik na enig nadenken. 'Er zijn twee mogelijkheden. We kunnen het nog een keer proberen of we gaan uit elkaar. Het zal allebei moeilijk zijn. Als we met elkaar doorgaan, zul je moeten breken met Mae. Als we uit elkaar gaan, moeten we een beslissing nemen over de kinderen.'

Paul schudt langzaam zijn hoofd. 'Ik proef geen liefde, Julia. Ik kan niet met je verder als ik niet voel dat je van me houdt.'

'Hoe moet ik dat bewijzen?' vraag ik wanhopig. 'Ik kan het niet op commando, ik heb tijd nodig. Er is veel gebeurd.'

'Misschien te veel. Ik vroeg je niet voor niets om eerlijk te zijn.'

Hij ontglipt me, ik raak hem kwijt. Nee, ik ben hem al kwijt. Ik heb hem zelf losgelaten. Lang geleden. Gelijktijdig met mijn simkaart, in de zee. Ik wil iets zeggen, om een laatste kans smeken, maar de woorden komen niet. Mijn lichaam begint te schokken.

Paul staat op en trekt me in zijn armen. 'Ik ben niet wat jij zoekt. Jij hebt de vrijheid geproefd en je wilt meer. Dat is geen schande. Zo gelukkig als Mae nu met mij is, zul jij nooit meer met me worden. Voor haar ben ik nummer één. En dat is wat ik wil, dat is waar ik recht op heb, waar ieder mens recht op heeft.'

Ik kan niet ophouden met huilen.

'Stil nou maar.' Hij streelt over mijn rug. 'Het komt allemaal goed. Je zult een nieuwe liefde vinden. Je zult Mae accepteren, want zo ben je. We zullen er het beste van maken.'

'Hoe weet je dat?' Ik veeg mijn neus af aan zijn overhemd.

'Ik ken je beter dan wie dan ook, Julia.'

Met dank aan

Sandra, Marit, Tanja, Ingrid, Martijn, Peter,
Leonard, Marrit, Diana, Trix, Janine, Michiel.

Met speciale dank aan

Olivia en Sam.
Oscar, altijd Oscar.

Met zeer speciale dank aan

Marjanne. Thijs is niet vergeten.